D1495683

10
18

12, AVENUE D'ITALIE. PARIS XIIIᵉ

Sur l'auteur

Né en 1950 à Cuba, Pedro Juan Gutiérrez a exercé différents métiers — marchand de glaces, coupeur de canne à sucre, dessinateur industriel —, tout en faisant parallèlement des études de journaliste à l'université de La Havane. Avec *Trilogie sale de La Havane*, il rencontre un succès international. Son deuxième livre, *Animal tropical*, a quant à lui remporté, parmi cent treize romans candidats, le prestigieux prix Alfonso Garcia-Ramos. Également sculpteur et poète, Pedro Juan Gutiérrez collabore aujourd'hui à plusieurs revues en Amérique latine et aux États-Unis et vit toujours à La Havane. Après *Le Roi de La Havane*, son dernier roman, *Le Nid du serpent*, a paru aux éditions Albin Michel en 2007.

PEDRO JUAN GUTIÉRREZ

TRILOGIE SALE DE LA HAVANE

Traduit de l'espagnol
par Bernard COHEN

10

―――

18

« *Domaine étranger* »

dirigé par Jean-Claude Zylberstein

ALBIN MICHEL

Titre original :
Trilogía sucia de La Habana

© Pedro Juan Gutiérrez, 1998.
© Editorial Anagrama, S.A., 1994, Barcelone.
© Éditions Albin Michel, 2001, pour la traduction française.
ISBN 978-2-264-03389-5

Ancré à une terre vacante

Du nouveau dans ma vie

Tôt ce matin, une carte postale rose dépassait de ma boîte aux lettres. Mark Pawson, de Londres, avait écrit : « *5 June 1993 some bastard stole the front wheel of my bicycle.* » Une année était déjà passée mais l'incident le chagrinait encore. Je me suis rappelé la petite boîte de nuit près de chez Mark, où tous les soirs Rodolfo se dépouillait de ses vêtements dans une danse très lascive tandis que je produisais un étrange fond musical tropicalo-aléatoire à l'aide de bongos, de grelots, de cris gutturaux et de tout ce qui pouvait me passer par la tête. On s'amusait bien, on buvait de la bière à l'œil et ils nous payaient vingt-cinq livres par soirée. Si seulement ça avait pu durer. Mais Rodolfo était un Black très recherché, il est parti à Liverpool enseigner la danse moderne et moi je me suis retrouvé sans un rond, réfugié chez Mark jusqu'au moment où cela a fini par me lasser et où j'ai pris le chemin du retour.

Désormais, je m'entraînais à ne rien prendre au sérieux. Un homme peut commettre un tas de petites erreurs, c'est sans importance. Mais quand les erreurs sont si grosses qu'elles finissent par peser sur sa vie, il ne lui reste plus qu'à tout relativiser. C'est le seul moyen d'éviter de souffrir. Car la souffrance, quand elle se prolonge, en arrive souvent à être fatale.

J'ai repoussé la carte dans la boîte, j'ai mis une cassette avec le *Snake Rag* d'Armstrong et, le cœur en fête, j'ai arrêté de penser. La musique m'empêche de réfléchir. Et ce jazz-là, en plus, il me remplit de joie, il me fait danser tout seul. Une tasse de thé en guise de petit déjeuner puis je suis allé chier, j'ai lu des poèmes homosexuels d'Allen Ginsberg, je suis resté fasciné par *Sphincter* et *Personal Ads* mais la fascination n'a pas pu durer longtemps parce que deux amis à moi sont arrivés, des petits jeunes. Ils voulaient savoir si d'après moi ce serait une bonne idée de jeter un canot pneumatique à la mer aux abords de la pointe San Antonio en direction du cap Catoche, ou s'il valait mieux filer droit vers le nord jusqu'à Miami. C'était l'époque de l'exode, l'été 94. La veille, une amie m'avait dit au téléphone : « Tous les hommes s'en vont, tous les jeunes. Ah, ça va être un problème pour nous, les filles ! » Mais ce n'était pas tout à fait ça : beaucoup de gens restaient encore, finalement, incapables qu'ils étaient d'aller vivre trop loin.

Bon, moi j'ai fait un peu de navigation dans le Golfe et je sais à quel point il peut être traître. J'ai sorti une carte maritime pour les convaincre de ne pas partir vers le Mexique. Et je suis descendu avec eux jeter un coup d'œil à leur grand canot pour six personnes. C'était un fouillis de planches et de cordes monté sur trois pneus d'avion. Ils emporteraient une lampe électrique, une boussole et des feux de Bengale. Je leur ai souhaité bonne chance, j'ai pris mon vélo et je suis parti faire un tour. J'ai acheté quelques tranches de melon et je suis allé chez mon ex. Nous sommes bons amis, maintenant. C'est mieux comme ça. Elle n'était pas là. J'ai mangé un peu de melon et j'ai abandonné les peaux dans le coin. J'aime bien laisser des traces. J'ai rangé au frais les tranches qui restaient et je suis reparti vite fait. Pendant deux ans j'ai été trop heureux, dans cette maison. Ce n'est pas bon de s'y retrouver seul.

Margarita vivait pas loin. Cela faisait un moment qu'on ne s'était pas vus. Quand je suis arrivé, elle faisait la lessive, elle était en nage. Toute contente, elle a voulu aller se passer un peu d'eau. Nous étions amants occasionnels — il faut bien trouver une formule pour ça, non ? — depuis près de vingt ans et dès qu'on se retrouvait on baisait, et ensuite on bavardait bien tranquilles. Et donc je ne l'ai pas laissée se laver, je l'ai déshabillée et je lui ai passé ma langue partout. Elle, même chose : elle m'a déshabillé et elle m'a mis sa langue partout. Moi aussi, j'étais noyé de sueur après tant de vélo et tant de soleil. Elle s'était remplumée, son corps s'était épanoui à nouveau, elle avait retrouvé des fesses dures, rondes et denses malgré ses quarante-six ans. Ils sont comme ça, les Noirs : pleins de fibres et de muscles, très peu de graisse, une peau lisse et souple. Et je n'ai pas résisté à la tentation, non : après avoir joué un bon moment avec elle, elle avait déjà pris son pied trois fois, je la lui ai mise dans le cul. Lentement lentement, et bien mouillée par le jus de son vagin. Petit à petit, sans entrer d'un coup et en lui masturbant le clitoris avec mes doigts. Et elle, enragée de douleur mais me demandant plus et plus. Elle mordait l'oreiller et en même temps elle soulevait son cul et me suppliait de la lui donner jusqu'au fond. Elle est fabuleuse, cette femme. Aucune ne jouit autant qu'elle. On est restés collés longtemps, longtemps, quand je l'ai sortie elle était pleine de merde et elle, ça l'a dégoûtée. Moi non. L'impudique en moi était toujours tête haute, en éveil. C'est que le sexe n'est pas fait pour les scrupules. C'est un échange de liquides, de fluides, de salive, d'haleine, d'odeurs fortes, d'urine, de sperme, de merde, de sueur, de microbes, de bactéries. Ou sinon, ça n'existe pas. Si ça se limite à la tendresse et aux sentiments éthérés, alors ce n'est plus qu'une parodie stérile de ce qui aurait pu être. C'est-à-dire rien.

On s'est pris une douche et on a été prêts pour un café et une petite conversation. Elle avait l'intention que je l'accompagne à El Rincón. Elle voulait tenir une promesse qu'elle avait faite à saint Lazare et que j'y aille avec elle le lendemain. En fait, elle me l'a demandé si gentiment que j'ai accepté. C'est ça qui est merveilleux, avec les femmes cubaines, quoiqu'il doive y en avoir beaucoup d'autres pareilles, peut-être en Amérique, en Asie : elles sont si câlines qu'on ne peut jamais rien leur refuser. Les Européennes, c'est différent. Celles-là, elles sont tellement sèches qu'elles te donnent toutes les raisons de dire non. Et de t'en féliciter, en plus.

Après, je suis rentré chez moi. La soirée se faisait plus fraîche. J'avais faim, évidemment, avec un thé, une tranche de melon et un café dans l'estomac. Chez moi, j'ai mangé un morceau de pain avec un autre thé. Je m'étais déjà accoutumé à plein de nouveau dans ma vie. J'allais m'habituant à la pauvreté. A prendre la vie comme elle venait. J'apprenais à oublier la rigueur. C'était ça, ou impossible de survivre. Toujours j'avais vécu dans le manque de quelque chose. Insatisfait, à tout vouloir en même temps et à me battre encore pour autre chose, avec rigueur. Mais là, je prenais l'habitude de ne pas tout vouloir à la fois. De vivre sans rien, ou presque Autrement, j'aurais continué avec cette vision tragique, rigoureuse de la vie. Alors que maintenant la misère ne me faisait pratiquement ni chaud ni froid.

Et puis j'ai appelé Luisa. Elle venait passer la fin de la semaine avec moi. C'est une femme adorable, Luisa. Peut-être trop jeune pour moi, mais peu importe. Rien n'importe. Il s'est mis à pleuvoir et à tonner, avec un vent de cyclone et une humidité terrible. C'est comme ça, les Caraïbes : il fait soleil et puis d'un coup ça commence à souffler, la pluie arrive et on se retrouve au beau milieu de l'ouragan. J'aurais aimé avoir un peu de rhum, seulement impossible de m'en procurer : j'avais bien quelque argent mais il n'y avait rien à acheter. Je me suis allongé sur le lit pour dormir. J'étais tout suant, les draps étaient sales mais moi j'aime mon odeur de sueur et de saleté. Je me renifle et ça m'excite. Et puis Luisa allait arriver. Je crois que je me suis endormi. Que le vent forcisse encore et arrache les plaques de fibrociment du toit, je m'en fichais. Tout m'est égal.

Souvenirs des temps heureux

Je cherchais de la bonne musique à la radio et je suis tombé sur une station qui passait de la latina, salsa, son, ainsi de suite. Et puis ils ont arrêté la musique et ce type à la voix rauque s'est mis à parler, très rigolo, à causer de tout, de ses enfants, de son vélo, de ce qu'il avait fait la veille au soir. Une voix très forte, il avait, avec une élocution vulgaire, le langage de la rue, comme s'il n'était jamais sorti du centre de La Havane. On aurait dit un Noir qui t'aborde sur le trottoir et te dit : « Hé mon amiiii, tu fabriques quoi présentement ? J'ai un ti'biz-ness pour toi mon amiiii. »

Ma femme et moi, on l'écoutait et il nous plaisait. Personne d'autre ne faisait ça, à la radio. Lui, il passait un bon disque, il causait un moment, il cafouillait un peu et hop, encore de la musique. Pas besoin d'expliquer, pas besoin de montrer ce qu'il savait. Il avait l'air d'un Black intelligent et moi j'ai toujours plaisir à trouver des Noirs qui ont une tête et qui ont de la fierté, pas de ceux qui te bravent du regard alors qu'en fait ils ont cette fou-tue mentalité de l'esclave qui a peur du fouet...

Bon, toujours est-il qu'on ne le ratait presque jamais, ce type, on l'écoutait à la maison au temps où on était heureux et où on vivait bien, même si moi je me gagnais ma vie en pratiquant un journalisme malsain, pleutre, plein de concessions, à la merci permanente des cen-seurs, ce qui me faisait flipper dur parce que je me sen-tais chaque jour plus mercenaire, plus minable, avec ma ration quotidienne de coups de latte au cul.

Après, elle est repartie à New York. Elle voulait qu'on la regarde, qu'on l'écoute. Comme tout le monde. Personne n'a envie d'être condamné à l'obscurité et au silence. Ils rêvent tous des feux de la rampe. Et si possible de se faire acheter, encenser, séduire. Attendez, j'ai écrit « ils rêvent tous » ? Je retire. J'aurais dû mettre : « Nous rêvons tous d'être vus et entendus. »

Elle est sculpteur et peintre. Dans le monde des arts, ça s'appelle « être bien coté ». Et c'est supposé être magnifique. Avoir la cote, c'est réconfortant. Enfin, elle est repartie et moi ils m'ont éjecté du journalisme parce que j'étais de plus en plus tripal. Or, les gens tripaux, ils n'aiment pas. Bon, c'est une longue histoire mais en fin de compte ce qu'ils m'ont dit, en gros, c'était : « Il nous faut des gens sérieux, raisonnables. Avec du plomb dans la cervelle, beaucoup de plomb. Pas d'excités, parce que le pays traverse une passe très délicate, un moment fondamental de son histoire. »

C'est vers ce temps-là que je me suis aperçu, en plus, que le type à la voix cassée par la picole n'était pas noir, non. C'était un Blanc, jeune, bien éduqué, études universitaires et tout. Mais ça lui allait bien, cette image que j'avais eue de lui.

Je me suis retrouvé bien seul, à l'époque. C'est ce qui arrive toujours quand on aime sans réserve, comme si on était encore un jeunot. Ton aimée s'en va à New York — comme on dit « s'en va au diable » — pour longtemps, très longtemps et toi tu te découvres plus seul et plus perdu qu'un naufragé au milieu des courants. A part qu'un jeunot reprend pied rapidement, tandis qu'un gus comme moi, à quarante-quatre ans, reste esquinté beaucoup plus longtemps. Et il se dit : « Et merde, ça m'est encore arrivé ! Mais pourquoi je suis débile à ce point ? »

Avec Jacqueline, ça a été encore pire, parce que dans ma vie de macho elle détenait un record hyper-important : un jour, elle a eu douze orgasmes avec moi. L'un après l'autre. Et elle aurait pu en avoir encore plus, seu-

lement je n'ai pas été capable de me retenir plus longtemps et j'ai eu le mien, moi. Si je l'avais attendue, elle
serait arrivée à vingt, à une vingtaine. D'autres fois,
elle a atteint les huit ou dix. Mais ce record dont je parle,
elle ne l'a jamais battu. On prenait énormément notre
pied, tous les deux, parce qu'on était heureux. Cette histoire des douze orgasmes, ce n'était pas une compétition. C'était un jeu. Un très bon sport, qui te garde jeune
et musclé. Comme je dis toujours : « *Don't compete.*
Joue pour jouer ! »

Enfin, de toute façon, Jacqueline était trop raffinée
pour vivre à La Havane en 1994. Née à Manhattan, elle
vient d'un mélange de trois générations d'Anglais, d'Ita-
liens, d'Espagnols, de Français et de Cubains installés
à Santiago de Cuba avant d'essaimer sur La Nouvelle-
Orléans et l'ensemble des Caraïbes, du Venezuela à la
Colombie. Une famille de dingues. Son père a fait le
Jour J en Normandie. En définitive un résultat bien trop
compliqué pour être assimilé par un mâle tropicalo-
tripal comme moi. Elle me disait toujours : « Ah, il n'y
a plus personne de bien à La Havane. Les gens sont de
plus en plus vulgaires, de plus en plus brutes, de plus
en plus dépenaillés. » Oui, il y avait quelque chose qui
clochait : ou l'élégance naturelle de Jacqueline, ou la
vulgarité des gens, ou encore mon idiotie parce que,
moi, je me sentais très à l'aise là-dedans alors que pourtant, c'est sûr, la pauvreté arrivait au galop.

Quand je me suis retrouvé seul, je n'ai eu que le temps
de réfléchir à tout ça. J'habitais le plus bel endroit du
monde, un appartement tout en haut d'un vieil immeuble
de huit étages au centre de La Havane. Quand le soir
tombait, je me préparais un rhum très fort avec beaucoup
de glace, j'écrivais des poèmes violents — ou des fois
moitié violents, moitié mélancoliques — que j'abandonnais un peu partout autour de moi. Ou bien des lettres.
C'est l'heure où tout devient doré, alors je regardais
autour de moi : au nord, la mer bleue, imprévisible,
comme si l'eau était de l'or et du ciel mélangés ; au sud

et à l'est, la vieille ville satinée par le temps, les embruns, le vent et la négligence ; à l'ouest, la cité moderne et ses hauts bâtiments. Chaque espace avec ses propres humains, ses propres bruits, sa propre musique. J'aimais boire mon rhum au crépuscule doré en perdant mon regard par les fenêtres, ou bien m'attarder sur la terrasse, les yeux fixés sur l'entrée du port, avec ses vieux fortins médiévaux dont la pierre nue, sous la lumière douce du couchant, paraissait encore plus belle et éternelle. Tout cela m'aidait à penser avec une certaine lucidité. Je me demandais pourquoi ma vie avait tourné de cette manière. J'essayais de trouver un sens. J'aime bien planer au-dessus de moi-même, observer ce Pedro Juan-là à distance...

En réalité, ces soirs avec rhum et lumière dorée et poèmes violents ou mélancoliques et lettres aux amis lointains me permettaient de gagner de la confiance en moi. Quand on a des idées bien à soi, même un petit stock, on est obligé d'accepter qu'on se retrouvera sans cesse devant des gens qui vous tireront la tronche, qui essayeront de prendre le contrepied, de vous diminuer, de vous « faire comprendre » que vous devez la fermer, ou qu'il faut éviter tel ou tel type parce qu'il est cinglé, ou pédé, ou faux-derche, tel autre parce que c'est un branleur, un obsédé, ou encore un voleur, un bigot, un spirite, un fumeur de hasch, et Unetelle une traînée, une exhibitionniste, une pute, une gouine, une mal élevée. Ceux-là, ils réduisent le monde entier à quelques êtres hybrides, monotones, ennuyeux et « parfaits », et ainsi ils rêvent de te transformer en un déviant, en une merde ambulante, ou ils essaient de te fourrer dans leur secte personnelle pour mieux ignorer et abolir tous les autres. Et ils te disent : « Oui, ainsi va la vie, mon brave, en un processus permanent de sélection et d'exclusion. Nous, nous détenons la vérité. Les autres, qu'ils aillent se faire foutre. » Et s'ils passent trente-cinq ans à te marteler ça dans le cerveau, dès que tu te retrouves isolé tu te prends pour le meilleur et tu t'appauvris énormément, parce que tu as perdu un bel aspect de l'existence : savoir goûter la diversité, accepter que nous ne sommes pas tous égaux et que dans le cas contraire ce serait affreusement lassant.

Bon, toujours est-il que le mec à la voix rauque est réapparu sur ma radio et qu'après avoir déconné un moment il a passé un orchestre de salseros de Puerto Rico, alors je me suis mis à danser un peu, tout seul, jusqu'à l'instant où je me suis dit : « Mais qu'est-ce que je fais à danser tout seul comme un con, moi ? » Et là j'ai éteint le poste et je suis sorti. « Tiens, je vais à Mantilla », j'ai pensé.

J'ai tournicoté dans la rue jusqu'à trouver un minibus, puis un autre, et je suis arrivé dans ce quartier périphérique qui me plaît bien, à moi, parce qu'on y voit déjà la terre rouge et les champs verts et les troupeaux de vaches. J'y ai quelques amis, à Mantilla. J'ai vécu longtemps là-bas. Je suis allé voir Joseíto, un chauffeur de taxi qui s'était retrouvé sans travail à cause de la crise et qui gagnait sa vie grâce au jeu. Cela faisait deux ans qu'il croûtait comme ça. Il y avait beaucoup de tripots clandestins, à Mantilla. De temps à autre, la police opérait une descente, en fermait deux ou trois, bouclait les gus quelques jours et les relâchait. J'avais trois cents pesos en poche, alors Joseíto m'a encouragé à jouer. Lui, il a pris dix mille pesos. Il jouait sérieux, lui. On est allés dans une maison où il avait toujours de la chance. Et il en a eu encore. Moi, j'avais perdu tout mon argent au bout d'un quart d'heure. Je ne sais pas ce qui m'avait pris de me laisser embarquer là-dedans : au jeu, je n'ai jamais gagné, rien. Lui, par contre, il a commencé à empocher gros dès le début. Quand je l'ai laissé, il avait déjà raflé dans les cinq mille. Quelle veine il a, ce mec ! Moi, avec un bol pareil, je vivrais comme un roi. Et d'ailleurs il vit très bien, à Mantilla, et il me dit toujours : « Hé, Pedro Juan, si j'avais imaginé ça, j'aurais arrêté de m'emmerder avec le taxi depuis longtemps ! »

J'avais la haine à cause de l'argent que j'avais perdu.

Je déteste perdre. Chaque fois, ça m'irrite. Et j'étais scié que Joseíto puisse s'en tirer si facilement alors que, moi, il suffit que je ramasse mes cartes ou que je prenne le cornet de dés pour me mettre à perdre. Mais je ne suis pas un poissard, non, au contraire je porte chance aux autres ! Toujours. Une fois, j'ai acheté une bagnole toute déglinguée et je l'ai laissée en bas de chez moi une bonne semaine, parce qu'il y avait des pièces à changer et que ça allait me coûter cher. Bon, quelques jours passent et voilà qu'un vieux singe vient me raconter que tout le quartier joue à la loterie le numéro d'immatriculation de ma guimbarde, 03657. Et il me dit en rigolant .

— Va falloir qu'on te donne ta commission, Pedro Juan. Hier soir, le boucher s'est gagné cinq mille pesos avec le 57. Quoi que t'en penses ?

— Ce que j'en pense ? J'en pense qu'il devrait me payer la réparation de l'auto, ce cochon. Ça fait une semaine qu'elle reste là parce que je n'ai pas la thune.

— Oh con ! Tout le monde se gagne de l'argent avec ta caisse et toi tu l'as dans l'os !

C'est comme ça. Je suis une catastrophe au jeu. Et pas qu'au jeu.

Quand je suis sorti du tripot où Joseíto était en train de se remplir les poches, j'avais encore quelques pièces, de quoi rentrer en bus au centre. Mais il me manquait un peu de rhum. J'avais trop les boules d'avoir perdu, je me sentais devenir agressif et une rasade de rhum, ça me calme bien. « Tiens, je passe chez René », je me suis dit. C'est un photographe de presse, un bon. Nous avons beaucoup travaillé ensemble, dans le temps. Seulement un jour il s'est fait choper en train de faire des photos déshabillées. Quelques clichés de très jolies filles à poil, rien de scabreux, non, pas de baise, pas en train de sucer la queue à des Noirs, rien de tout ça. Des nus de belles nanas, voilà, et pourtant il y a eu un de ces scandales... Ils l'ont éjecté du Parti, ils lui ont enlevé sa carte de presse. Le comble, c'est que même sa femme l'a jeté en disant qu'il l'avait « déçue ». Bon, à l'époque, c'était comme ça : en pleine édification du socialisme, Cuba était d'une pureté virginale, avec un délicieux parfum d'Inquisition. Aussi sec, le type était démoli, échoué dans une cahute de Mantilla avec son filou de fils qui trafiquait de l'herbe par là-bas mais qui passait plus de temps en prison que dans son gourbi à vendre la came qu'il rapportait de Baracoa. Il ramenait aussi de l'huile de coco, du café et du chocolat à écouler au marché noir mais il gagnait surtout sa vie avec cette herbe de la montagne, qui était excellente et dont il prenait de telles quantités qu'il pouvait la revendre à bas prix.

René était seul, maintenant. Son fils était parti en canot vers Miami pendant l'exode d'août 94. Depuis, il n'avait eu aucune nouvelle de lui.

— Je ne sais pas où il est passé. Est-ce qu'il sera arrivé à Miami, est-ce qu'ils l'auront emmené à la base navale de Guantánamo, est-ce qu'il se sera retrouvé au Panamá, aucune idée. Qu'il aille au diable. Qu'ils aillent tous au diable, Pedro Juan ! Du temps où il était ici, il passait ses journées à me répéter que sans lui je serais à la rue. Que tout le monde aille se faire mettre ! Moi, j'ai été tellement couillonné que je ne veux plus rien savoir de personne.

Il s'est mis à pleurer. A sangloter. J'ai eu l'impression qu'il avait forcé sur la marie-jeanne.

— Hé, René, je suis ton ami, moi. Déconne pas, mon compère. Viens, on va aller se chercher un peu de rhum

— Y en a un fond à la cuisine. Ramène-le par ici.

Du rhum ? De la mort aux rats, oui. Une demi-bouteille de poison contre les cafards. J'en ai avalé une gorgée.

— René ! Mais tu es en train de te tuer avec cette gnôle, mon ami ! Avec quoi ils fabriquent ça, mes morts ?

— Avec du sucre, figure-toi. C'est le voisin d'à côté qui le fait. Je sais que c'est une merde pas possible mais je me suis habitué, je ne le trouve plus si dégueu. Tu veux tirer une taf ? Y a des joints dans ce tiroir là-bas.

— « Tirer une taf » ? Pourquoi tu causes comme ça ? Depuis quand t'es un Espingouin, mon ami ?

— Ça m'est resté des cavaleuses qui viennent ici. Elles sont tellement bêtes qu'elles se mettent à parler comme les touristes espagnols qu'elles se soulèvent. « Une heure, on va dire », ce genre-là. Elles ont du vent dans la calebasse, et moi aussi, et du coup je cause comme ces toubabs-là et leurs radasses noires.

On a allumé les joints et le silence est tombé. J'ai fermé les yeux pour mieux savourer. L'herbe de Baracoa a un parfum et un goût incomparables. Elle est très forte, aussi. J'ai pris garde de ne pas trop aspirer. Je me suis dit que je devrais faire le voyage et en rapporter quelques paquets. Si le fils de René ramenait toujours de l'huile de coco, du café et du chocolat avec, c'est parce que l'odeur du café tue celle de la marie-jeanne. Je pouvais faire pareil, moi, et me gagner quelques pesos. J'en étais là dans mes pensées quand il s'est levé pour aller prendre un album de photos dans un tiroir. Il me l'a tendu.

— Tiens, mate un peu ça, Pedro Juan.

J'avais la langue écartelée entre la gnôle et l'herbe. Il est revenu se jeter sur sa chaise, abattu, amer. Il fallait que je me tire de là au plus vite. L'air était chargé de découragement et de merde, et ça, c'est contagieux, c'est comme de respirer un gaz empoisonné qui vous pénètre le sang et vous asphyxie. Non, je ne pouvais pas continuer à parler avec René ! J'avais besoin de voir quelqu'un de dur, un type capable de me sortir de ma déprime et de tous mes souvenirs des temps heureux. J'avais besoin de m'endurcir comme une pierre.

J'ai ouvert l'album. Une collection de femmes à poil. Il y en avait trois cents, au moins. Dans toutes les positions. Des Noires, des métisses, des Blanches, des brunes, des blondes. Joueuses ou sérieuses. Des fois par deux, à s'embrasser, à se serrer l'une contre l'autre, à se caresser les tétés.

— Et c'est quoi, ça ?

— Des cavaleuses. Un catalogue de cavaleuses. Plein de chauffeurs de taxi s'en servent avec le touriste. Ils lui montrent cette publicité-là, l'autre choisit et ils l'amènent à l'endroit où il faut.

— Mais alors, tu photographies les stars ? René, le photographe mondain !

— Le photographe des putes, oui. Ah, mon ami, ils m'ont liquidé, esquinté. Plus bas, je pouvais pas tomber.

— Déconne donc pas, René. Si tu fais monnaie avec ça, tu...

— Tu sais bien que je suis un artiste, moi. Et ça, c'est que de la merde.

— Oh, c'est toi qui m'esquintes, là ! Arrête de faire ton genre, dis ! Profites-en, de ces putes. Moi, à ta place, en plus de ces photos pour catalogues de merde, je leur prendrais des plans très forts, des nus sur leur lit, dans leur piaule, tout en noir et blanc, plein d'atmosphère, et dans deux, trois ans, tu te fais une super-exposition. « Putains de La Havane », tu vois le style ? Et hop, tu es lancé avec un sujet que même Sebastiao Salgado, il peut pas faire.

— « Putains de La Havane » ? Dans ce pays ?

— Dans ce pays ou ailleurs. D'abord tu travailles dessus, ensuite tu te cherches un endroit pour exposer. Total, s'ils t'envoient paître ici, tu vas voir ailleurs, n'importe où. Mais le principal c'est que tu te bouges, mon vieux, et que tu arrêtes de te ruiner encore plus la vie en broyant du noir ici.

— C'est... C'est pas une mauvaise idée.

— Bien sûr ! Vas-y, fonce et tu verras que tu te sors de cette mouise. Dis donc, ton fils, il avait des associés, à Baracoa ?

— Qu'est-ce que tu veux faire, toi ?

— Rapporter un peu d'herbe par ici. Je suis rasé-rasé, René. Faut que je me fasse un peu de ronds.

— Si tu vas là-bas, il te faut chercher Ramoncito El Loco. Il crèche à la sortie de Baracoa, vers La Farola. Connu, il est trop connu ! Dis-lui que tu es mon pote et que c'est pour moi. Il te fera moins cher. Mais ne te montre pas trop avec lui parce que tout le monde sait qu'il a toujours vécu de l'herbe, ce vieux fou. Et après, t'es fiché.

— D'accord, mon frère. Allez, bon vent. A la revoyure.

Ce voyage à Baracoa, il ne fallait pas tarder. En plus des affaires, je me trouverais bien une de ces Indiennes avec le feu au cul qui te donnent l'impression d'être le mâle le plus fantastique du monde. Ces Indiens-là, ils ne se sont pratiquement pas mélangés, ni avec les Noirs, ni avec les Blancs. Le déplacement valait la peine, oui. Là-bas, les gens, c'est autre chose.

Deux sœurs et moi au milieu

Leur appartement s'enfonçait dans la merde. Cela faisait seulement quelques années qu'elles vivaient là mais tout empestait déjà le caca des poulets et des cochons qu'elles élevaient sur la terrasse. Les toilettes étaient à vomir, sans doute qu'elles ne les nettoyaient jamais. Moi, ça m'est égal. Ils sont comme ça, les Noirs. Je cherchais Aïda mais, quand je suis arrivé, Caridad était toute seule. On a parlé des sujets de cette époque : la bouffe, les dollars, la misère, la faim, Fidel, ceux qui s'en vont, ceux qui restent, Miami...

Dans le temps on avait eu une histoire, Caridad et moi. Un truc rapide. On s'était retrouvés à attendre ensemble un omnibus pour aller à La Havane, un jour. Quand notre tour était enfin arrivé et qu'on était partis, il faisait déjà nuit et on s'était offert une petite bacchanale tous les deux, le sperme avait coulé à flots... On était très jeunes, alors, et quand on est jeune on gaspille tout parce qu'on pense que rien ne peut s'épuiser, jamais. De toute façon, une fois vieux, on se retrouve quand même à sec, même si on a économisé, non ? Enfin, lorsqu'on est arrivés à La Havane elle espérait que j'allais l'emmener dans un hôtel, histoire de faire ça bien, sur un lit. Mais moi, non. Moi qui suis plus ou moins blanc, mon sens du devoir me conduisait à passer à côté de ce qui importe vraiment, du moins à cette époque. On m'avait inoculé trop de discipline dans la caboche, trop d'esprit « responsable », le tout mélangé à une bonne dose d'autoritarisme, de goût de la hiérarchie.

Ah, heureusement que je l'ai laissée derrière moi, cette étape de ma vie...

Mais bon, elle s'était sentie insultée, elle. Les femmes, et plus encore les Noires, n'aiment pas remettre à plus tard quoi que ce soit. Elle s'était dit que je faisais les choses à moitié et depuis elle n'avait plus rien voulu savoir. En ce temps-là, elle avait dix-huit ans, elle était championne de tennis. Elle voyageait beaucoup à l'étranger, elle était jolie et elle avançait dans la vie. Elle avançait bien. Elle avançait implacablement. Et du coup elle avait tiré un trait définitif sur moi.

J'ai connu sa sœur Aïda par la suite. Nous avons commencé un flirt qui s'est poursuivi pendant vingt ans. Par intermittence, évidemment. Aïda, c'est tout le contraire : une grande Noire très mince, travailleuse sociale dans un hôpital, ce qui lui a aiguisé certains réflexes. Quand elle était petite, elle a eu un accident avec un réchaud à essence qui lui a laissé tout le côté droit brûlé, du cou à la taille. Elle est un peu névrosée, elle manque de confiance en elle, elle doute toujours de tout, elle serait incapable de faire un croche-pied à qui conque, elle a une peau qui sent vraiment fort. Quand ils sont très noirs, les Noirs ont toujours cette odeur trop âcre. Pour cette raison, je suis resté des années sans pouvoir lui mettre ma langue dans le trou. Mais elle est très chaude, aussi, sans aucun préjugé. C'est la grande perverse, Aïda... De toute façon, on va reparler d'elle.

Pour le moment, j'étais en tête à tête avec Caridad. Vingt ans après notre aventure nocturne. En réalité, il y en avait eu une autre. Elle était déjà mariée, sa fille était née, elle avait grossi des seins et de partout, avec plein de graisse, et elle ne savait plus parler que de son travail d'entraîneuse de tennis, et de la méchanceté de tous ceux qui l'entouraient, et qu'elle ne pouvait plus voyager, et que son mari était un parasite incapable de faire quoi que ce soit d'autre que de jouer au base-ball le week-end « Ils sont si mauvais avec moi ! Alors que j'ai jamais rien fait de mal à personne, moi... C'est la jalousie. La jalousie qu'ils ont contre moi ! »

Je supportais ses niaiseries parce que je guettais Aïda, qui pouvait arriver d'un moment à l'autre. Caridad avait sorti un litre d'alcool de goyave et s'était mise à boire avec moi. A la moitié de la bouteille, nous étions toujours seuls et elle essayait de m'enjôler pour que je consacre un « grand reportage » à son passé de championne, nous avions les yeux qui brillaient tous les deux, alors je m'étais levé, j'étais allé à son fauteuil et je l'avais embrassée.

Elle, elle se met debout et elle s'offre à moi avec une fougue à laquelle je ne m'attendais pas. On se fait une langue fourrée et quand je lui mets la main, hé, c'était trempé. De la sentir mouiller comme ça, je n'ai pas pu résister : je l'ai entraînée vers son lit pour la tringler, parce qu'elle était devenue trop dondon pour essayer debout. Mais en position verticale ou couchés ça a été la merde, de toute manière. J'étais tellement excité que je n'ai pas pu l'attendre, j'ai joui tout de suite. Quand j'ai vu ce que j'avais fait, j'ai cherché à continuer mais on n'était pas tranquilles, tous les deux : que son mari débarque et il nous tuait avec sa batte de base-ball, elle et moi. Parce que c'était un Noir costaud, attention. Pas très grand, mais bien baraqué. Alors, bon, on s'est rhabillés et on est allés se rasseoir sur le perron. Je me suis envoyé un autre verre de gnôle et puis hop, au revoir.

Après, j'ai raconté à Aïda ce qui s'était passé. Comme ça, sans y donner d'importance. En fait, je crois que je n'ai jamais été très important pour Aïda. Et je lui en ai parlé pour rire, parce que cela avait été le coup le plus rapide et le plus minable que j'aie tiré dans ma vie. Elle ne s'est pas fâchée, Aïda, mais ensuite elle en a discuté avec Caridad. Elle lui a reproché d'avoir saoulé l'amant de sa propre sœur pour se le baiser, enfin, ces petites jalousies entre femmes auxquelles je n'ai jamais rien compris tellement elles sont criblées d'égoïsme lourdingue, tellement elles font penser aux paroles d'un boléro bien ringard. On ne devrait jalouser que ce qui en vaut vraiment la peine. Ce qui compte pour de bon. S'épuiser à être jaloux de son ombre, c'est absurde. Mais les femmes, elles, ne sont pas de cet avis. Elles sont capables d'être jalouses simultanément de leur mari, de leur amant et de deux prétendants, le tout avec le même emportement et la même intensité. Elles sont très bien équipées pour la vie. Ou elles ont beaucoup de sens pratique, disons.

Entre nous trois, le truc a couvé un bon moment. Jusqu'à ce que je me retrouve à nouveau seul à seul avec Caridad. La petite en train de jouer en bas, le mari en vadrouille... Il pêche, maintenant. Il a oublié le baseball. Et voilà que l'idée me vient de lui dire, à Caridad :

— Ah, si on avait une bouteille de gnôle... Tu te souviens de cette fois, là ?

— Non. Et si on en avait une, de bouteille, il ne se passerait rien du tout.

— Pourquoi ?

— Parce qu'il y en a qui ne sont plus des hommes, dès qu'ils ont bu. Et pire que tout, ils savent plus tenir leur langue. Et alors ils causent trop.

Hop, c'est parti. Pour un peu, elle me ficherait hors de chez elle. D'après elle, je suis une sous-merde d'être allé raconter ça à sa sœur. Et celle qui a le plus de droits sur moi, c'est elle. Parce qu'elle était la première. Là, ça devient trop compliqué. Toutes ces histoires de morale, de droits et de devoirs, j'ai jamais trop compris. Je suis un cynique, moi. Comme ça, c'est plus facile. Plus facile pour moi, en tout cas.

Au bout d'un moment, je suis arrivé à dévier la conversation sur un autre sujet. On a parlé du Brésil. On lui a proposé de partir un an donner des cours de tennis à des gosses brésiliens dans une ville quelconque, près de São Paulo. On l'a cherchée sur une carte, cette ville. Sur le papier, ça ne paraissait pas loin.

— Je te donnerai des lettres pour mes amis de São

Paulo. Tu iras les voir, je ne te dis pas comme ils vont te plaire. Des gens merveilleux.

Ça m'a permis de la calmer un peu et j'ai même obtenu d'elle qu'elle fasse un bout de chemin avec moi. Pour rejoindre la cabane d'Aïda, il fallait traverser un bon paquet de faubourgs excentrés. Elle m'a conseillé :

— Prends par là. Quand tu arrives à la plantation de manguiers, tu sais, tu continues sur la gauche et tu cherches la briqueterie.

Et ainsi je suis parti au milieu de cette zone très pauvre, mais au moins les gens ne demandaient qu'à aider et ils m'ont guidé dans ce bidonville fait de tôles, de planches pourries, de débris de briques et de gravats rejetés par l'usine. Quand je suis arrivé chez Aïda, elle était en train de se laver. Elle est venue m'ouvrir la porte en culotte et soutien-gorge, encore mouillée, et on n'a pas eu le temps d'échanger plus de quatre ou cinq mots. Une bonne baise. Je l'ai laissée jouir plusieurs fois, la première en la suçant. C'est incroyable, mais c'est chaque fois la même chose : il suffit qu'elle sente ma langue remonter sur son clitoris pour qu'elle ait son premier orgasme. Et j'ai continué, sans me presser. Elle me plaît, cette femme. Elle se retourne pour que je l'encule. Elle m'a raconté qu'avec son mari — elle s'est mariée il y a trois ans — elle ne pouvait pas. Son nègre a une pine de nègre, bien sûr, ce qui exclut des acrobaties de ce genre. On a sué comme des fous. Sa bicoque est minuscule, le toit très bas, deux pièces et une salle d'eau toute petite. A la fin, je n'en pouvais plus, j'ai tout lâché. Comme d'habitude : dans l'orgasme, je crie, je me désespère. Pareil que si je m'envolais dans le ciel et que je retombais d'aussi haut que le soleil. Pareil qu'Icare dégringolant vers la mer en perdant ses plumes. Ouf, on a terminé. On est restés un moment les yeux au plafond, exténués. Enfin, moi, exténué. Elle, pas tant que ça. Elle est infatigable. Elle peut avoir dix orgasmes, elle en veut encore. Seulement c'était irrespirable, avec cette chaleur. Elle m'a dit :

— Profite qu'il y a de l'eau, prends-toi un ti'bain.

Comme je ne voyais pas le savon, je l'ai appelée.

— Du savon y en a pas, ti'Pedro. Depuis quand j'en ai pas vu ici je compte plus, présentement.

— Alors tu te laves à l'eau et c'est tout ?

— Hé oui ! Qu'est-ce que tu veux faire ?

Avec une boîte de conserve, je me suis fait couler un peu d'eau sur le corps. Aucune différence. Sans savon, on n'enlève pas l'odeur, ni la sueur, ni rien. Je me suis séché, rhabillé, elle aussi, et on s'est assis pour bavarder un moment.

— Je vais aller faire la cavaleuse à La Havane. Que comme ça, je peux pas continuer, moi.

— T'es zinzin, ma fille ? Tu es bien trop naïve pour ça...

— Regarde voir un peu. J'ai deux culottes en tout et pour tout, et les deux en charpie. Pas de savon, pas de manger, rien. Je continue à aller travailler à l'hôpital par habitude. Je sais même pas pour quoi faire, j'y vais. Hé, cette vie, y a plus personne qui supporte ! Et ce couillon de mari que j'ai... Ah, non, j'en peux plus, là.

— C'est pas un couillon, Aïda. C'est qu'on vit des moments très difficiles, même quelques dollars, il faut se les trouver.

— Je sais bien. Mais faut aller se les chercher, au moins. Ici, personne ne va te les amener, d'accord ? Mais lui, rien du tout. Il s'assoit là et il fait rien. A fumer, à boire du rhum quand il y en a. A se saouler comme un chien, qu'après il peut même plus me niquer. Bon à rien, il est !

— Con, mais il pourrait au moins engraisser un cochon, je sais pas... Se faire un peu de ronds pour vous.

— Rien. Il fait rien. Il lève pas un doigt. Des fois, je me dis qu'il est retardé mental, ce bougre-là. Non, vraiment, tu crois que si je vais faire la...

— Ecoute-moi. N'y pense même pas. C'est un filon complètement bouché. Les petites nanas qui sont cavaleuses à La Havane, ça a à peine vingt ans, et toutes on dirait des mannequins. Ultrabelles, elles sont. Et malignes comme tout, avec des contacts chez les flics, et chez les chauffeurs de taxi, et chez les concierges des grands hôtels... Allez, oublie.

— Mais mon ti'Pedro, je fais quoi alors, moi ?

Je lui ai donné quelques idées de victuailles à trouver. En ville, les gens avaient la dalle. Tout ce qui pouvait se manger se vendait dans la minute.

— Je t'aiderai, Aïda. Je connais des gens qui te paieront de l'or n'importe quoi à se mettre sous la dent. Il te suffit d'un petit voyage par semaine et tu verras...

On a parlé jusqu'à la nuit tombée. J'attendais que son mari rentre. J'aurais voulu qu'on se bourre tous les trois et qu'on se mette à danser, histoire qu'elle nous chauffe bien lui et moi. Au lit, elle me le dit toujours : elle adorerait qu'on couche tous les trois ensemble pour que je lui donne par-derrière et lui par-devant. Qu'elle me demande ça, ça m'excite à un point... Mais il n'arrivait pas, ce type, alors je suis parti. Visiblement, elle n'avait qu'un peu de riz pour dîner, ce soir-là. Et ça me faisait peine.

Depuis, aucune nouvelle. Des mois ont passé, elle n'est jamais venue à La Havane. C'est qu'il y a des gens, de vrais sots... Ça ne sait pas se débrouiller, et alors ça meurt de faim.

Des durs à cuire

Comme les choses allaient mal depuis un bout de temps, je me suis dit qu'une bonne révision serait bienvenue. J'ai pris mon vélo et j'ai fait tout le Malecón pour aller à Marianao. Je les avais à moitié abandonnés, les saints, et pourtant América m'avait prévenu que je devais faire l'initiation au rite d'Elegua, mais je ne voulais pas m'y mettre à fond. C'est toujours la même chose : quand tout va bien, on s'en fiche, mais quand ça tourne mal on se souvient de la santería...

América était en train de remonter des seaux qu'elle remplissait à une bouche d'eau enfoncée loin dans le trottoir. Dans son immeuble, ils n'ont pas l'eau courante. Je l'ai aidée un peu, parce que, vieille comme elle est, elle suait à grosses gouttes. Assez vite, seau après seau, nous avions pratiquement rempli la citerne quand il y a eu du remue-ménage dans la maison. Une femme avait eu une attaque, elle était en convulsions au milieu du couloir.

— C'est un mort qui passe en elle. Attends-moi ici, je vais l'aider, m'a dit la vieille, et elle est rentrée en vitesse.

Moi, je voulais finir les quelques seaux manquants, puis qu'América me fasse la consultation. Je ne pouvais pas passer la journée à Marianao, quand même. En plus, dans ce coin, il y a toujours des complications. Chaque fois, le foutoir commence et la police se pointe aussi sec. Et juste à ce moment, j'entends América me crier d'une voix apeurée :

— Pedro Juan ! Viens vite, fils, viens vite !

Ce mort, il ne passait pas, visiblement. Quand je suis

arrivé au bout du couloir, l'attroupement de femmes grossissait encore.

— Rentre là et descends-le, fils ! Décroche-le, pour l'amour de Dieu !

J'ai passé la tête par la porte de l'appartement de la possédée. Son fils était suspendu au plafond par un fil électrique enroulé autour du cou. Il était nu, couvert d'estafilades, du sang partout sur lui, du sang séché, sombre. Certaines de ses blessures étaient très profondes.

— Appelez la police ! ai-je crié en rapprochant une chaise pour essayer de le dégager.

Mais le type était épais, robuste. Trop lourd. Impossible de défaire le nœud. En plus, il était froid et raide comme un bloc de glace. Le sang s'est mis à ressortir de plusieurs coupures. Je me suis taché.

América était en train d'effectuer des passes sur la femme et de lui asperger la figure d'eau froide, mais le mort restait mort. Finalement, elle s'est évanouie sur le sol. A ce moment, un voisin est arrivé. Il a enlacé le pendu et s'est mis à pleurer et à l'embrasser. Il m'a demandé de l'aider à le détacher.

Je ne comprenais plus rien. Ce type, c'était un dur du quartier. On voyait bien que c'était un macho pas commode, et pourtant il était là, à baiser le mort sur la bouche et il chialait comme une fontaine. On a enfin réussi à le désentortiller et à le descendre.

Le type le prend dans ses bras, le couche sur le lit et me dit :

— Laissez-moi seul. Je vais le laver.

En fait, j'étais très content que quelqu'un d'autre s'occupe du pendu. Je pouvais m'en aller, comme ça. J'étais couvert de sang, je voulais me doucher.

América a réussi à faire reprendre connaissance à la mère. Moi, je regarde la porte de l'appartement : noire de monde. Personne n'osait entrer dans la pièce. Des femmes se signaient, murmuraient des prières. Quand América a essayé d'aider le voisin à la toilette mortuaire, il l'a envoyée bouler :

— J'ai dit qu'on me laisse seul ! Allez-vous-en, tous.

América m'a pris par le bras et m'a entraîné chez elle

— Assieds-toi, que je te fasse un ti'café. Aujourd'hui je ne pourrai plus te consulter, là. Il y a un mort tout frais en travers du chemin. Et plein de sang.

— Mais qu'est-ce qui s'est passé ?

— Ce petit qui s'est pendu, il était pédé. Il se faisait tringler depuis tout gosse. Au Centre de rééducation des mineurs. Et ça lui plaisait. Il a eu une chienne de vie parce qu'il était beau, et c'était un dur, aussi, seulement qu'il n'aimait pas les femmes. Il a toujours été aigri. Et regarde ce qu'il s'est fait, pour finir : il se massacre avec le couteau et ensuite il se pend. Il faut être malade de la tête pour se faire du mal à ce point. Tiens, hier après-midi, tu sais quoi ? Il montait un cheval sur le terrain qui est derrière, là, mais il l'a tellement cravaché que le cheval, pardi, il s'est cabré, cabré, et il a fini par l'envoyer se casser la gueule. Bon, et l'autre ? Il sort son couteau et allez, dans le cou, jusqu'à le tuer. Après, il est parti en courant et on l'a plus revu. Certainement qu'il est revenu au petit matin. Pour se pendre.

— Et quoi, sa mère, elle n'était pas là ?

— Non. Des fois elle sort la nuit avec des hommes et elle revient bourrée. Des fois, elle disparaît des deux, trois jours de suite.

— Et celui qui m'a aidé à le descendre, c'est qui ?

— Un voisin d'ici. Ils fricotaient depuis un moment, tous les deux. Moi, j'ai jamais compris. C'est un bel homme, avec femmes et enfants, un bougre à la machette facile, la police ne lui fait pas peur... Mais bon, ils se plaisaient, il faut croire.

J'ai bu mon café. América m'a rempli la baignoire. Je commençais à me savonner quand les flics ont débarqué pour qu'on aille faire notre déposition au commissariat. Je n'ai pas eu ma consultation, mes fringues étaient foutues et j'ai dû les jeter parce que les taches n'ont jamais voulu partir.

Moi en claustrophobe

Pendant des années et des années, j'ai essayé de me dégager de toute la merde qui s'était accumulée sur moi. Et ce n'était pas facile. Quand on a passé ses quatre premières décennies à être le gars docile, à l'échine souple, qui gobe tout ce qu'on lui raconte, il devient quasiment impossible d'apprendre ensuite à dire « non », « va au diable », « fichez-moi la paix ».

Mais moi je parviens toujours... enfin, presque toujours, à obtenir ce que je veux. Tant que ce n'est pas un million de dollars, ou une Mercedes. Encore que, allez savoir : si j'en avais vraiment envie, je pourrais y arriver. En définitive, c'est tout ce qui compte, désirer quelque chose. Quand tu éprouves ça, fortement, tu es déjà sur le bon chemin. C'est comme le coup de l'archer zen qui envoie sa flèche sans se soucier de la cible. Et donc je me suis accroché pendant des années jusqu'à arriver à faire mouche, en suivant cette méthode qui met la logique à l'envers.

Bon, il faut dire que lorsque j'ai commencé à abandonner les « choses importantes » — importantes pour les autres — et à penser et à agir un peu plus pour moi-même, j'ai connu un passage très dur. Des années durant, je me suis retrouvé au bord de tout. En équilibre. Sans cesse au-dessus du précipice. J'étais entré dans une nouvelle étape de cette aventure permanente qu'est la vie. A quarante piges, il est encore temps de laisser tomber la routine, l'angoisse aussi stérile qu'abrutissante, et de commencer à vivre autrement. Seulement presque personne n'ose franchir ce pas. Continuer la même chose, jusqu'à la fin, c'est plus rassurant. Moi, je me suis endurci. J'avais trois options devant moi : m'endurcir, devenir dingue ou me suicider. Résultat, le choix était facile : il fallait que je m'endurcisse.

Mais à ce stade je ne savais pas encore comment me débarrasser de toute cette merde. Je menais ma petite vie sur ma petite île, je rencontrais des gens, je tombais amoureux, je baisais. Je baisais énormément à l'époque. La frénésie sexuelle m'aidait à m'échapper de moi-même. C'était le temps de la claustrophobie. Il suffisait que je me retrouve dans un endroit un peu renfermé pour que j'étouffe et que je m'enfuie en hurlant comme un dingue.

Tout avait commencé le jour où je m'étais fait coincer dans l'ascenseur de l'immeuble. C'est un vieux machin des années trente, je veux dire une cage en grilles, pas une boîte fermée. Très laid parce que américain, rien à voir avec ces beaux ascenseurs européens de l'époque qu'on voit encore travailler discrètement dans les hôtels du boulevard de La Villette ou d'autres anciens quartiers de Paris. Non, lui c'est l'assemblage grossier, basique, très sombre puisque les voisins piquent toujours les ampoules électriques, et ça pue perpétuellement l'urine là-dedans, et la porcherie, et les dégueulis quotidiens du saoulard qui habite au quatrième. On monte ou on descend lentement, avec tout le temps pour observer le paysage alentour : un pan de ciment, un bout d'escalier, l'obscurité, encore un bout d'escalier, les portes des appartements, quelqu'un qui attend devant la grille et qui finit par se décider à y aller à pied, parce que cet ascenseur-là, il s'arrête où il veut et quand il veut. Très souvent, c'est entre deux étages et voilà, on est seul là-dedans, avec le mur de béton grossier en face de soi, et on se met à crier : « Hééé, sortez-moi de là, con, il s'est encore coincé, l'enfoiré ! » On dirait un vieillard affligé d'artériosclérose : il oublie tout, il monte et il descend tout doucement, en tremblant et en geignant, comme s'il n'avait plus la force de supporter toutes ces allées et venues.

Enfin, lors d'un de ces arrêts inopinés, j'ai glissé la main entre la grille et la paroi et je me suis escrimé à atteindre le bas de la porte de l'étage d'au-dessus afin de la refermer correctement. C'est le seul moyen pour que le mécanisme se remette en route. Et j'ai réussi : la porte a bien cliqué, l'ascenseur est reparti. Simplement, il ne m'a pas laissé le temps de retirer mon bras. Coincé entre la grille et le mur, c'est-à-dire un espace de trois centimètres, je le sais, je viens d'aller le mesurer avant d'écrire ça. Horrible. Tout le temps qu'il a mis à arriver au septième, et il se traînait, comme toujours, j'ai eu le bras et la main écorchés. Je gueulais comme un veau, je me débattais, je m'imaginais qu'en guise de bras droit je n'avais plus qu'un magma d'os brisés et de peau déchiquetée. Mais non. Pas de fractures. Seulement brûlé, la chair à vif du bout des doigts à l'épaule, les nerfs comme une purée sanguinolente de boue et de merde de chien. Droit dans le chaudron du diable. Et une claustrophobie galopante, en plus. Quand je suis sorti de l'ascenseur — ou quand on m'en a sorti, plutôt —, j'étais bloqué, attrapé en moi-même. Et je le suis resté des années et des années. Prisonnier de mon corps, effondré en lui.

C'était une sensation tellement affreuse qu'il m'arrivait de me réveiller en sursaut et de bondir hors du lit en pleine nuit. Je me sentais pris au piège de ma chambre, de la nuit, de moi-même. Je suffoquais. Je devais aller pisser, boire un verre d'eau, m'accouder à la terrasse et regarder l'immensité obscure de la mer, aspirer à fond les embruns et l'iode. Alors, alors seulement j'arrivais à me calmer un peu.

Oh, en réalité l'ascenseur n'est pas le seul fautif. L'ascenseur a été la goutte qui a fait déborder le vase, c'est tout. Avant, il s'était passé plein de choses que je raconterai plus tard, au fur et à mesure. A d'autres moments. Pas maintenant. Je les raconterai de la même manière qu'on dialogue avec un mort par l'intermédiaire d'une santera, qu'on lui offre des fleurs et de l'eau et des prières pour qu'il repose en paix et qu'il arrête de déconner avec nous autres qui sommes restés de ce côté du mur.

Donc, j'en étais là, claustro comme pas possible, suffoqué, écrasé tel un cafard. Et j'allais de-ci, de-là, tout le temps. Toujours en fuite. Impossible de rester chez moi. La maison, c'était un enfer. Et un jour, je suis allé à un séminaire de cinéma. Je m'étais dit que je pourrais éventuellement en tirer un papier pour l'hebdomadaire assez débile mais très prétentieux pour lequel je travaillais à l'époque. Ça durait quatre jours, dans une école de cinéma qui se trouve à la sortie de La Havane. A peine arrivé, je n'ai eu d'yeux que pour Rita Cassia. Une Brésilienne à la peau dorée qui voulait gagner plein d'argent en écrivant des scénarios de *telenovelas*, qui avait des jambes superbes et qui rêvait d'oublier son récent divorce. En d'autres termes, elle cherchait un type joyeusement tropical qui lui changerait les idées et la rendrait heureuse.

Et elle l'a trouvé. Elle m'a balancé tout son érotisme dans son premier regard. Des yeux d'amande et de miel. Exactement comme l'héroïne d'un boléro. On s'est regardés et c'était comme si on se bouffait les lèvres. Tout le reste s'est passé très vite. On a ignoré un célèbre auteur de documentaires cubain qui réalisait des choses splendides sans savoir comment. Tellement intuitif, le mec, qu'il était incapable de se rendre compte de son énorme intuition. Par chance, il n'essayait jamais d'expliquer quoi que ce soit sérieusement, non, il sortait des vannes, il était sympathique. Mais bon, on l'a laissé là et on est partis se promener dans le petit bois. On a échangé des bêtises jusqu'au moment où nos champs magnétiques réciproques ont été sursaturés et où on s'est embrassés sans s'être dit un seul mot d'amour ni de désir. Après, elle m'a raconté que pendant le carnaval de Rio elle sortait presque nue et allait danser la samba toutes les nuits. Je suppose que ça n'est pas étranger à ses yeux et au champ électromagnétique qu'elle avait.

Le soir venait, le petit bois n'était pas très touffu mais il était fréquenté, parce que les élèves de cette école sont très portés sur la chose, ce qui est logique. Près de nous, deux garçons s'embrassaient éhontément et le temps de dire ouf ils s'étaient ouvert la braguette, avaient sorti leur pine et s'étaient couchés par terre, sans plus y tenir, à se sucer mutuellement en soixante-neuf. Ça m'a excité encore plus. On est partis droit au petit studio que Rita avait loué et je la lui ai donnée à sucer sans même prendre le temps de me déshabiller. Sur la table, il y avait une bouteille de rhum vieux, sept ans d'âge. Ah, combien de temps j'avais passé sans voir ces doux fla-cons de vrai rhum ! Et donc je me suis versé un grand verre avec des glaçons, encore un autre, et ensuite je suis devenu zinzin : je me suis mis à lui fourrer ma bite de partout pendant plus d'une heure, sans jouir. Elle, elle bougeait des hanches, du bassin, elle orgasmait, elle m'aspergeait de rhum. En fait, elle prenait une gorgée dans sa bouche et me la soufflait dessus, et après elle me passait la langue sur la peau pour le reprendre. Des fois, le rhum me fait cet effet-là, il me coupe l'orgasme. Ma queue reste tendue, mais je ne jouis pas.

Quand je me suis concentré pour jouir enfin — j'étais crevé —, j'ai réussi à accumuler assez de volonté pour sortir ma pine à temps et je lui ai envoyé toute ma crème sur le ventre. Oh, il y en avait beaucoup, des tas. Comme cela faisait une ou deux semaines que je n'avais pas tiré, mes réserves étaient pleines. Et Rita qui se roule là-dedans, en répétant : « Mmmm, quel délice, quel délice, quel délice... »

La suite a été une longue orgie, car après le séminaire en question est venu le Festival du cinéma latino-améri-cain et La Havane, pour nous en tout cas, s'est muée en paradis : plein de films, plein de baise, plein de rhum et de bonne bouffe. Pourtant Cuba était déjà entré dans la pénurie la plus grave de son histoire. Je crois que c'était en 91. Personne ne s'imaginait alors la famine et la crise qui approchaient. Et moi non plus. J'étais uniquement préoccupé par ma claustrophobie galopante et par le souci de me remplir l'estomac vu que la même année, en quelques mois, j'avais perdu dix-huit kilos. A cause du manque de nourriture, évidemment.

Une autre de nos occupations était d'éviter María Alexandra, une scénariste de feuilletons à l'eau de rose très lancée au Brésil. Cette brave dame était une vraie bougresse qui poursuivait Rita Cassia de ses avances les plus assidues. Elle arrivait chez elle les bras chargés de fleurs à n'importe quelle heure, elle l'invitait à tous les cocktails et réceptions possibles et imaginables, elle lui promettait sans cesse qu'elle l'aiderait à écrire un scénario qu'elle pourrait ensuite caser à O'Mundo, ni plus ni moins. Sa tactique de soupirant acharné consistait aussi à me mener la guerre froide en adoptant deux attitudes à mon égard : ou bien elle m'ignorait superbement, ou bien elle me traitait avec une condescendance aussi paternaliste que distante. María Alexandra vouait une telle passion à Rita qu'elle était prête à écraser n'importe quel obstacle sur son chemin. Elle était convaincue que je ne pouvais pas lui donner même un iota du gigantesque bonheur sexuel et sensuel qu'elle lui apporterait dès qu'elle poserait ses mains sur elle. Et Rita, femme qu'elle était, me restait fidèle mais se transformait en petite chatte volubile et coquette dès que surgissait ce camionneur femelle qui pouvait lui ouvrir les portes dorées d'O'Mundo.

Ainsi les jours ont passé. On prenait du bon temps. Je me sentais heureux, sans me rendre compte que j'étais un complet crève-la-faim. Un digne, un romantique crève-la-faim. Bon, j'ai déjà dit que la crise avait commencé et que la pénurie arrivait au galop, mais on voit toujours la paille dans l'œil de l'autre et on se dit : « Tiens, ils ont tous la dalle, ils maigrissent à vue d'œil. » Parce que c'est bien plus difficile de le formuler tel que c'est : « Tiens, on crève de faim et on maigrit tous à vue d'œil. » C'était Rita qui payait tout le temps, puisque moi je n'avais pas un dollar en poche, et je m'y suis fait tranquillement. L'autre solution, c'était de rentrer chez moi, de bouffer du riz aux haricots et de rater la fiesta. Donc on a continué comme ça. Jusqu'à la fin.

J'étais sur le lit, avec un dernier verre de rhum vieux en main. Rita s'habillait pour que nous allions marcher un peu sur le Malecón et que nous nous disions adieu devant la mer, ainsi que deux amants qui se respectent doivent le faire à La Havane. Ce devait être une fin cinématographique, sous les étoiles, peut-être même avec la lune pour témoin. Elle avait déjà bouclé sa valise : à trois heures du matin, elle serait en route pour l'aéroport. C'est alors que je me suis aperçu qu'elle avait laissé des objets de valeur disséminés dans le studio : des tongs en caoutchouc assez usées mais qui pouvaient encore servir, un flacon de shampooing à moitié plein, des pots de confiture, des blocs-notes, des savons, un rasoir jetable.

— Tu ne le prends pas, tout ça ?

— Non. Ça ne sert plus à rien.

— Oh, que si ! Ces savates, le shampooing, les savons. Ici tout sert, même si pour toi c'est à jeter.

— Ah, d'accord. On met tout dans une poche en plastique et tu te le prends, alors.

Et donc on s'est promenés sur le Malecón une dernière fois. On ne devait plus jamais se revoir. Elle m'avait déjà dit qu'elle n'avait pas le cœur à voir toute cette misère, et tout le théâtre politique qui prétendait la dissimuler. Elle ne reviendrait jamais, alors. On est restés assis un bon moment, à écouter les vagues. Elle humait le parfum de la mer. Moi non. Peut-être que mon odorat est définitivement accoutumé. Mais j'aime bien écouter l'océan sur le Malecón, tard, dans le silence de la nuit. On s'est embrassés, on s'est quittés. Je suis parti à pied vers chez moi, le sac en plastique à l'épaule. Sans me presser. J'étais bien. Et j'ai continué à marcher, sans me presser, sans me retourner.

A la recherche de la paix intérieure

Je continuais à vivre sans la bonne combinaison de fréquentations et de moments de solitude. Ce que je veux dire, c'est que je restais déséquilibré et que mon isolement me pesait.

Peu à peu, cependant, je me rapprochais de ma meilleure époque. Mais c'était pénible, très pénible. Pedrojoán aussi, ça lui pesait de vivre seul avec moi. On se prenait le bec, on s'engueulait ferme même. Au cours de notre dernière dispute, pour ne pas en arriver à le frapper, j'avais détourné toute la violence qui s'était accumulée en moi sur mes lunettes d'astigmate : je les ai enlevées et je les ai écrabouillées du plat de la main. Encore aujourd'hui, je ne comprends pas comment j'ai fait pour ne pas m'esquinter avec les verres cassés. Le résultat, c'est que je suis resté longtemps avec des migraines et une sensation de somnolence. A Cuba, il n'y avait même pas de vis pour les montures, à l'époque, alors une réparation... Finalement, j'ai réussi à me trouver une autre paire. Depuis ce jour-là, je me suis juré de me réconcilier avec moi-même, d'atteindre la paix : « Ou on s'aime, ou on se déteste, Pedro. Tu décides ça et en même temps tu en finis avec la guéguerre personnelle que tu livres au monde entier. »

Je travaillais là-dessus, donc. Avec l'aide d'América, une très bonne santera de Marianao que j'allais consulter en vélo. Elle voulait que j'apprenne les invocations par cœur et moi je lui apportais les ingrédients pour la cérémonie : cocos de agua, fleurs blanches, rhum, œufs, miel d'abeille, bougies, herbes diverses... Au retour, je devais traverser le fleuve Almendares et c'était de là que partaient les désespérés, direction Miami. Ils assemblaient des radeaux de pneus, de planches et de cordes et se lançaient à la mer avec la même insouciance que s'ils partaient en pique-nique. C'était l'été 94. Depuis quatre ans mon pays vivait une terrible disette et une grande folie, mais c'était encore La Havane qui souffrait le plus. Comme me disait toujours un ami : « La seule façon de vivre ici, Pedro Juan, c'est de devenir dingue, ou de se saouler, ou de dormir. » Enfin, ceux qui avaient encore la tête sur les épaules venaient les voir à leur embarcadère et tentaient de les ramener à la raison. Mais eux : « Ce qu'on veut, c'est quitter toute cette merde. Là-bas au moins, on vit bien. » Tout à fait désespérés. Et courageux, peut-être. Ou inconscients. Je ne sais pas. J'ai tendance à penser que le courage et l'inconscience vont main dans la main.

Je me suis attardé là un moment, par curiosité. Il y avait même un policier qui aidait quatre bonshommes à renforcer leur embarcation de fortune et qui leur disait : « Voilà, comme ça ce sera plus costaud. On va voir si vous y arrivez. » Moi, je ne comprends rien à la politique : pendant plus de trente ans, ils ont pourchassé et emprisonné ceux qui tentaient de s'enfuir aux Etats-Unis par la mer, et ceux qui arrivaient à échapper aux requins, à la houle et aux courants du golfe devenaient au contraire des héros d'un jour une fois parvenus à Miami ; mais d'un coup les politiciens des deux pays ont décidé d'adopter la position exactement inverse, chacun de leur côté. Parce que ça sert leurs intérêts. Et dire qu'il y a encore des gens effarés par l'absurde, par l'art abstrait, par le surréalisme... Il suffit de vivre un peu et de regarder autour de soi, non ?

Quand j'en ai eu assez de jouer les curieux, j'ai renfourché mon vélo et je suis rentré chez moi. Sans hâte. J'aime parcourir le Malecón sur ma bicyclette. A mi-chemin, je me suis arrêté à l'école secondaire de Pedrojoán. Etait-ce une prémonition ? Bah... Simplement, j'ai pensé : « Il est un peu fâché, là, donc mieux vaut aller voir comment ça se passe. » Rien d'autre. Mais j'avais à peine franchi le portail de l'école que deux jeunes m'ont crié : « Pedrojoán est tombé du bus, il est à l'hôpital ! »

J'ai dû me contrôler. Je n'étais pas loin de la suffocation. Dès qu'ils m'ont dit où ils l'avaient emmené, je suis parti comme une flèche. Le pire hosto de toute La Havane. Le plus sale, le plus déficient. Le petit était là depuis deux heures déjà, accompagné d'un professeur, mais personne ne s'occupait de lui. Il avait un poignet cassé. Il avait sauté dans un microbus bondé, il était resté accroché à la porte. Comme il sentait qu'il allait lâcher prise et qu'il risquait de se tuer en heurtant la chaussée, il avait supplié le type qui se tenait près de lui : « Hé, attrape-moi, sans ça je vais tomber ! » Mais l'autre fils de pute lui avait répondu : « Eh ben, tombe, qu'est-ce que j'en ai à battre ? » Et vlan, sur la route, éjecté d'un bus qui roulait à soixante-dix kilomètres à l'heure. C'était un miracle qu'il ne se soit pas cassé le cou. Bon, moi je me suis bougé : je suis parti à la recherche de deux médecins orthopédistes et je leur ai demandé de bien vouloir soigner mon fils.

Finalement, ils lui ont fait une radio, ils lui ont plâtré le poignet et l'avant-bras et on est rentrés à la maison. Mais l'inflammation continuait, il souffrait beaucoup. J'ai eu l'impression qu'ils lui avaient mal immobilisé l'os : même le plâtre, ils l'économisaient. Il faudrait retourner à un autre hôpital le lendemain, recommencer le traitement. Je lui ai donné une aspirine, il s'est endormi un moment. Il était midi. Quand tout s'est tu autour de moi, je suis allé sur la terrasse, devant la mer, avec un café et de quoi fumer. J'étais épuisé. Ma recherche d'un équilibre se déséquilibrait sans cesse. Pourtant, je n'aspirais qu'à une chose : la paix intérieure. J'ai voulu lire quelques pages de ce livre, *Zen, A Way of Life*. En vain. Je lisais mais rien ne s'inscrivait en moi. En allant et venant, j'ai découvert un cahier où Pedrojoán prenait des notes. Ces derniers temps, il lisait énormément, plusieurs ouvrages à la fois. Le cahier était plein de citations tirées, je suppose, de tous ces livres de Hermann Hesse, García Márquez, Grace Paley, Saint-Exupéry, Bukowski, Thor Heyerdahl... Un bon mélange. Chez un garçon de quinze ans, ce choix, combiné au rock, signifiait qu'il pourrait vivre sans s'ennuyer et qu'il aurait une vie bien tourmentée. Ce qui est bon, je crois. Le principal, c'est de ne pas s'ennuyer.

À ce moment, María a téléphoné. C'est une femme qui écrit des contes fantastiques et qui me prend pour son dictionnaire personnel : elle adore me soumettre toutes les libertés qu'elle prend avec la sémantique, lesquelles sont censées renforcer l'atmosphère poétique de ses récits. Nous avons parlé un peu, et je lui ai dit :

— Ne tiens pas compte des profs de littérature, ni des grammairiens, ni des critiques littéraires, ni des théoriciens. Ils peuvent te faire beaucoup de mal, tous. Tu dois n'écouter que toi-même. Ça va te demander du temps, mais c'est ce qui est le mieux... Ou non, ce n'est même pas que ce soit mieux ou pire. C'est qu'il n'y a pas d'autre moyen.

— Et si un écrivain me donne des conseils ? m'a-t-elle demandé, pas convaincue.

— Oh, tu peux l'écouter, oui, mais pas trop. Il ne faut pas trop écouter les autres.

Ensuite, je ne me souviens plus de rien. Ma femme — c'était déjà pratiquement mon ex-femme — était à New York, fauchée mais heureuse, elle cherchait une bonne galerie pour exposer ses sculptures, tandis que moi je divaguais à La Havane, je broyais du noir, j'en voulais à tout le monde. Je crois que je m'apitoyais beaucoup sur moi-même, pendant toutes ces années. Et je me fuyais. C'était le pire, ça : je refusais d'être avec moi-même. De me tenir compagnie. De me faire un brin de causette. Et peut-être que j'en ai énormément pâti, de cette recherche obstinée de la paix intérieure. Je ne sais même pas qui m'avait mis cette idée à la con dans la tête. Pour atteindre la paix intérieure et continuer à vivre, il faut être un crétin. Ou non ?

Pédé et suicidaire

Le téléphone **a** sonné et quelqu'un m'a annoncé qu'Aurelio avait essayé de se suicider. Il était à l'hôpital des urgences, en salle de soins intensifs, sans connaissance. C'est près de chez moi, alors j'y suis allé à pied et tout en marchant je me montais le coup : « Après tout, c'est encore mieux qu'il soit dans les pommes », je me disais, « parce que s'il ne l'est pas je vais lui sortir tout ce qui me passe par la tête, à ce pédé braque ! Pourquoi il se tue sans chercher quelqu'un, au moins ? Sans décharger son adrénaline ? La putain de ses morts ! Tout, n'importe quoi peut se régler en s'envoyant une bouteille de rhum et en déchargeant avec quelqu'un avec une femme, avec Dieu, avec un copain... »

Dans le hall de l'hosto, je suis tombé sur son cousin Il m'a paru désirer qu'Aurelio finisse par mourir. Il ne savait rien, et il ne voulait pas savoir. J'ai cherché les médecins, ils n'avaient pas de temps pour moi. J'avais déjà la haine lorsqu'une infirmière — une métisse jeune, beaucoup d'allure mais mal embouchée — a consenti à me lire quelques lignes du dossier clinique. Et elle m'a demandé :

— C'est un parent à vous ?

— Un ami.

— Aaaah...

J'ai entendu une nuance moqueuse dans ce « aaaah », et comme j'étais déjà pas mal énervé par le mauvais accueil qu'on m'avait réservé, je me suis emballé tout de suite :

— Hé, je suis pas pédé, moi, bordel ! C'est quoi, ce « aaaah » ?

— Oh, tout doux, hein, ou je te laisse là, moi !

— Allez, dites-moi quelque chose, quoi !

— Il a essayé de se suicider avec un cocktail de médicaments, somnifères et tranquillisants. En plus, il s'est injecté de l'air dans les veines. On lui a fait un lavage d'estomac et d'intestins. Il est dans un état grave, infection généralisée. Et tu veux savoir pourquoi j'ai fait « aaaah » ? Parce que c'est comme ça qu'ils se tuent, les makoumés. Ils veulent se tuer, seulement ils ont pas les... Les vrais hommes se tirent une balle dans la tête, ou ils se noient, ou ils se jettent par la fenêtre. Total, il ne te reste qu'à prier pour ton ti'aaa-mi.

Et elle m'a tourné le dos pour s'en aller avec son sourire en coin, remuant ostensiblement du cul sous mon nez. Mais moi, je ne pouvais pas laisser passer une provocation pareille :

— Quel beau bonda que tu as, mama ! Qui attend qu'à se faire remplir, hé ?

Elle s'est tournée, plus moqueuse que jamais :

— Oui... On voit bien que tu aimes les culs et rien d'autre. Hein, pa-pi-to ?

— Mais si je t'attrape, toi, je te fais jouir par-devant comme par-derrière.

Il faut croire qu'elle n'a pas entendu ça puisqu'elle a repris sa marche sans répondre, toujours en se tortillant jusqu'au bout du couloir. Arrivée devant l'entrée de la salle des soins intensifs, elle s'est arrêtée et m'a lancé :

— Hé, camarade, l'accueil des familles, c'est à partir de six heures du soir, donc qu'on ne te voie plus en dehors de ces horaires-là, pigé ?

Je suis revenu tous les jours à six heures. Il a repris connaissance. Peu après, ils l'ont transféré dans une salle normale. L'infection généralisée était toujours là, très forte, mais les visites étaient autorisées. Toute la journée, se succédant à son chevet, il y avait sa demi-sœur, le cousin aboulique et le mari de la demi-sœur. Ils

46

ne pouvaient pas le laisser seul une minute. C'était une chambre de vingt lits mais il n'y avait que deux infirmières pour s'en occuper. Le deuxième jour, j'ai proposé de le veiller aussi un moment. Ils m'ont pris de vitesse : ils avaient déjà décidé entre eux que je resterais toute la nuit.

Il était extrêmement faible. Incapable de lever une main. Ils lui avaient mis un tube à oxygène dans le nez.

Auparavant, le mari de la demi-sœur m'avait raconté que dans les derniers temps il avait vécu recroquevillé sur lui-même, qu'il fuyait tout le monde, qu'il refusait d'ouvrir sa porte à quiconque. Il s'isolait chaque jour un peu plus. « C'était difficile de faire quoi que ce soit pour lui », m'a-t-il expliqué. « Des fois, je passais le voir mais il ne voulait même pas me laisser entrer. A mon avis, il est devenu paranoïaque. »

C'était un solitaire, Aurelio. Son père, tourneur de son état, était un type morose, confit dans ses habitudes et sa monotonie, un radin qui comptait tout. Sa mère, une pianiste torturée et un vrai panier percé, planait complètement. Le papa lui donnait des claques, la maman des bonbons. Et Aurelio, lui, tenait un peu des deux : il était à moitié radin et à moitié dépensier, à moitié cinglé et à moitié casanier, à moitié homme et à moitié femme. Dès qu'on s'était connus, à l'école secondaire, je m'étais dit qu'il devait être pédé, même s'il paraissait surtout asexué.

Un jour, nous buvions de la bière sur une plage près de chez lui. On était déjà assez chargés, et comme deux filles seules nous avaient lancé quelques regards de loin j'avais bondi sur mes pieds :

— Viens, on va se faire ces deux petites-là, mon mec. En avant !

Mais il m'avait retenu par le bras :

— Non, non, on reste ici.

— Oh, qu'est-ce que t'as, vieux ? T'es pédoc ? Tu te branles ? C'est quoi, ton truc ?

— Je suis pédoc, je me branle et j'ai aucun truc. Et

toi, quoi ? T'es un homme pour de vrai ou bien tu veux te faire passer pour ?

— Oh, hé, quelle mouche te pique, toi ? Qu'est-ce qui te prend, con ?

— Ouais, à tous les coups tu aimes bien les bites de nègres, toi aussi, et tu me fatigues des masses à jouer les gros bras sans arrêt.

— Oh, va te faire, Aurelio !

Mon sens de l'humour m'avait abandonné. Et lui, en bon pédé qu'il était, il s'est senti offensé et il m'a planté là. Je suis allé voir les deux petites nanas, je ne me rappelle même pas ce qui s'est passé ensuite. Et total, nous avons arrêté de nous voir pendant des années, Aurelio et moi. Un soir, pourtant, je me suis dit que cela n'avait aucune importance, qu'il soit tante ou pas. Qu'il fasse ce qu'il voulait avec son cul ! En fin de compte, nous étions amis depuis l'enfance et l'insolent, dans l'affaire, ça avait été moi. Et donc j'ai attrapé une bouteille de rhum et je suis parti chez lui pour tenter de faire la paix. Bon, chez les Esquimaux, je ne sais pas comment ça se passe mais aux Caraïbes, un jeune mâle avec la bite sous le bras met en danger sa réputation d'étalon s'il fréquente un pédé. De toute façon, moi, je ne me suis jamais occupé de ce que pouvaient penser les autres. Et les rares fois où je l'ai fait, je n'ai récolté que des emmerdements, un plantage complet et la nécessité de changer de cap au plus vite.

Je suis allé le voir, donc. Je lui ai dit bonjour. Je ne lui ai pas présenté d'excuses. Nous avons ouvert la bouteille. Son père et sa mère étaient morts, entre-temps. Lui, il s'était marié trois ans plus tôt. Il m'a présenté Lina, sa femme. Ça, c'est encore une autre histoire : ils s'étaient fréquentés à l'époque de l'école secondaire, un amour d'adolescents, une vraie passion, mais sa famille à elle l'avait tarabustée en lui répétant qu'Aurelio était pédé, pianiste, maigrichon, moche, voûté, entre autres défauts majeurs. Alors, elle l'avait laissé tomber et s'était mariée avec un type qui était tout le contraire de lui. Ils avaient eu deux enfants, il l'avait trompée avec toutes les femmes qui passaient, jusqu'à ce qu'elle craque et qu'elle divorce. A ce moment, la romance entre Aurelio, le pianiste, le musicien érudit, et Lina, la soprano, avait recommencé. Ils avaient dépassé la trentaine, tous les deux. Aurelio s'était débarrassé de cette allure de chien battu qu'il avait eue dans sa jeunesse et il se consacrait avec ferveur à son épouse. Redevenus amis, nous nous voyions souvent et pour la première fois en vingt ans nous avions pu parler de sexe tranquillement, joyeusement. Il me racontait qu'il la sautait au bord du lit, sous la douche, sur la table de la cuisine, dans toutes les positions imaginables. Une fois, il m'a montré l'*Ananga Ranga*, qui propose des postures bien trop compliquées pour qui n'est pas hindou.

Non seulement il la tringlait sans relâche, mais aussi — et surtout — il lui concoctait un répertoire complet, il lui apprenait à chanter en italien, en allemand, en français, il ne vivait que pour elle. Ils n'avaient pas eu d'enfants. Aurelio avait fini par renoncer au peu d'amour filial qui le liait encore à sa demi-sœur, issue du précédent mariage de son père. Il devenait encore plus solitaire. Il concentrait son énergie sur Lina, jouait son va-tout sur cette seule carte. Leur union avait duré neuf ans. Elle lui donnait du sexe et des sourires jolis et lui, en échange, il faisait d'elle une artiste accomplie.

Dans les derniers temps, elle voyageait beaucoup, presque toujours en tournée. Autres villes, autres pays. Et l'Aurelio toujours plus seul. Elle, resplendissante, pleine de gaieté et d'insouciance. Lui, assombri, occulté, déprimé. Ruminant son échec. Je crois qu'il se complaisait dans la déception et la solitude, parce qu'il ne levait pas le petit doigt pour tout envoyer au diable et se sortir de l'obscurité.

Et maintenant il était là, alité, un tube à oxygène dans le nez, des aiguilles pour le goutte-à-goutte dans les bras. Très agité mais aussi affaibli par l'infection qui gagnait tout son organisme et qu'aucune combinaison d'antibiotiques n'arrivait à freiner. A l'époque, je circulais beaucoup et on s'était à nouveau perdus de vue depuis un bon bout de temps. Deux ou trois ans, peut-être.

Il a ouvert les yeux, à peine. En me découvrant près du lit, il a essayé de sourire. Puis il s'est mis à me parler, tout bas. Je me suis penché pour l'entendre. La salle était plongée dans la pénombre et le silence. De temps à autre, une infirmière entrait, allumait la lumière, distribuait des comprimés à quelques malades, puis le calme revenait.

— Je crois que je suis en train de mourir, Pedro.

— Non, dis pas ça parce que ce n'est pas vrai. Tu n'as pas sommeil ?

— Non. Ce que je voudrais, c'est recommencer. Des fois, j'ai l'impression que je vais y passer mais au fond de moi je crois que non. Que je pourrais tout reprendre de zéro, tu comprends ? Qui sait, si Lina rentre d'Espagne, on recommencera ensemble...

— Quoi, elle est en Espagne, Lina ?

— Oui. C'est ma sœur qui me l'a dit hier. Elle avait une tournée, Italie puis Espagne. Et elle est partie. Elle m'a laissé à moitié mort et elle est partie... Elle devait y aller, Pedro. Je la comprends. Si elle n'occupe pas l'espace, ils vont la mettre de côté tout de suite. Aaah, comme je l'aime ! Elle est tout ce que j'ai dans la vie.

— Comment tu peux dire une chose pareille ? Alors pourquoi elle s'est tirée en Europe en te laissant à l'agonie ? Ne sois pas débile, mon mec !

— C'est que... Ça a été très dur, pour elle.

— Quoi, dur ?

Il a pris sa respiration plusieurs fois et s'est mis à pleurer. Les larmes lui jaillissaient des yeux. Je l'ai laissé sangloter un moment. Le tube à oxygène était couvert de morve.

— Ecoute, calme-toi. Arrête de pleurer, tiens le coup ! Tu vas te boucher ce tube et en crever, bordel. Ressaisis-toi, oh !

— Je... Je suis rien qu'un pédé de merde, Pedro Juan.

— Et ça vient faire quoi, ça, maintenant ? Laisse tomber !

— Le problème, c'est que je suis tombé amoureux d'un garçon. Un ténor. Il fait des duos avec Lina. Je n'ai pas pu résister, c'est un Adonis. J'y ai pris trop goût, on est restés ensemble trois mois. On a tout fait, Pedro, tout : il est vingt fois plus pédé que moi, dis ! Mais voilà, il lui a tout raconté, à elle.

— Comment ça, il lui a raconté ?

— Oui. Je ne sais pas ce qui lui a pris mais il le lui a dit, oui. On était en train de répéter à la maison, tous les trois autour du piano, et brusquement ce pédé-là se met à gueuler, complètement hystérique. Et que je lui avais sauté dessus, et que je lui avais roulé des pelles, et que je m'étais jeté sur sa pine. Il m'a fait passer pour le violeur et lui la victime. Et ça, c'est impossible, vu qu'il fait de la muscu et que c'est un vrai bloc de muscles, qu'on croirait Charles Atlas...

— Quoi, c'est tout ? Tu n'as pas attrapé un bâton pour lui fendre le crâne en deux ?

— Non. Ça m'a tellement paniqué que je me suis mis à pleurer. En plus, Lina ne m'a même pas laissé le temps de faire ou de dire quoi que ce soit. Elle s'est mise à hurler, un scandale pas possible, même que les voisins ont tout entendu. Qu'elle s'en était toujours doutée, et que je la dégoûtais. Elle l'a répété des tas de fois, ça : que je la dégoûte. Et puis elle est partie comme une folle en criant qu'elle allait chercher un avocat pour divorcer sur-le-champ, qu'elle allait partir libre en Europe... Quand je me suis retrouvé tout seul dans cette baraque immense, j'ai été tellement triste, j'ai eu tellement honte que tout le monde soit au courant, alors...

— Qu'est-ce que tu t'en fiches, de « tout le monde » ? Ta vie, c'est ta vie, non ?

— Non !

— Et donc tu t'es empoisonné, recta ?

— Non. Ça s'était passé vers midi. La nuit est venue

et elle n'était toujours pas rentrée, Lina. Moi, j'étais incapable de mettre un pied dehors. Je n'avais même pas la force de me sortir du fauteuil. Alors j'ai ramassé tous les comprimés que j'ai pu trouver, je me suis injecté de l'air avec une seringue, je me suis donné des coups... J'aurais voulu avoir un fouet pour me mettre en pièces. Me réduire en charpie. Oh, je ne veux pas me rappeler tout ça... Je suis devenu dingue !

— Bon, maintenant calme-toi.

— J'ai besoin que Lina revienne. Peut-être qu'on peut recommencer. Je l'aime beaucoup, Pedro, beaucoup. Je ne sais pas ce qui m'est arrivé, de craquer pour ce type. Ce traître, ce faux-jeton de merde !

Tout ça en sanglotant, en râlant. Il arrivait à peine à former ses phrases. Après, il s'est arrêté d'un coup. Silencieux, les yeux fermés, trop tranquille. J'ai appelé l'infirmière. Il avait perdu connaissance, à nouveau. Elle lui a pris le pouls et elle a couru chercher une civière à roues. Ils l'ont ramené à la salle de soins intensifs. A l'entrée, ils m'ont arrêté :

— Attendez ici. C'est interdit !

J'entendais des gens s'agiter à l'intérieur, quelqu'un a crié d'une voix affolée :

— Il s'arrête ! Il s'arrête ! Le défibrillateur ! Où il est passé ?

Là, je n'en pouvais plus. J'ai fondu en larmes comme un gosse. Une femme s'est approchée de moi, elle m'a posé une main sur l'épaule et elle m'a dit :

— Il faut être fort, mon fils. As-tu la foi ?

Je me suis retourné, furieux. Je crois bien qu'elle avait un rosaire et une bible avec elle.

— Comment ça fort, bordel ? Allez vous faire voir, vous, et laissez-moi tranquille !

Je renonce aux bonnes manières

On était sur le Malecón, on se parlait depuis un bon moment et peu à peu le courant passait de mieux en mieux entre nous. On plaisantait, on riait ensemble. A une heure du matin, on aurait cru qu'on se connaissait depuis toujours. Et puis il y a eu un silence. Je l'ai regardée fixement et j'ai commencé à avoir une sérieuse érection. Alors je l'ai prise dans mes bras, on s'est embrassés. Je lui ai mis une main, elle l'a serrée. Je lui ai dit :

— Bon, qu'est-ce qu'on fait ?

Et elle :

— Allons chez moi.

Elle a soulevé le petit, qui s'était endormi bien avant, et on est partis.

Miriam habitait un immonde taudis, sombre et puant. Au 264 de Trocadero, pas loin d'où on était, donc. L'entrée de l'immeuble était remplie de monde. Sa piaule faisait trois mètres sur quatre, à peine de quoi caser une cuisinière à pétrole, et impossible de se tenir droit à cause de la rochelle en bois qui occupait tout l'espace à mi-hauteur. Le lit était là-haut. Elle y a couché le gosse dans un coin et à nous le reste, pour une petite orgie qui a duré quelques heures. Elle appréciait que je la traite tendrement. Ou au moins avec un peu de tendresse. Et elle m'a répété qu'aucun homme ne la baisait comme ça : « La plupart, ils ne m'attendent même pas. Ils prennent leur plaisir et terminé. »

Nous en étions là quand il s'est mis à tomber des pierres et de la poussière du plafond.

— Hé, mais il va nous dégringoler dessus !

— Non, tu n'as pas à prendre peur. C'est normal.

Mais moi, j'ai pris peur, si, et je suis parti. Je suis revenu sur le Malecón, j'ai acheté à un type une bouteille de gnôle pourrie. J'ai bu quelques rasades. Le type est revenu sur ses pas.

— Dis, si tu veux de l'herbe, j'en ai ici tout près. Je te l'apporte de suite.

— Mon ami, je sais que tu as du mal à gagner ta croûte mais cette gnôle-là, c'est le tord-boyaux complet. Alors si ton herbe est pareille...

— Non, non ! Elle, je te la garantis, c'est de l'extra. Voilà, je te ramène les pétards, tu t'en allumes un et si ça te plaît pas tu paies rien du tout.

— Allez, d'accord.

A quatre heures du matin, entre l'eau de feu et l'herbe, je kiffais bien. Sauf que mon fournisseur noir ne voulait pas me lâcher la grappe. Il attendait que je sois dans les vapes pour me sauter dessus et me laisser une main devant une main derrière. Il n'a pas arrêté de raconter des conneries jusqu'à ce que je l'envoie paître et que je retourne au 264 de Trocadero. Il me restait la moitié de la bouteille et un pétard. Je l'ai réveillée, on a bu, fumé et rebaisé un peu.

C'était une métisse pas très grande, sous-alimentée mais jolie et bien faite. Moi, je n'aime pas les maigres, les sacs d'os, mais les pantrouilles non plus. Miriam, elle, il lui aurait fallu cinq ou six kilos de plus. Elle avait trente et un balais, un fils de deux ans et un mari — « plus noir qu'un corbeau », d'après elle — qui devait en passer dix en prison. Il lui en restait huit à tirer. Tentative de meurtre sur un flic. Le fiston devait être de lui car il était très noir, lui aussi. Bien plus que sa mère. Le mieux, chez Miriam, c'est qu'elle n'avait aucune pudeur. Elle me racontait toutes ses histoires avec les hommes, sans taire un seul détail.

Pendant un temps, elle avait cavalé les touristes sur le

Malecón ou dans les hôtels du centre. Un jour, elle m'a dit :

— Tu m'aurais vue en ce temps-là, papi, j'étais bien enrobée, les fesses toutes rondes, mais je me suis compliqué la vie avec ce nègre-là... Parce que je suis folle des négros, moi. Qu'est-ce qu'ils me plaisent ! Alors celui-là, tout en taule qu'il est, je lui ai fait le fils. Faut pas que tu te cabres mais ce nègre-là c'est mon homme à moi, même si tu es très gentil au lit et tout. Mais lui, il a quelque chose... Ah, je sais pas comment t'expliquer là. S'ils lui donnent une permission à la prison il faut que tu disparaisses vitement bien. Des fois, il arrive par surprise en fin de semaine.

Après l'accouchement, elle n'avait personne pour s'occuper du petit. Elle a arrêté de faire la cavaleuse. Elle est retournée à la misère.

Son manque de pudeur allait jusqu'à la grossièreté. Et j'aimais ça, moi. J'étais de plus en plus indécent, moi aussi. Elle avait un faible pour les Noirs bien noirs, parce qu'ils la faisaient se sentir supérieure. Comme elle me disait souvent : « Ils sont grossiers grossiers, mais moi je leur fais : "Hé, négro, fous-toi sur ce pieu !", et j'ai toujours le dessus parce que je suis plus claire que la cannelle. » Et même plus encore, en réalité, et c'était son critère pour tout, son principe : les plus noirs en bas, les plus clairs en haut. J'ai bien essayé de lui expliquer que ce n'était pas si simple mais elle ne voulait pas changer d'avis. Ce n'est pas autrement, me répétait-elle. Et bon, ça m'était égal. Qu'elle reste avec ses idées. J'avais passé ma vie à me prendre la tête avec le journalisme, à me persuader que je détenais la vérité, à essayer d'amener les gens à penser autrement. Et j'en avais ras le bol.

En plus de vingt années de travail dans la presse, je n'ai jamais pu écrire une ligne qui ne soit pas une offense à mes lecteurs. Même pas un minimum de respect pour l'intelligence d'autrui, non. J'ai toujours été forcé de faire comme si j'étais lu par des imbéciles auxquels il fallait injecter de force des idées dans le cerveau.

Mais j'étais en train d'abandonner tout ça, d'envoyer au diable la prose élégante et mesurée, celle qui évite tout ce qui pourrait ressembler à une atteinte à la morale et aux bonnes manières. Le respect, je n'en pouvais plus. Et faire sans cesse bonne mine : souriant, poli, bien habillé, rasé de près, fleurant l'eau de Cologne, la montre toujours à l'heure... En se répétant que c'est immuable, que c'est pour la vie. Mais non. Ce que j'apprenais, à cette époque, c'est que rien n'est pour la vie.

Et je me sentais bien dans cet immeuble puant, avec ces gens qui n'étaient aucunement cultivés, aucunement intelligents, qui ne connaissaient rien de rien et qui résolvaient tout — ou compliquaient tout — avec des cris, des gros mots, de la brutalité, des coups. C'était comme ça, point final.

J'y ai passé un moment, là-bas. J'aime bien la rue Trocadero. Un peu plus loin, au 162, Lezama Lima a vécu. Il est mort en 1976. A l'entrée, il y a une plaque commémorative mais seuls les voisins les plus âgés se souvenaient encore de lui en 1994 : « Ah, ce vieux type qui habitait ici ? Un gros ? Oui ! Très élégant, qu'il était. Toujours en costume et cravate. La femme, elle était folle. Dites, il aurait pas été un peu pédé, des fois ? »

Lezama déjeunait souvent dans une pizzeria du coin, Bella Nápoles. Aujourd'hui, ils n'ont plus de combustible pour faire la cuisine, alors ils ont improvisé un four à bois rudimentaire dans le terrain vague qui se trouve en face, et là ils tambouillent comme ils peuvent de la soupe de poisson et du riz. Dès l'aube, Miriam allait faire la queue devant et en fin de matinée elle obtenait quelques assiettées. On vivait de ça.

L'endroit devenait vraiment répugnant quand la fosse septique de l'immeuble se mettait à déborder. Le couloir était envahi par une eau brunâtre, pestilentielle. Elle restait là un jour ou deux, le temps que la fosse la ravale. Les femmes nettoyaient un peu, maudissant la mère de tous ceux qui leur venaient en tête, à commencer par le premier Noir qui franchissait la porte d'entrée à cet instant. Le fils de Miriam a commencé à avoir des crises d'asthme. D'après elle, il faisait une allergie à la merde de la fosse. Elle l'a emmené voir une santera mais je ne lui ai jamais demandé ce qu'elle avait dit, ni quel traitement elle avait prescrit. Et le garçon a continué à grandir là-dedans, pieds nus dans le caca, pratiquement à poil et au bord de l'étouffement toutes les nuits.

A chaque averse, tout le monde se mettait à trembler parce qu'il était si vieux, cet immeuble, que les murs étaient faits de briques, de sable et de chaux, sans ciment. Aux Caraïbes, les déluges prennent des proportions bibliques. Ils peuvent durer des jours et des jours, avec des ondées violentes. Alors ces murs se désagrégaient de plus en plus. Ils tombaient en morceaux. J'avais la trouille qu'ils finissent par s'écrouler et nous ensevelir. Tous, nous avions peur et nous restions réveillés, en alerte. Les mémés murmuraient des prières.

Je vivais là avec Miriam puisque je n'avais pas d'autre endroit où aller. Ni meilleur, ni pire. On baisait bien. Elle vendait quelque objet, se débrouillait pour récolter un peu d'argent et on survivait comme ça. J'ai fini par l'avoir dans la peau, cette femme. C'était quelque chose d'animal. Elle ne vivait que pour moi et pour son fils. Elle était fidèle au vieux principe de « l'homme dans la rue, la femme à la maison ». Que j'arrive tout suant, sale, pas rasé, ça l'excitait. De me voir comme un mâle en rut, en érection permanente, vingt-quatre heures sur vingt-quatre. Rien que de savoir qu'elle était ma femme et que je la défendais contre la convoitise des autres mâles, ça la faisait mouiller. Elle s'habillait de manière provocante, le sexe bien dessiné, le nombril à l'air, les tétons plus que suggérés. Elle aimait que les hommes dans la rue lui disent des ordures qu'elle me répétait dans l'oreille quand nous faisions l'amour. Et moi aussi, ça m'excitait. A ces moments-là, elle me demandait de la battre, de la gifler. Sentir deux claques sur son visage précipitait son orgasme.

Pour trouver de l'argent, de quoi manger, elle avait

ses méthodes. Il suffisait que je remarque : « Ah, qu'est-ce que je donnerais pour un petit verre de rhum ! » et hop, elle sortait sans un mot et revenait bientôt avec une bouteille et un paquet de cigares. Je ne la traitais pas mal, ce qu'elle confondait avec de l'amour. Elle me répétait que personne n'avait été tendre avec elle de toute sa vie. Personne. J'étais le premier à la caresser, à être gentil avec elle, à lui dire des mots doux. Moi, je ne voulais pas retomber amoureux. J'en avais assez, de l'amour. Parce que cela suppose docilité et dévouement, l'amour. Et moi je ne pouvais pas continuer à être docile, ni me dévouer à quiconque ou à quoi que ce soit.

Finalement, j'ai trouvé un travail dans une radio mais ils ne me laissaient pas parler à l'antenne, alors que c'est ça que j'aurais aimé faire. Il s'agissait seulement de rédiger quelques annonces qu'ils intercalaient dans les programmes. Des conneries pour que les gens arrêtent de fumer, ou de conduire en état d'ivresse, ou pour éviter des accidents domestiques à leurs enfants... Tout ça très pédagogique et altruiste, et ça me gonflait d'inventer des débilités pareilles. En fin de compte, personne ne les écoutait puisque tout le monde continuait à fumer, à se saouler et à courir comme des fous à l'hôpital avec des gosses brûlés ou blessés.

Seulement, la directrice de la station — c'était une mulâtresse fille d'Ochún mais elle parlait allemand et se croyait très raffinée et très courtoise — n'arrêtait pas de me dire qu'elles étaient « judicieuses et sensées », ces annonces. Toujours ces deux qualificatifs. Insupportable, c'était.

Depuis ce temps-là, ils suffisent à me mettre en colère, ces mots. « Judicieux », « sensé ». Ils sont faux, pédants. Ils ne servent qu'à dissimuler et à mentir. Parce que tout est absurde et insensé. Toute l'histoire, toute la vie, toutes les époques ont été absurdes et insensées. Et nous aussi. Chacun d'entre nous est par nature absurde et insensé, sauf que nous nous réprimons et que nous rentrons au bercail comme de braves brebis, et que nous nous passons des brides et des mors.

Alors j'ai continué longtemps à mener cette double vie : judicieux et sensé à la radio, absurde et insensé dans le taudis de Miriam. Je ne me sentais pas encore libre, non, mais j'étais sur la bonne voie. La vérité, c'est que je ne suis pas intéressé par ce qui est linéaire, rectiligne. Tout ce qui avance proprement du point A au point B, qui a un départ et une arrivée bien définis, m'ennuie. Non, il ne faut jamais chercher à être judicieux et sensé, il ne faut pas mener une existence linéaire et rectiligne. La vie est pleine de hasards.

Moi en homme d'affaires

Pendant des mois, j'ai charrié des sacs de ciment, des briques, des seaux de mortier. Le soir, j'étais démoli mais Miriam m'attendait avec toute sa tendresse et un peu de rhum et une assiette de quelque chose, tout comme au temps où je me fatiguais moins en écrivant des stupidités pour la station de radio. Miriam, c'était mon baume. On buvait quelques verres, ça me remontait et alors on baisait comme des fous. Je ne me lavais qu'après, tard dans la nuit. Elle aimait ma sueur, mon « odeur de mâle », comme elle disait. Et c'était une odeur forte, parce qu'elle m'empêchait de me mettre du déodorant.

Je savais que je n'allais pas résister longtemps : à quarante-cinq ans, un travail aussi dur sous le cagnard, avec Miriam — elle avait la moitié de mon âge, même pas — qui me vidait de mon jus une ou deux fois par jour, me nourrissant d'un peu de riz et de poisson... Je sentais que je risquais de tomber malade. Quand les choses vont mal, mon corps me prévient. Et là, les reins commençaient à me faire souffrir.

C'est alors qu'une vieille amie, de mon époque de journaliste, m'a croisé dans la rue et a voulu m'aider. J'avais beau être résistant, j'avais quand même l'air émacié et mal nourri. Elle m'a dit : « Je voudrais vendre un frigo, Pedro Juan. Dix mille pesos, ça m'irait. Tu lui trouves acheteur ? » Nous sommes allés le voir chez elle. Un bon appareil, qui pouvait atteindre les quinze mille. OK : je me ferais cinq mille, donc, soit trois années de salaire du Pedro Juan manœuvre.

C'était ou le vendre ou mourir de déshydratation en trimbalant du mortier et des briques. Sur le chantier, je n'avais pas arrêté de piquer ce qui me tombait sous la main : du ciment, des outils, des ferrures de menuiserie, des poignées de porte en bronze, ainsi de suite. Quelqu'un, je ne sais pas qui, a dit un jour que la propriété, c'est le vol. Il y a une grande différence entre chiper aux riches, à ceux qui ont tellement de choses qu'ils ne savent plus quoi en faire et qu'ils ne se rendent même pas compte de leur disparition, et par exemple voler ses clés anglaises à un pauvre réparateur de vélos qui est dans la même panade que toi. Moi, ces petits larcins, ça m'aidait à survivre. Je les revendais et grâce à ça nous nous en tirions un peu mieux

A l'époque, j'étais allé rôder dans une boutique de grand luxe qu'une diva italienne avait ouverte à Miramar. Je ne sais pas qui, dans le Cuba de 1994, avait de quoi acheter des robes extravagantes à quatre cents dollars pièce, mais en tout cas elle vendait, cette grosse pute. Mon inspection est restée sans résultat : il n'y avait personne d'assez intelligent pour arriver à voler quoi que ce soit dans un magasin aussi surveillé. Autour de moi, je n'avais que des abrutis. Tiens, c'est pour ça qu'ils se faisaient baiser comme ça : parce qu'ils étaient abrutis. Et s'ils étaient tellement abrutis, c'est parce qu'ils se faisaient tellement baiser.

Et donc j'ai décidé de le vendre, ce frigo. En plus, ce n'était pas mal que je m'éloigne un moment de La Havane : à chacune de mes expéditions à cette boutique, un policier m'avait harcelé. Il était toujours là quand j'arrivais, telle mon ombre. Il m'avait demandé mes papiers, il avait consulté leurs ordinateurs et il avait appris que je m'étais fait virer du journalisme et bien d'autres choses encore, entre autres que j'étais pratiquement à la rue mais que je m'accrochais quand même à une planche dans le naufrage et que j'arrivais à garder la tête hors de l'eau pour respirer. Ce fils de pute avait deviné que j'avais des plans pas nets vis-à-vis de ce magasin, ce qui n'était pas difficile à comprendre. Il m'avait menacé de « prison préventive », une invention géniale qui consiste à vous boucler uniquement parce qu'ils ont l'impression que vous allez faire quelque chose de mal. On dirait qu'ils marchent à la télépathie. Et résultat, ils vous protègent contre vous-même.

Ce flic était retors. Une âme de sbire. On lui avait bien injecté dans le cerveau l'illusion d'avoir du pouvoir. C'est la seule méthode pour fabriquer des mercenaires, ça : les persuader qu'ils font partie du pouvoir, alors qu'en réalité ils ne s'approcheront jamais du trône, même de loin. C'est pour ça qu'ils les choisissent parmi les plus rustauds. Ou les plus retors, les plus tordus. Et à la fin, quand les années leur sont bien passées dessus, ils éprouvent la merveilleuse sensation d'avoir tout raté et d'avoir perdu leur temps. Oui, ils ont goûté le pouvoir d'avoir une arme à la ceinture, une matraque entre les doigts, de commander les autres citoyens de leur pays, de les humilier, de les rouer de coups et de les jeter dans une cellule. Certains d'entre eux comprennent alors, le foie bousillé, qu'ils ne sont que des brutes sans joie, avec le garrot en main. Mais ils ont tellement peur qu'ils sont désormais incapables de le lâcher.

Je suis parti, donc. En ce temps-là, les gens de la province avaient plus d'argent. Comme il n'y avait rien à acheter, ils gardaient leurs sous. Ils n'imaginaient pas que tous ces billets de merde se dévaluaient sans cesse et finiraient par se convertir en une grande mare d'eau et de sel.

Je me suis d'abord baladé dans le petit bled où j'étais arrivé, histoire de me repérer un peu. Il y avait moins de police qu'à La Havane. Ça a toujours été ainsi : dans les capitales, ils serrent plus la vis. Plus la ville est grande, plus les gens sont inquiets.

Le soir, je suis allé chez des amis, les seuls que j'avais ici, Aïda et Jorge Luis. Elle et moi, nous entretenions une longue aventure érotique depuis presque vingt ans, par intermittence. Et nous étions en plus devenus de bons copains, évidemment. Elle s'était mariée avec Jorge Luis quatre années plus tôt.

Je ne l'avais pas revue depuis des mois, Aïda. La dernière fois, elle était en pleine crise avec son homme. Ils ne pouvaient pas avoir d'enfants. Lui, il était désespéré d'amour et de possessivité, deux concepts qui sous les tropiques ont trop tendance à être confondus, avec pour résultat maints boléros pleurnichards et force crimes passionnels. Il était fou de jalousie. « Il ne me laisse pas vivre », m'avait-elle dit. A cette époque, il l'avait surprise dans un parc, en conversation avec un type qui lui avait passé un bras autour des épaules et la serrait contre lui. Jorge Luis avait foncé chez eux, avait pris un couteau et l'avait poursuivie dans toute la rue en hurlant tel un possédé. Quand ils étaient arrivés à la maison, elle avait saisi un autre couteau et l'avait affronté, en criant elle aussi, jusqu'à réussir à le maîtriser. Ça s'était terminé au lit parce qu'il avait été tout émoustillé lorsqu'elle lui avait arraché sa lame et l'avait giflé pour lui faire passer sa crise d'hystérie. A partir de là, elle avait dominé la situation. Elle pouvait agir à sa guise, désormais, sans qu'il bronche. Il était trop occupé à se saouler, à fumer de l'herbe quand il pouvait et à rêver de la tirer trois fois par jour. Sauf qu'elle ne le laissait pas faire, elle. Elle voulait prendre du bon temps mais elle n'osait pas rompre avec lui. Elle voulait aller à La Havane, cavaler un peu les touristes, se montrer dans les hôtels jusqu'à taper dans l'œil à un étranger qui la paierait en dollars : « Tu comprends, Pedro Juan, je n'ai pas le choix, si je veux m'amuser, boire un peu, me payer une robe... Ce mari que j'ai, c'est un inutile et je n'en peux plus de mon travail de merde qui ne me rapporte rien. Chez moi, le manger y en a pas, jamais. Rien. Tu vois pas comme je suis maigrichonne, Pedro Juan ? »

Elle a été ravie de me voir arriver. Lui, pas tant. Ils n'avaient pas un rond. Encore plus fauchés que moi. Ils habitaient une cabane de planches à moitié pourries dans un faubourg pauvre. Noirs, beaux, grands, environ trente-cinq ans tous les deux. Un beau couple, oui, et d'ailleurs il y avait toujours un voyeur du quartier qui se glissait dans le patio pour les écouter gémir et jouir la nuit.

Ils n'avaient pratiquement rien : presque pas de vêtements, une table, quelques chaises, un lit, un réchaud et un vélo. Dehors, un porcelet de deux ou trois mois et un petit chien noir famélique avec des oreilles gigantesques et un air hagard. Point final.

L'endroit était joli, pourtant. Après le patio, derrière la clôture, s'étendait un champ bien vert, immense, et plus loin encore un crépuscule rouge et la nuit qui venait. J'ai donné quelques billets à Jorge Luis et il est parti acheter une bouteille de gnôle à un type qui distillait clandestinement de la bonne marchandise. Dès qu'il est sorti, nous n'avons pas pu résister à la tentation : on s'est enlacés, embrassés, reniflés. Je l'ai caressée, elle était presque nue, avec un short très serré et un soutien-gorge de maillot de bain réduit au strict minimum. Il faisait une chaleur étouffante, on suait ferme. Et puis on s'est rassis dans le patio, bien sages, et Jorge Luis est revenu avec la gnôle. Avec la monnaie, il avait eu de quoi acheter des bananes, qu'Aïda a mises à la poêle. On a bu tous les trois, on a dansé un peu, la bouteille a été finie et j'ai redonné de l'argent à Jorge Luis. Il en a rapporté encore, avec des cigarettes. Cette fois-là, il a bien failli nous surprendre en train de nous embrasser et moi avec l'index de la main droite qui lui massait le clitoris. Il avait déjà pris une odeur de jus de désir qui me rendait fou.

On a continué avec la seconde bouteille. Aïda ne voulait danser qu'avec moi. Elle était très chaude et me faisait bander constamment en se frottant contre moi. Jorge Luis restait assis à sa place, l'air de rien, feignant l'indifférence. Tout ça risquait de se terminer fort mal, mais moi je ne voulais pas me fâcher avec lui. Au contraire, j'avais seulement l'intention qu'ils m'aident à caser le frigo et qu'ils se fassent un peu d'argent, eux aussi.

64

Mais la chair est faible. La mienne, en tout cas. Faible et pécheresse. Enfin, je pense que c'est pareil pour tout le monde, sauf que les gens refusent de le reconnaître et qu'ils sont allés jusqu'à inventer des notions telles que « décence », « indécence »... Le hic, c'est que personne ne sait exactement où passe la frontière qui sépare l'une de l'autre.

Et donc je la chauffais encore plus, Aïda, en lui chuchotant dans l'oreille : « Hé, on pourrait le faire à trois. Tu ne m'as pas dit qu'il l'a trop grosse pour te la mettre dans le cul ? Alors moi par-derrière et lui par-devant, tu vas voir, tu vas jouir comme une folle. » Et elle, à voix basse aussi : « Non, non ! Moi je le ferais bien, que oui, mais il est très timide, et très jaloux en plus. Ça va mal tourner. Reste dehors, toi. Ne viens pas dans la maison, surtout. »

Puis elle est allée à Jorge Luis, elle l'a caressé et embrassé jusqu'à ce qu'il soit bien chaud. Ils sont rentrés à l'intérieur, aussitôt j'ai entendu le lit grincer et elle qui susurrait tout haut pour que je n'en perde rien dans le silence de la nuit et de la campagne : « Aaah, quelle torture, papi, vas-y, mets-la-moi à fond ! » Et elle gémissait, et elle orgasmait, et elle le suppliait de la mordre, jusqu'à ce qu'ils jouissent finalement ensemble. Moi, je me branlais lentement, en les écoutant et en faisant tomber de la salive sur le bout de ma queue pour que ça glisse bien. Il restait un verre de gnôle, je l'ai avalé cul sec et je suis allé dans la cabane. Ils étaient endormis sur le lit, nus, bourrés, respirant calmement. Magnifiques. J'ai dû me faire violence pour ne pas me coucher avec eux. L'alcool commençait à me matraquer sérieusement, tout tournait autour de moi. J'ai éteint la lumière, je me suis étendu sur le sol, j'ai attrapé un pantalon sale qui pendait à une chaise, je l'ai roulé en boule pour m'en faire un coussin. J'ai sombré immédiatement dans le sommeil mais je me suis réveillé quelques heures plus tard au milieu de l'obscurité totale de la campagne, avec les moustiques, et la chaleur, et l'humidité. En sursaut, la bouche sèche, avec une affreuse sensation d'étouffement, en proie à la claustrophie dans cette pièce minuscule sans un souffle d'air frais. Comme si c'était un cachot bouclé à double tour. J'ai réussi à me calmer en me répétant : « Ne sois pas idiot, respire doucement et à fond. » C'est quelque chose qui m'arrive souvent la nuit : je me réveille aux abois, affolé par l'enfermement, tel un loup, un loup plein de force, toutes griffes et crocs dehors, mais pris au piège. Je crois que j'ai prié un peu, seulement il y avait un vers de Rimbaud qui me trottait dans la tête et me déconcentrait dans mes prières : *« Je est un autre. Je est un autre...* [1] » Enfin, j'ai retrouvé le contrôle et je me suis rendormi. Je me suis réveillé à nouveau quand les premières lueurs de l'aube ont filtré sous la porte. Dans la pénombre, je les ai vus allongés, trop beaux pour être vrais. Je suis sorti sans bruit. J'ai pris de l'eau dans un bidon du patio, je me suis lavé la figure, rincé la bouche, et je suis parti.

---

1. En français dans le texte (*N.d.T.*).

Dans la merde

A l'époque, j'étais un type poursuivi par la nostalgie. Je l'avais été depuis toujours et je ne savais pas comment me débarrasser de mes souvenirs pour vivre enfin tranquillement.

Je n'ai pas encore appris. Et je doute que j'apprenne un jour. Mais j'ai compris au moins une chose : on ne peut pas se débarrasser de la nostalgie, parce qu'on ne peut pas se débarrasser de la mémoire. On ne peut pas tirer un trait sur ce qu'on a aimé, c'est impossible. Ça vous reste à jamais. Vous désirez sans cesse revivre les bons moments, tout comme oublier et détruire le souvenir des mauvais. Effacer les saletés que vous avez commises, abolir la mémoire des personnes qui vous ont fait du mal, rejeter les chagrins et les périodes de tristesse.

La nostalgie fait donc totalement partie de la condition humaine et la seule solution est d'apprendre à vivre avec. Et peut-être, par chance, cessera-t-elle d'être quelque chose de triste et de déprimant pour devenir une petite étincelle qui nous fait redémarrer, nous pousse à nous consacrer à un nouvel amour, à une nouvelle ville, à une nouvelle époque. Meilleurs ou pires, on n'en sait rien et peu importe. Différents, c'est sûr. Et c'est ça que nous cherchons tous, jour après jour : ne pas gaspiller notre vie dans la solitude, rencontrer quelqu'un, nous engager un peu, fuir la routine, goûter notre petite part de fête.

J'en étais là, donc, à former toutes ces conclusions. La

folie me tournait autour et je l'évitais. Il y avait eu trop de choses en très peu de temps pour un seul être. Alors j'ai quitté La Havane quelques mois. J'ai vécu dans une autre ville en faisant des affaires, en vendant un frigo d'occasion et d'autres trucs. Je vivais aussi avec une fille complètement folle — la folie pure, sans coupage — qui avait fait de la prison à plusieurs reprises et dont le corps était couvert de tatouages. Celui qui me plaisait le plus, elle l'avait à l'aine gauche. C'était une flèche qui pointait vers son sexe avec une formule concise : SUCE ET JOUIS. Sur une fesse, il y avait JE SUIS A FELIPE, sur l'autre NANCY T'AIME. Sur le bras gauche, JESUS en majuscules et sur chaque phalange des cœurs avec les initiales de quelques-uns de ses amours.

Olga avait à peine vingt-quatre ans mais elle avait vécu sans limites, avec beaucoup de marie-jeanne, d'alcool et de sexe en tout genre. Elle avait eu la syphilis mais elle avait surmonté ça aussi. J'ai tenu un mois avec elle parce que c'était rigolo. Vivre dans la piaule d'Olga, c'était comme tourner dans un film porno. Et j'ai appris. J'ai tellement appris, en ce temps-là, que j'écrirai peut-être un *Manuel des perversions*, un jour.

Je suis rentré à La Havane avec assez d'argent pour ne pas avoir à bosser pendant un bon moment et j'ai trouvé une Miriam terrorisée : « Disparais, toi ! Il sait tout, il te cherche partout pour te tuer ! » Elle était couverte de bleus, le sourcil gauche ouvert. Ce type n'avait pas fait ses dix ans, ils l'avaient relâché au bout de trois, et il était à peine de retour dans l'immeuble que ses amis lui avaient tout raconté à propos de Miriam et de moi. Il l'avait presque tuée de coups, puis il s'était trouvé un couteau de boucher et jurait qu'il ne s'arrêterait pas tant qu'il ne m'aurait pas arraché le foie.

Il était dangereux, ce Noir, et donc il valait mieux que j'évite le quartier de Colón jusqu'à ce que sa rage lui passe. Seulement, je n'avais nulle part où me mettre. Je suis allé chez Ana María, je lui ai raconté mon histoire et elle m'a laissé dormir chez elle quelques jours, par terre, mais en réalité je gênais son aventure avec Beatriz. Dans la nuit, je les entendais faire l'amour, elles jouaient à ce que Beatriz était le mâle, et tout ça m'excitait beaucoup, je me branlais en les écoutant et puis j'ai fini par craquer, je suis arrivé devant leur lit la bite à l'azimut, hyper-dure, j'ai allumé la lumière et je leur ai dit : « Allez, on s'amuse à trois, maintenant ! »

Beatriz avait prévu une invasion de ce style. Elle a glissé une main sous le lit et en a ressorti un bout de câble électrique très épais, de ceux qui ont une gaine plombée, et elle m'est tombée dessus comme une bête sauvage : « T'approche pas de ma chérie, pédé ! Va truquer le con de ta mère ! » Je n'aurais jamais cru qu'une femme puisse être aussi forte. Elle m'a frappé sans pitié. Elle m'a démoli les lèvres et les dents, elle m'a cassé le nez et m'a laissé au sol, hébété par les coups de câble qu'elle m'assenait sur le crâne. A moitié évanoui, j'entendais à peine les cris d'Ana María, qui la suppliait d'arrêter. Après, elles m'ont balancé un peu d'eau froide dans la figure et m'ont traîné sur le palier. Elles m'ont jeté là et elles ont refermé la porte. Derrière, Beatriz répétait : « Même pas de reconnaissance, le fils de pute ! Ah, on peut être bonne avec personne, Ana María, avec personne. »

Je suis resté dans le couloir un bon moment, effondré. Je n'avais pas la force de me lever, j'avais terriblement mal aux côtes et au dos. Finalement, j'ai réussi péniblement à me remettre debout. Si Beatriz ouvrait la porte et me voyait encore là, elle allait me fouetter encore, sauvagement. Elle était plus costaud et plus brutale qu'un camionneur. J'ai descendu la rue Industria en chancelant, puis je suis tombé sur un banc dans le parc de la Fraternité. Les gens pensaient que j'étais un saoulard, ils me fouillaient les poches pour me voler. Tous les quarts d'heure, quelqu'un venait me tâter le pantalon mais moi j'avais caché mon argent dans des livres chez Ana María.

Quand il a fait jour, je suis allé à l'hôpital des

urgences. Ils m'ont soigné un peu. Je n'avais pas un rond sur moi et ce n'était pas le moment d'aller reprendre mon fric chez Ana María. Plus prudent de laisser passer quelques jours.

A ce stade, j'étais suffisamment amoché, sale, barbu et désespéré pour faire le mendiant. Et donc je me suis traîné jusqu'à l'église de la Charité, au coin de Salud et Campanario, je me suis assis sur les marches, j'ai pris mon air de crève-la-faim paumé et j'ai tendu la main. Pas une réussite. Toutes les aumônes allaient à une petite vieille qui était arrivée avant moi. Elle avait une image de saint Lazare et une boîte en carton avec un écriteau expliquant qu'elle faisait ça pour accomplir un vœu. Quand l'église a fermé, à la nuit tombée, je n'avais récolté qu'une poignée de piécettes et la faim me torturait. J'avais le ventre vide depuis plus de vingt-quatre heures.

J'ai mendié à manger à quelques portes, mais la disette était générale. Tout le monde souffrait de la faim dans La Havane de 1994. Une vieille Noire m'a donné un peu de galette de manioc et quand elle m'a regardé dans les yeux elle m'a dit :

— Pourquoi que tu es dans cet état-là, toi ? Tu es fils de Changó.

— Et aussi d'Ochún.

— Oui, mais Changó c'est ton père et Ochún ta mère. Adresse-leur tes prières, fils, supplie-les. Ils ne vont pas t'abandonner, eux.

— Merci, grand-maman.

Quelques jours ont passé, la douleur s'en est allée. J'ai ramassé un morceau de fer dans la rue, je l'ai caché dans mon pantalon, sous ma chemise, et je suis parti chez Ana María. C'était le milieu de la matinée, j'avais calculé que Beatriz serait au travail.

J'ai frappé, Ana María a ouvert. Elle a voulu me claquer la porte au nez mais je l'ai bloquée avec ma ferraille, j'ai poussé, je suis entré et je l'ai écartée du

70

chemin. Elle s'est mise à crier et elle a couru prendre un couteau dans l'évier.

— Ecoute, Ana María, calme-toi ! Je ne vais rien te faire, moi. Je prends juste quelque chose que j'ai laissé ici et je m'en vais.

— Y a rien à toi, ici ! Va-t'en, va-t'en ! Ah, tous les hommes sont pareils, des violeurs ! Si Beatriz était là, elle te casserait l'échine, pédé que tu es ! Va-t'en !

J'avais déjà attrapé le livre, je l'ai ouvert et mon argent était là, brillant de mille feux. Je l'ai fourré dans ma poche et j'ai dégagé les lieux. Elle s'était tue d'un coup et moi j'ai essayé de disparaître au plus vite : s'il lui venait l'idée de hurler que je l'avais dévalisée et qu'on m'arrête, j'étais cuit.

Aussi sec, je me suis acheté une bouteille de rhum. Cela faisait très longtemps que je n'avais pas bu mon pot. Je suis allé droit chez un type que je connaissais et je lui ai négocié le rhum. De contrebande, et cher, mais de bonne qualité. J'ai ouvert la bouteille et on s'est pris quelques rasades. Il m'a demandé pourquoi j'avais cette gueule, alors je lui ai raconté vaguement, pas grand-chose.

— Pourquoi tu ne te mets pas à t'occuper d'un vieux, mon ami ? Tiens, là, au coin, il y a un invalide qui vit seul. Il a dans les quatre-vingts balais ou plus, tout grincheux et ronchon mais avec un peu de patience tu l'auras en main. Sa femme a claqué il y a deux, trois mois, il va mourir de faim et de crasse, ce bougre. Colle-toi à lui, tu t'occupes un brin de lui, tu lui enlèves sa morve, tu lui trouves un peu de manger et total, quand il va crever, tu te gardes la maison. C'est mieux que d'être à la rue, non ?

On a fini la bouteille. Je lui en ai acheté une autre et je suis parti voir ce fameux vieux. C'était un dur. Un Noir rétamé. Démoli mais pas détruit, non. Il habitait au 558 de San Lázaro et il passait ses journées assis en silence dans sa chaise roulante, sur le pas de la porte, à regarder les voitures passer, à respirer la brume de pollution et à vendre des paquets de cigarettes un peu moins cher que dans les magasins. Je lui en ai acheté un, je l'ai ouvert et je lui en ai offert une mais il a refusé. Puis je lui ai tendu la bouteille et il a encore dit non. Mais j'étais de bonne humeur, moi. D'un coup, avec un peu d'argent en poche, du rhum et du tabac, le monde commençait à changer de couleur. J'ai expliqué ça au vieux et on s'est mis à causer un bon moment. Avec la gnôle que j'avais dans le ventre, j'étais disposé à la conversation. Au bout d'une heure et d'encore quelques rasades — il avait finalement accepté de boire avec moi —, le vioque m'a donné une piste : il avait travaillé dans un théâtre.

— Lequel ? Le Martí ?

— Non. Le Shangai.

— Ah... Et vous faisiez quoi, là-bas ? On raconte que c'était que des filles à poil et compagnie, ce machin. C'est vrai qu'ils l'ont fermé tout de suite, au début de la Révolution ?

— Oui, mais ça faisait déjà un temps que j'y bossais plus. Moi, j'étais Superman. Y avait toujours une affiche rien que pour moi : « Superman, unique au monde, en exclusivité dans ce théâtre. » Tu sais combien elle faisait, ma pine, bien raide ? Trente centimètres ! J'étais un phénomène. C'est comme ça qu'ils m'annonçaient : « Et maintenant, un phénomène de la nature, Su-per-man ! Trente centimètres, douze pouces, un pied de Suuuper-bite ! Mesdames et messieurs, Superman ! »

— Et vous étiez seul en scène ?

— Seul. J'arrivais enveloppé dans une cape en soie rouge et bleu, je m'arrêtais au milieu de la scène, face au public, j'ouvrais la cape d'un coup et j'étais tout nu, avec le zoizeau tout pendant. Je m'asseyais sur une chaise et je regardais les spectateurs. En réalité, j'étais en train de mater une Blanche, une blonde qu'ils me mettaient dans les coulisses, sur un lit. Elle me rendait fou, cette femme-là. Elle se branlait et quand elle était bien chaude un Blanc venait la rejoindre et elle commençait à faire de tout. De tout ! La folie. Mais personne ne la voyait. C'était rien que pour moi. De voir ça, j'avais la pine prête à exploser et sans avoir à me toucher une seule fois je lâchais mon paquet. J'avais vingt années et quelques, moi, alors je t'envoyais des jets de crème tellement fort qu'ils tombaient sur le premier rang du public. Comment que ça arrosait tous les makoumés, fallait voir !

— Et vous faisiez ça tous les soirs ?

— Tous les soirs. Pas une absence. Je gagnais bien, pour ce travail-là. Et quand je balançais mon jus aussi loin, j'avais la bouche ouverte, les yeux blancs, je me levais de ma chaise en gémissant comme si j'étais tête en bas, et tous les pédés ils se battaient pour recevoir mes torrents dessus, pareil que si c'étaient des serpentins au carnaval, et ils me jetaient de l'argent sur la scène, et que ça trépignait, et que ça criait : « Bravo, Superman, bravo ! » Sacré public, et moi j'étais un artiste et je le comblais, mon public. Les samedis et les dimanches, je me faisais encore plus de monnaie parce que la salle se remplissait à fond. Tellement célèbre, je suis devenu, que des touristes du monde entier venaient me voir.

— Et pourquoi vous avez arrêté ?

— Parce que c'est la vie. Des fois t'as le vent en poupe, des fois contre toi. Et moi, à trente-deux ans plus ou moins, mes salves ont commencé à se réduire, et puis il est arrivé un moment où je n'arrivais plus à me concentrer autant, je débandais un peu, ça repartait... Plusieurs fois j'ai pas pu, ça venait pas. A l'époque j'étais à moitié cinglé, à force de me triturer le cerveau comme ça pendant des années. Je me prenais des vers de carey, du ginseng, ou bien ils me préparaient un sirop pas mal efficace à la pharmacie chinoise de Zanja, mais j'étais de plus en plus braque, moi. Ce que ça me coûtait de me gagner la vie comme ça, personne n'imaginait. J'avais ma femme. On est restés unis pour la vie, comme on dit, depuis que je suis arrivé à La Havane jusqu'à ce qu'elle meure il y a quelques mois. Eh ben, vers ce temps-là impossible de jaculer avec elle. On n'a pas eu d'enfants. Ma femme, en douze années, elle a jamais vu ma crème. Une sainte, c'était. Elle savait que si on baisait comme Dieu le veut et que je la lui envoyais alors je pourrais pas faire mon numéro au Shangai le soir. Il fallait que je me garde tout mon jus de vingt-quatre heures pour le spectacle de Superman.

— Quelle discipline !

— C'était ou ça ou crever de faim. Pas facile de se gagner son manger, en ce temps-là.

— Maintenant non plus.

— Oui. Pauvre tu nais, dans la merde tu meurs.

— Et après, qu'est-ce qui s'est passé ?

— Rien. Je suis resté encore un moment au théâtre, je faisais le plein, j'ai imaginé un petit numéro avec la blonde qui plaisait beaucoup. « Superbite et la Blonde fabuleuse, la plus grande baise du monde. » Mais c'était plus pareil, je gagnais plus beaucoup. Après, je suis parti avec un cirque. Je faisais le clown, je m'occupais des lions, je servais d'homme-pilier pour les équilibristes, un peu de tout, quoi. Ma femme, elle faisait couturière et cuisinière. On a passé plein d'années comme ça. Enfin, la vie est une couillonnade. On est jamais sûrs de rien.

On s'est vidé la bouteille, il m'a laissé passer la nuit là et le lendemain je lui ai trouvé quelques revues porno. Superman, c'était un voyeur professionnel. Le seul type au monde qui ait gagné sa croûte en regardant les autres forniquer. On s'était bien entendus, alors je me suis dit qu'elles lui donneraient un petit plaisir, ces revues. Il s'est mis à les feuilleter.

— Ça fait trente-cinq ans qu'elles sont interdites. Dans ce pays, pour un peu ils t'interdiraient de rire. Moi, je les aimais bien, ces canards-là. Et ma femme aussi. On se branlait ensemble en matant toutes ces Blanches, ces blondes...

— Elle était noire ?

— Oui. Mais une Noire bien. Elle savait coudre, broder, elle a été cuisinière chez des riches. Pas la première négresse venue. Mais on s'accordait bien. Au lit, elle était aussi zinzin que moi.

— Et quoi, Superman, elles ne te plaisent plus, ces revues ? Garde-les, je te les offre.

— Non, fils, non. Pour quoi faire ? Tiens, regarde.

Il a soulevé la petite couverture qui lui couvrait les moignons. Il n'avait plus de pine ni de couilles. Tout avait été amputé avec les jambes. Raccourci jusqu'aux os du bassin. Un petit tuyau en caoutchouc sortait de là où avait été sa queue et laissait tomber un goutte-à-goutte permanent d'urine dans la poche en plastique qu'il portait attachée à sa ceinture.

— Qu'est-ce qui t'es arrivé ?

— Trop de sucre. Les deux jambes gangrenées. Ils me les ont coupées au fur et à mesure, en remontant. Jusqu'aux roustons. Ah oui, maintenant je peux dire que la vie m'a couillonné, ah, ah ah. Alors que couillu, je l'ai été, hein ? Le Superman de Shangai ! Maintenant je suis foutu, mais j'ai pris du bon temps quand même, hein ?

Et il riait, il riait de bon cœur. Sans ironie amère. Il me bottait, ce vieux Noir dur comme tout qui savait rire aux éclats de son sort. C'est ça que je veux : apprendre à me marrer de moi-même. Toujours. Même si on me coupe les couilles.

Amours foudroyantes

J'ai toujours vécu comme si j'étais éternel. Ce que je veux dire, c'est que je détruis tout et refais tout, sans arrêt. Je n'ai jamais pensé que je pourrais finir cinglé, ou me suicider. C'est peut-être à cause de l'habitude de ne pas cultiver, ni de conserver, ni de prévoir.

Peu à peu, le poids s'est accumulé sur mes épaules Trop de décombres. Et ainsi j'ai pris coutume de me servir de tous et de tout. Un sens pratique de saligaud. Je passe ma vie à faire mes comptes : combien je donne, combien on me rend en échange. Je me croyais un brave type mais ce genre de mathématiques a fini par me ravager de fond en comble. C'est alors qu'une belle jeune fille a surgi dans mon existence, a fixé ses yeux verts sur moi et m'a envoyé un message télépathique d'amour auquel j'ai cru.

J'avais besoin d'y croire. Quand on se sent aussi seul, un message pareil, on le capte aussitôt, on le laisse passer jusqu'à son cœur, on le conserve soigneusement dedans, on s'enthousiasme et on croit que tout est réglé.

Bon, la vérité est qu'elle ne m'a pas laissé le temps pour quoi que ce soit. Elle apparaissait tous les jours à mon travail. Son boulot, c'était de vérifier les extincteurs, et il y en avait des centaines, dans ce bâtiment. Elle était belle, la peau brune, les cheveux courts, des yeux verts et rêveurs, le cul ferme, des seins superbes.

Plusieurs jours durant, on s'est observés en silence et puis je me suis lancé. Elle, elle me guettait comme une chatte et quand je me suis décidé elle a ronronné un peu.

Je lui ai proposé de nous retrouver le soir même. On est allés à un bar, j'ai commandé des boissons et presque sans échanger un mot nous nous sommes embrassés et caressés. Moi, je ne quittais pas ses beaux gros seins juvéniles des yeux, ni des neurones, tous mes neurones. Avec une érection permanente, j'ai payé la note et on est partis.

J'avais un endroit commode pas loin. J'étais aussi euphorique qu'impatient. Elle aussi. On a commencé à se déshabiller à toute allure, mais quand elle a retiré son soutien-gorge ses tétés lui sont tombés sur le ventre. Gros, oui, mais flasques, mollassons. Deux énormes gourdes vides, comme si elle avait été une vieille nourrice.

Qu'une fille aussi jeune et jolie ait des seins pareils, c'était incroyable. Mais bon, j'ai essayé. Je n'ai pas pu. Pas même la moitié d'une érection. Elle, elle a été très blessée. Fâchée, je crois. On s'est rhabillés, on est ressortis.

Par la suite, elle n'a plus accepté que je l'invite une seule fois. Mais elle devait continuer à vérifier ses extincteurs, et peu à peu nous sommes devenus amis. Il nous a fallu des années et des années pour le devenir, amis.

Ancré à une terre vacante

J'étais revenu de Málaga et je menais une vie très dissolue. Málaga, ça a été un grand coup de massue pour mon cœur, mais je ne veux pas parler de ça. Pas encore. Je ne peux pas. Tant que d'autres années n'auront pas passé je ne serai pas capable de parler de ce qui m'est vraiment arrivé à Málaga. La seule chose que je puisse déjà dire, c'est que les rêves sont une vaste fumisterie. Nous, les humains, nous devrions les rejeter, les rêves, poser les pieds au sol et déclarer : « Putain, là d'accord ! Là, je suis bien ancré. Les tempêtes peuvent toujours venir. » C'est la seule manière de parvenir au bout sans trop de naufrages et sans faire eau de toutes parts, ou disons au moins avec seulement un peu d'eau sale dans la sentine.

Donc, je menais une vie très dissolue, avec beaucoup de rhum et guère de sommeil. Mais cette existence ne m'était plus du tout bénéfique parce que, moi, j'avais besoin de m'ancrer à la terre et de laisser tomber la tendresse, la dépendance envers un être à aimer et tous ces trucs. Je m'étais durci, je m'étais fabriqué une carapace et je savais qu'il y avait une femme qui m'attendait à Rio, une autre à Buenos Aires, en plus des métisses et des Noires de La Havane. Enfin, c'était la grande confusion au milieu de toutes ces femmes, après le coup que je m'étais pris en Méditerranée.

Je me suis étendu sur le lit vers midi, mais mon appartement est au huitième, sur une terrasse face à la mer, avec plein de voisins. Des gens comme moi, ou encore plus pauvres, et à moitié analphabètes. Bon, c'est comme ça. Et là, deux petites nanas arrivent sur la terrasse et se mettent à crier à quelques nègres qui déambulaient sur le Malecón : « Allez, montre-la-nous un peu, que t'as rien du tout entre les jambes ! Un ti'bout de rien, ah, ah, ah. Attends, attends... Oh, dis, elle est raide quand même ! Allez, allez, sors-la encore et montre-la, comme ça les flics vont t'emmener en taule ! »

Et ainsi de suite, pendant une demi-heure à vociférer de leur perchoir. Impossible de dormir. Alors j'ai fini par passer la tête à ma porte :

— Hé, vous autres, pourquoi vous ne descendez pas leur faire une pipe, à ces Noirs, là ? Et me laisser pioncer un peu, bordel ?

— Oh, tiens, señor Pedro Juan, il dort en plein jour, quelle veine ! Pourquoi tu descends pas et tu leur fais la pipe toi, espèce de chauve à la con, petit-bourge de merde ?

— Parce que c'est vous qui les chauffez, pas moi. Moi, ce que je vais faire, c'est vous donner un bon coup de pine entre les oreilles, à l'une et à l'autre, si vous n'arrêtez pas vos conneries. Alors dégagez, allez vous faire mettre !

Elles m'ont répondu quelque chose avant de disparaître dans leur piaule, où elles ont mis une cassette de salsa. *NG La Banda* ou un truc de ce style. Mais à fond. On aurait cru que l'orchestre allait faire tomber les murs.

J'avais la tête comme une cougourde. Par chance, je n'avais pas de revolver sous la main, parce que dans ce genre de situation mes pulsions de meurtre montent très vite dans le rouge. Je me suis levé comme un fou, le sang en effervescence. Je suis allé sur la terrasse et je me suis assis un moment sur le muret. Et là, le temps a commencé à se gâter. C'est comme ça, les Caraïbes. Le ciel est bleu, le soleil brille et soudain les nuages arrivent, le vent se lève, la mer se déchaîne. Et c'est fini : parfois, un cyclone vous tombe desssus en moins de deux heures. Et il emporte tout avec lui.

Eh bien, là, ça ressemblait fort à un cyclone, et qui est arrivé en moins d'une demi-heure. J'ai regagné ma tanière. Un instant plus tard, un gosse est venu avec un message de Dalia, ma voisine d'en dessous. J'en ai été très content : si la tempête devait arracher le toit en fibrociment de l'immeuble, je ne serais pas dessous pour le voir. C'est déjà une chose, ça : il y a une différence entre se faire torturer longuement et recevoir un coup de pied dans les couilles sans préavis et basta...

Je suis descendu. Dalia était une vieille qui était au bord de la tombe, mais qui ne s'en rendait pas compte. Elle habitait au septième. Elle m'avait appelé parce qu'elle voulait que je lui amarre une porte tellement pourrie qu'elle ne tenait plus sur ses charnières. Elle donnait sur un balcon démoli, au milieu d'un mur tout effrité qui perdait son plâtre. Je l'ai attachée comme j'ai pu mais il s'était mis à tomber des trombes et l'eau entrait de partout.

— Si ça continue à pleuvoir comme ça, Dalia, ce mur va se casser la figure.

— Jésus Marie Joseph ! Ne dis pas des choses pareilles, mon fils.

— Que je le dise ou pas, c'est pareil. Bon, faites une petite prière, peut-être qu'il tiendra le coup un peu plus longtemps.

— C'est parce que les gens qui vivent dans cet immeuble sont des vauriens. Ils l'ont tellement démantibulé qu'il tombe en morceaux, maintenant.

— Mais non, Dalia ! C'est une très vieille bicoque et ils ne la réparent jamais. C'est ça, la raison.

— Ils l'ont laissée se dégrader, oui. Ce gouvernement ne fait rien. Moi je peux parler, n'est-ce pas, personne ne fera rien à une petite vieille comme moi. Mais admets, mon fils, toi qui as voyagé : un gouvernement, il ne peut pas s'occuper de tout, nulle part au monde. C'est pour ça que ce quartier s'est retrouvé dans cet état. Quand il y avait la propriétaire, c'était un bijou, cet immeuble ! Il faisait plaisir à voir. Moi je payais quatre-vingt-dix pesos de loyer mensuel mais elle le méritait bien, parce qu'elle n'aurait pas laissé à quiconque la moindre réparation. Même pas un robinet. Elle s'occupait de tout, elle. Et en plus, qui est-ce qui vivait ici ? Des médecins, des professeurs, des commerçants...

— C'était une autre époque, Dalia. Oubliez.

— Mais il faut qu'il revienne, ce temps-là ! Tout ne va pas continuer à se détruire avec les gens qui regardent les bras croisés, à ne pas travailler et à toucher quand même un salaire. Viens un peu par ici.

Elle m'a conduit à son armoire, en a retiré des robes, des chaussures, un sac à main. Le tout flambant neuf, sortant du magasin.

— C'est quoi, Dalia ?

— J'ai vendu quelques bijoux, quelques bibelots en porcelaine, et je me suis acheté tout ça. Tu sais pourquoi ? Parce que nous n'allons pas vivre toute notre vie dans cette misère et cette famine, non ! C'est en train de finir, ça. Je sais que ça se termine et c'est pour ça qu'il faut bien s'habiller. Pour sortir. Pour se promener. Quoique je ne pense pas que je me trouve un amoureux. Je suis très vieille, moi. Mais on ne sait jamais, pas vrai ? On ne sait jamais.

— Oui, c'est vrai, Dalia. Au moins, il y a l'espoir. C'est la seule chose qu'on garde jusqu'au bout.

— Exactement. La seule chose qu'on garde jusqu'au bout, c'est l'espoir.

On a continué à bavarder un moment. Les voisins racontaient qu'elle était toujours vierge. A quatre-vingt-trois ans, elle croyait encore qu'elle allait rencontrer un fiancé et se marier. A nouveau, elle m'a raconté ses histoires de jeunesse, de l'époque où elle allait fêter *Christmas* à Miami. C'était là-bas qu'elle achetait toute sa garde-robe, dans les meilleures boutiques. Et qu'elle jouait du piano, et qu'elle brodait. Et que son père, un gros commerçant, un Catalan avec beaucoup de personnalité, très autoritaire, était mort à l'âge de cent quatre ans sans jamais la laisser prendre un fiancé parce que tous ses soupirants étaient pauvres et que le vieux avait attendu jusqu'au bout qu'un type riche apparaisse...

Le vent et la pluie continuaient à se déchaîner. Je suis remonté chez moi, je me suis endormi. A l'aube, peu avant le jour, après quatorze heures de tempête, une façade entière s'est écroulée. Le vacarme s'est entendu très loin à la ronde. L'immeuble paraissait solide mais cette façade-là était très fissurée, l'eau l'avait attaquée au cœur et elle avait fini par lâcher. On aurait dit ces maisons de poupée ouvertes sur un pan pour qu'on voie les meubles, tout ce qu'il y a à l'intérieur. Un spectacle irréel. Il y a eu beaucoup de remue-ménage. Les pompiers ont sorti deux morts des décombres. Mais ils nous ont laissés vivre là. Ils ont dit que le reste de la construction était sain, qu'il n'y avait pas de danger.

Mon appartement n'a pas souffert puisqu'il se trouve sur le côté opposé. L'après-midi, je suis descendu chez Dalia. Elle était terrorisée. La moitié de son petit foyer était parti avec la façade. Il ne lui restait plus que la cuisine, la salle de bains et une chambre, ainsi que la porte d'entrée et un bout du couloir. C'était impressionnant, parce que juste à côté de la porte il y avait le vide, un abîme de trente mètres, puis la rue en bas. Assez étrange. Brusquement, j'ai eu l'impression d'être dans un cauchemar. La vieille n'arrivait pas à parler. Je l'ai laissée muette de peur, tassée dans son fauteuil.

Après, je n'ai plus pensé à elle. J'ai continué ma vie d'écervelé. Un mois plus tard, on m'a dit qu'elle était morte. C'est une autre mémé qui me l'a appris. Elle habitait sur le même palier. Elle m'a dit : « Elle s'est pratiquement tuée, Dalia. Depuis le moment où ce mur s'est écroulé, elle a arrêté de manger et elle s'est enfermée dans son coin. Elle s'est laissée mourir dans son fauteuil, elle ne se levait plus, même pour prendre un verre d'eau. Moi, je me suis proposée pour l'aider deux ou trois fois mais elle m'a jetée de chez elle, elle criait que je ne me mêle pas de sa vie. »

Je n'y ai pas accordé grande importance. Que j'arrive

seulement à quatre-vingt-trois ans, moi, et avec encore un peu d'espoir... Même si c'est l'espoir idiot de me trouver une fiancée et de me marier en pensant que l'amour est possible, et que la misère et la famine vont se terminer.

Grands idéalistes

Le Mexicain était ésotérique et il aimait effectuer de longs séjours à Tepoztlán. D'après lui, des gens du monde entier affluaient là-bas dans le but de se charger d'énergie cosmique.

— Mais j'y ai été une fois, à Tepoztlán, et j'ai rien senti, lui ai-je fait remarquer.

Et lui de me répondre :

— Eh oui. L'important, ce n'est pas qu'on t'envoie des choses, c'est que tu saches les recevoir.

Il affirmait qu'il n'y a que trois points sur la planète où ces fluides-là vous parviennent.

Il était arrivé à La Havane directement de Tepoztlán. Il avait débarqué à la maison — un bien grand mot : une piaule sous les toits, avec des toilettes puantes que cinquante personnes ou plus se partagent — porteur d'une lettre que m'envoyaient des amis de Morelia. Nous avons parlé un moment, il m'a dit qu'il n'avait guère d'argent et il est resté chez moi plusieurs semaines. Il m'avait paru humble, pauvre, mais des fois je l'ai soupçonné d'être d'une famille de salopards pleins aux as et de n'avoir rien de mieux à faire dans la vie.

Le soir, il prenait des positions de yoga et méditait. Le reste du temps, il lisait ou il se promenait à pas lents sur le Malecón, devant la mer. Il se nourrissait exclusivement de pain de seigle et d'infusions d'herbes qu'il avait cueillies lui-même aux flancs du pic rocheux sur lequel Tepoztlán est construit. La simplicité même. C'est bien commode d'avoir un colocataire jeune, taciturne et mystique qui se trouve sa bouffe tout seul et ne vous complique pas l'existence. Et c'est pourquoi je lui ai permis de rester aussi longtemps, à dormir par terre sur une de ces couvertures bigarrées que tissent les Indiens. Il ne perdait jamais son flegme, même avec les cafards. Dès que l'ampoule était éteinte, ces bestioles sortaient de tous les coins pour folâtrer, très contentes d'elles. Il disait que cela ne le gênait pas. Il avait toute une théorie sur la coexistence pacifique et il m'avait expliqué qu'en parvenant à atteindre le point bêta (ou alpha, je ne sais plus) lors de ses méditations, il en venait à sentir les bonnes vibrations de ces sales bêtes.

Il parlait peu, ce type. Il m'avait raconté quelque chose à propos du silence, de la concentration, de l'énergie interne mais je n'y avais prêté aucune attention car moi j'étais pas capable de rester silencieux, ni de me concentrer pour méditer, ni d'attendre que mon énergie interne finisse par résoudre mon manque chronique d'argent et de nourriture. En ce temps-là, je menais un petit commerce avec les canettes de bière vides. J'allais les récupérer dans les poubelles de Miramar, surtout autour des ambassades et des bureaux de compagnies étrangères. Des fois, je pouvais en récolter jusqu'à deux cents en une matinée. Je leur enlevais le dessus en les raclant sur le sol de la terrasse et je les vendais au poids aux marchands de glaces. Cette glace qu'ils servaient dans les kiosques, c'était une mixture baveuse au pample- mousse, presque sans sucre, et pourtant les gens fai- saient la queue une demi-heure pour en avoir, les marchands m'achetaient les canettes parce qu'il n'y avait même pas de gobelets en papier, leurs clients ava- laient cette merde et remerciaient le ciel d'avoir pu trou- ver une friandise pareille, une véritable bénédiction dans La Havane des années quatre-vingt-dix. Dans le reste du pays, jusqu'à l'eau potable qui était une denrée rare, rien de rien, la misère noire, mais à La Havane il y a toujours plus de ressources. Comme ce business avec les canettes. Les gens me regardaient fouiller les poubelles d'un air dégoûté, et de temps en temps les inspecteurs de la Santé publique me mettaient la main au collet en criant que c'était sale, et que les épidémies, et que ceci, et que cela. Mais moi je ne discute pas, avec personne. J'en ai marre de discuter. De toute façon, au final, les coups de pied au cul seront toujours pour moi, donc je la ferme. Je joue le retardé mental, le moitié mongolien et on me fiche la paix. Des fois, je me dis que quand on est pauvre, il vaut mieux être crétin qu'intelligent. Enfin, un peu crétin et très dur à cuire. Un pauvre qui a de la lucidité, c'est un splendide candidat au suicide, ou un combattant oublié de la Révolution mondiale. Ou les deux.

Et aussi, ne jamais se plaindre. Rien ne vaut la peine de jérémier, de pleurer, d'éprouver de la compassion. Ni envers soi-même, ni envers autrui. Zéro compassion. Il faut de l'entraînement mais on y arrive. Après s'être bien fait botter le cul et les couilles, on finit par apprendre à se cuirasser, à donner des coups de boule et à se battre coûte que coûte. Il n'y a pas d'autre solution. Vivre autrement, c'est possible ?

Et donc la vie s'écoulait comme ça. Moi avec mes canettes, le Mexicain chaque jour plus ésotérique. Son grand truc, c'était la mer. Des fois, la nuit, on s'asseyait ensemble un moment sur la terrasse et il me répétait qu'il fallait apprendre à capter l'énergie qui nous vient de l'océan. Il ne disait jamais la mer, mais l'océan : les gens des continents, ils voient toujours tout en grand. Mais bon, capter le meilleur du cosmos du haut d'un pic rocheux ou depuis l'immensité tiède et plane des Caraïbes, ce n'est pas du pareil au même.

Il est parti passer quelques jours sur la côte. Je crois bien qu'il s'est loué une chambre à Santa María. Il m'a dit qu'il allait rester un moment à jeûner et à méditer à même le sable, dans un coin retiré de la plage. Je m'en fichais, mais j'ai voulu l'aider en lui donnant un conseil : « Tu fais ce que tu as envie, seulement tu vas mal finir si tu continues rien qu'avec ton pain et tes herbes. Avale quelque chose avant de prendre la route ! Le riz aux fayots, tu aimes pas ? » Il m'a adressé un sourire condescendant, il m'a serré la main et il a disparu.

Il est revenu quatre jours plus tard. Il était accompagné d'une petite métisse jolie comme un cœur, avec un corps à se damner. Il m'a dit qu'elle avait dix-sept ans mais elle avait déjà les ergots d'une vieille poule, ça se voyait. « Elle lui a baisé l'ésotérisme, au Mexicain », ai-je pensé. Et j'étais tombé juste.

Elle s'appelait Grace. Enfin, par la suite elle m'a expliqué que son vrai nom était Greis et elle m'a montré sa carte d'identité, qu'elle gardait toujours sur elle car la police a l'habitude de demander leurs papiers aux Noirs une bonne vingtaine de fois par jour, et encore plus quand ils ont la dégaine à cavaler les touristes.

Le Mexicain portait un sac d'où il a retiré deux bouteilles de rhum, des boîtes de fromage, des biscuits, du chocolat et du jambon en conserve. Terminé, le silence et les herbes et le pain de seigle...

Grace a cherché de la salsa à la radio, on a ouvert la première bouteille et au bout d'une heure on était bien bien. Elle dansait avec moi et sa langue était encore plus déliée qu'à jeun.

— Oh, si cet imbécile me mariait et m'emmenait d'ici..., m'a-t-elle chuchoté à l'oreille — après m'avoir demandé de lui préparer un peu de jambon et de fromage (elle ne voulait pas le faire elle-même) « ... pour qu'il ne croie pas que je suis une pique-assiette. Mais à la vérité, je suis morte de faim ».

— Ah, doudou, déconne pas ! Comment tu vas te marier avec ce petit ? Tu ne vois pas que c'est un bon à rien, à moitié siphoné ?

— Il sait même pas baiser ! Mais je lui montre, moi. Le tracas, c'est qu'il a une 'tite pine toute riquiqui. Je la sens pas dedans, dis ! Mais ça m'est égal. Il m'a déjà dit qu'il voulait me marier. Mordu, qu'il est !

— Qu'est-ce que tu as bien pu lui faire, mamita ?

— Je l'ai rendu zinzin. Je me le suis envoyé par tous

les bouts. C'est que je suis folle de baise, papi ! Je vois une pine qui me plaît et je deviens maboule. La sienne elle me dit rien, à celui-là, mais bon, je me creuse la cervelle et hop, en avant.

On a fini la bouteille. Grace a proposé qu'on aille tous chez elle faire connaissance de sa mère, inviter une de ses petites copines et acheter encore à boire et à manger en chemin.

Elle habitait tout près, calle Industria, un ensemble de bicoques pas très grand. La sienne était plus exiguë que mon appartement : une pièce de trois mètres sur quatre encombrée de meubles, les murs couverts de poupées en plâtre. Une échelle en bois menait à une chambre improvisée où elle dormait avec sa mère, une grosse dame bonasse qui travaillait dans une pizzeria et qui nous a reçus comme si nous étions des hôtes de marque. Le Mexicain ne quittait pas Grace d'une semelle : il se collait à elle, telle la pieuvre. Les minables, ça me tue. Mais bon, c'est comme ça. Les mange-merde apparaissent toujours là où on les attend le moins.

A la fin, elle a réussi à se débarrasser un moment du baveux et elle est partie chez des voisins, en m'appelant de temps à autre pour que je me montre à la porte. Ses petites copines m'observaient, chuchotaient entre elles, mais à la fin je me suis retrouvé sans cavalière. Je ne suis pas si moche, con ! Je ne comprends pas ce qui m'est arrivé, ce soir-là. Finalement, nous avons pris congé de la grosse dame qui est allée jusqu'à offrir sa maison au Mexicain : « Si vous voulez rester, je vous en prie. Moi, je vais chez ma commère et vous serez à votre aise, Greis et vous. » Le problème de la négresse, c'était d'expédier sa fille au Mexique ou n'importe où daredare et de s'asseoir à attendre que les dollars se mettent à tomber. A peine on était partis qu'elle a dû demander assistance à Ochún, qui était dans un petit coin avec sa robe jaune et son regard coquin, toujours prête à dispenser sa grâce et son savoir en putasseries.

Quand on est sortis de là, Grace m'a glissé : « Si tu

veux niquer, trouve-toi un négro, vu qu'aujourd'hui t'as pas la cote avec les fifilles. » Et là, une autre de ses petites copines s'est pointée. Une Blanche maigre et suante, mal attifée, la peau toute marbrée et tachée. A gerber. Grace lui a parlé à voix basse, la greluche m'a regardé et elle nous a demandé de l'attendre, qu'elle allait prendre un bain. Elle est revenue aussitôt, aussi sale qu'avant ou presque. Elle ne devait pas avoir de savon. Mais bon, mieux valait encore une mocheté pareille que de me faire une pogne en écoutant Grace et son Mexicain s'envoyer en l'air.

On est allés à l'hôtel Deauville. Grace et son type sont entrés dans la boutique, pendant que Mercedes et moi restions sur le trottoir. Comme elle était mal lunée, la conversation a été limitée. Elle m'a dit qu'elle était de Diezmero, qu'elle était venue gagner un peu d'argent mais qu'elle s'était fait rouler et que pour terminer elle s'était fâchée avec ses cousines. « Résultat, j'ai pas un rond devant moi et j'en aurai pas tant que Dieu décidera pas autrement. Tu parles d'une vie... » J'ai bien reçu le message mais j'ai fait celui qui ne comprenait pas. Maigre, moche, sale, puant la grogne, et ça quémande ! C'est elle qui devrait me payer ! A ce moment, les deux tourtereaux sont ressortis de l'hôtel avec deux sacs en plastique bourrés à craquer. Au moins une bonne chose : pour un soir, j'allais laisser tomber le riz aux fayots et me bouffer quelque chose de décent.

On est allés chez moi, on a mis de la musique, on a ouvert les bouteilles de rhum. Le Mexicain a annoncé qu'il allait préparer des omelettes au jambon. Mais il ne voulait pas qu'elle le laisse seul. Elle s'est échappée un instant pour venir nous encourager. Elle est venue tout près de moi pour me dire :

— Elle est un peu braquée aujourd'hui, Mercedes, parce qu'elle s'est disputée avec des parents, elle a eu une vilaine journée. Mais donne-lui un peu de rhum, qu'après quelques verres elle s'envoie n'importe qui.

Noir, vieux, gros, ça lui est égal. Tout ce qui vient. Beurrée, c'est la vraie chienne.

— Hé, tu déconnes ou quoi ? Moi je suis ni noir, ni vieux, ni gros ! Qu'est-ce que tu racontes ?

— Mais tu fais peine à voir quand même ! Joue pas les coqs, papito. Pour qu'une fille te baise, faut qu'elle soit aveugle, ah, ah, ah !

— Oh, va te faire, pute de mes deux ! Va t'occuper de ton petit niais.

— Pute d'accord, mais moi je vais avoir la belle vie au Mexique... Et pas toi, raté que tu es !

Ça, c'était dit sur un ton railleur, mais on sentait qu'elle voulait y croire.

Mercedes était sur la terrasse, les yeux perdus vers la rue. Il faisait presque nuit. Je lui ai porté un verre. Puis je lui ai servi une assiette avec de l'omelette, du pain et du fromage. J'ai essayé de lui parler, de danser un peu avec elle. Une heure après, elle avait avalé une quantité effarante de rhum, elle avait mangé de tout mais elle restait aussi butée qu'une mule. Elle refusait de blaguer, de danser ou de se laisser toucher. Au même moment, Grace avait bien chauffé son Mexicain et se le baisait sur mon lit. Prévoyant, je suis resté dans la pièce pour me branler. Bourrés comme ils l'étaient, et avec tous les cris et gémissements que lançait cette simulatrice, ils ne m'ont pas remarqué. Ensuite je suis retourné voir Mercedes sur la terrasse. Là, j'étais bien lancé. La branlette m'avait stimulé et le rhum me donne toujours envie de niquer. Je l'ai prise dans mes bras pour la faire mouiller un peu. Elle puait la crasse mais je m'en fichais. Tout ce que je cherchais, c'était un trou. A ce stade, peu m'importait de la baiser elle, ou Grace, ou le Mexicain. Ou les trois.

— Viens dedans, Mercé, viens ! Grace et son copain ils sont déjà à l'œuvre. Tu ne les as pas entendus ?

— Si. Grand bien leur fasse. Laisse-les baiser tant qu'ils veulent.

— Mais il y a rien qui t'excite, mamita ? Allez, viens un peu par là !

Et je me suis collé contre elle par-derrière pour qu'elle sente ma queue dure comme un bâton.

— Non, non ! Laisse-moi tranquille !

Elle m'a repoussé d'une bourrade.

— Hé, oh, ça fait une heure que je suis après toi ! Tu veux quoi, au juste ?

— Que tu me fiches la paix et que tu dégages.

— Non ! Tu parles pas sérieusement, là.

— Oh que si ! Comment il faut que je te le dise ? Va-t'en, laisse-moi tranquille.

— Ah, mais pour bouffer et t'envoyer la bouteille entière, tu disais pas ça, moitié de pute !

— La plus pute, c'est encore toi. Tout ça, c'est au Mexicain. Toi t'as rien payé, le con de ta mère !

— Mais c'est chez moi, ici. Et le con de ta mère à toi, tu te le mets dans le cul !

Et je l'ai sonnée avec deux baffes.

— Allez, fous le camp ! Disparais, qu'autrement je te latte et je te fends la calebasse !

Elle a essayé de riposter, j'ai cogné plus fort et nous étions en pleine bagarre quand des voisins ont rappliqué sur la terrasse. Ainsi que le Mexicain et Grace, pratiquement à poil. Comme elle cherchait à défendre Mercedes, je lui ai balancé une claque et elle s'est effondrée par terre en hurlant. Le Mexicain m'est tombé dessus en bredouillant je ne sais quoi à propos de l'honneur de sa meuf, il a tenté de me frapper mais il s'est reçu quelques bonnes calottes aussi. Les voisins m'encourageaient : « Vas-y, Pedro Juan ! Mets-leur dans la tronche ! Plus fort ! » Ils étaient morts de rire parce que j'étais devenu fou furieux, moi. J'ai attrapé les deux filles, je les ai traînées par le bras jusqu'à l'escalier et je les ai mises dehors.

— Allez putasser au diable !

Le Mexicain est arrivé en enfilant son pantalon. J'ai voulu le raisonner.

— Dis, oublie ces deux sauteuses-là et tiens-toi tranquille, d'accord ?

— Tu n'as aucune dignité, Pedro Juan ! Tu es... lamentable. Mais tu vas regretter cette brutalité.

— Tu ne sais pas dans quoi tu t'es fourré, mon petit. Ces deux putes vont t'en faire voir de toutes les couleurs. C'est de la merde, ça.

— Tu vas regretter ta conduite ! Tu vas la regretter !

Et il est parti. Je suis rentré chez moi, j'ai fermé la porte pour obliger les gens qui étaient restés sur la terrasse à s'en aller, je me suis assis avec un verre et une cigarette. Une demi-heure plus tard, on a frappé. C'était le Mexicain et deux policiers. Il venait reprendre ses affaires, le type. Il a même confisqué un œuf qui n'avait pas servi et une bouteille où il y avait encore un fond de rhum. Quand il a terminé, les flics m'ont demandé de les suivre. Le chef du secteur voulait me parler.

Dans son bureau, le Mexicain, la langue rendue pâteuse par tout cet alcool, m'a accusé d'être « un fomentateur d'épidémies publiques » avec mes canettes de bière recyclées, et un contre-révolutionnaire en général.

— Etayez ces accusations, vous, lui a lancé le chef.

— Ces canettes, il va les chercher dans les poubelles et ensuite il les vend pour un usage alimentaire. C'est un grave délit contre la société. Et c'est un contre-révolutionnaire parce qu'il m'a déclaré qu'ici il y a beaucoup de privations et beaucoup de famine.

— C'est tout ?

— Oui.

— Bien. En ce qui concerne les canettes, c'est l'affaire de la Santé publique, pas la nôtre. Et pour ce qui est de la contre-révolution, c'est vrai que nous passons par les privations et la faim. Maintenant, depuis combien de jours êtes-vous dans le pays, quelle est votre occupation et dans quel hôtel êtes-vous descendu ?

— Je suis ici depuis trois semaines, et je suis... non, j'étais logé chez lui. Je suis là en tant que touriste. Mais cet individu est un contre-révolutionnaire et un ennemi du bien-être public. Vous allez le laissez libre ?

— Ecoutons-le un peu lui, d'accord ? Alors, vous pouvez nous expliquer les faits ?

Quand je lui ai tout raconté, il a demandé au Mexicain de sortir et m'a dit que Grace et Mercedes étaient « des intrigantes, toujours fourrées dans une histoire ou une autre ». Il s'est détendu et nous avons bavardé un moment.

— Ce Mexicain, il me paraît à moitié pédé, non ? Je ne sais pas, je le trouve pas franc du collier. Tu as bien fait, mon gars. Comment ça, elles boivent, elles mangent et après je te connais plus, je vais me taper un autre mec ? J'aurais réagi pareil. Si ça avait été moi, il y aurait eu quelques os cassés, je te le dis ! Allez, tu peux t'en aller. Et ne fréquente pas les fauteurs de troubles, hé ? Continue pépère avec tes canettes.

Je ne les ai plus jamais revus, ni les uns ni les autres. Trois années ont passé, je suis toujours dans mon commerce de canettes. Ça me convient.

Je résiste à la solitude

Martica était à moitié hystérique. Cela faisait très longtemps qu'elle n'avait pas d'orgasmes avec moi et elle déraisonnait de plus en plus. Elle ne venait plus me voir. Moi, je ne lui avais jamais beaucoup plu mais je suis quand même passé chez elle. J'étais resté des jours sans elle et la solitude m'angoissait, surtout la solitude sexuelle.

Elle m'a reçu froidement et j'ai senti qu'il était temps de prendre congé mais rien que de la regarder j'ai eu la trique. Profitant qu'elle était seule, je me la suis sortie et je la lui ai montrée. Je croyais que ça l'exciterait. J'ai une belle queue, bien épaisse, sombre, de six pouces, avec la calotte rose, palpitante, et une abondance de poils noirs. En réalité, j'aime beaucoup ma bite, mes couilles et ma toison. Une pine musclée, volontaire, robuste... Mais non. Elle est encore devenue hystérique.

— Range ça, Pedro Juan ! Si la petite arrive, de quoi j'aurai l'air, moi ? Allez, ne fais pas le sans-gêne ! Cache-moi ça !

J'ai insisté. Je suis allé vers elle, la queue dans mon poing. Elle a fait deux pas en arrière, a pris une tête de femme raisonnable et a levé les deux mains en l'air d'un geste apaisant.

— S'il te plaît, Pedro Juan. Calme-toi. Je sais que je te plais énormément mais toi non. Calme-toi, range ça, va-t'en et ne cherche plus à me voir.

— Il faut qu'on parle, Martica. Ça peut s'arranger, ça, ai-je plaidé en rendant ma queue à l'obscurité et en refermant ma fermeture Eclair.

— Non, ça ne peut pas s'arranger. Inutile de se bagarrer encore. C'est que moi je n'aime pas les hommes, Pedro Juan ! Il faut que je te le dise sur quel ton ? Je-n'aime-pas-les-hommes-bordel-je-les-aime-pas ! Alors va te faire voir et arrête de m'emmerder. Les pines, ça me dégoûte.

Ça m'a plongé dans la désolation. Je le savais, oui, mais j'ai la mauvaise habitude de faire la sourde oreille quand ça m'arrange d'ignorer un problème. Jusqu'à ce que ledit problème me tombe sur la tête et m'aplatisse. Et donc j'ai encore posé une question et j'ai tapé dans le mille :

— Tu es avec quelqu'un ?

— Oui. Avec une fille. Qui me plaît terriblement, elle. Rien que de l'embrasser je suis trempée. Rien que de lui toucher la jambe et j'ai trois orgasmes, je jouis comme une chienne. J'aime pas les bites, je t'ai dit ! Chaque fois que je baisais avec toi, il me fallait imaginer que j'étais avec une femme. Alors va-t'en et laisse-moi en paix, si tu veux bien !

— Bon. Au revoir.

— Non. Pas « au revoir », non. Adieu. Je ne veux plus jamais te revoir.

Je suis sorti de chez elle hagard. Elle m'avait déjà raconté son histoire avant, d'accord, mais c'est une chose qui arrive à des tas de femmes et elles ne terminent pas toutes lesbos pour autant. Elle venait d'un petit village de Villa Clara. Son beau-père l'avait harcelée pendant des années, à essayer de la violer jour et nuit, la mère faisait comme si elle ne voyait rien et l'accusait au contraire de le provoquer, elle. La maison était devenue un enfer, elle s'était mariée à seize ans pour s'en échapper mais le remède devait se révéler pire que le mal. Elle était vierge à sa nuit de noces et le bonhomme s'était transformé en loup affamé. C'était une brutasse de dix ans son aîné, un égoïste qui l'avait tringlée pendant des heures sans le moindre égard ni le moindre amour. Il l'avait prise dans tous les sens. Quand il avait vu qu'elle avait le cul et la moule en sang, ça l'avait rendu encore plus sauvage. Elle, elle pleurait de douleur et de honte, lui il s'enfilait du rhum et sa queue restait dure, implacable.

L'humiliation avait été particulièrement insupportable parce que la mère lui avait recommandé de se montrer le plus agréable possible avec son mari et qu'elle avait suivi ses instructions au pied de la lettre. Quand ils étaient arrivés à leur chambre d'hôtel, elle s'était enfermée dans la salle de bains, elle s'était lavée, parfumée, maquillée, elle avait passé un petit déshabillé rouge et quand elle était réapparue, toute timide et angoissée, le type s'était mis à rire à gorge déployée : « T'as l'air moitié d'une pute, moitié d'une débile ! Pourquoi tu t'es mis toute cette merde ? » Il était complètement rond et il en avait profité pour se moquer d'elle, saccager son maquillage et sa nuisette, l'agonir d'injures. Puis l'orgie infernale avait commencé.

Neuf mois plus tard, elle mettait une fille au monde. Lui, il se consacrait à culbuter toutes les femmes du quartier. Sans exception. Il appréciait en premier lieu celles qui étaient mariées. Il était devenu le parfait *latin lover*, avec la chaîne en or au cou, la gourmette or et platine au poignet droit, toujours en blanc de la chemise aux chaussures. Le bellâtre dangereux, l'archétype de l'amant tropical. Et aussi abruti qu'un taureau de reproduction. Deux petites du quartier qui avaient perdu la tête pour lui s'étant retrouvées enceintes, et il avait donc eu deux autres enfants. Martica avait tenu le coup quelques mois encore puis elle avait craqué : elle avait divorcé, elle avait pris sa fillette dans ses bras et elle était partie droit à La Havane, chez une vieille tante aigrie qui vivait seule. C'était de l'acide, cette vioque. Trop corrosif pour rester longtemps en contact avec. Martica était prête à renoncer et à rentrer dans son village pourri quand la tante avait claqué d'un infarctus foudroyant. Alléluia ! A partir de cette mort, Martica avait pu commencer à s'épanouir.

J'ai regagné mon refuge sous les toits. En plein centre. Elle est bien, cette piaule. Ce qui est merdique, ce sont les voisins et les toilettes collectives. Les chiottes les plus gerbantes du monde, partagées par cinquante personnes qui ne cessent de se multiplier puisque la majorité est originaire de la province orientale. Ils arrivent par paquets à La Havane, fuyant la pauvreté. Il suffit qu'un gars de Guantánamo entre dans la police, aussitôt il obtient sa mutation à la capitale — personne ne veut faire le flic, à La Havane —, il se radine avec toute sa famille et ils se débrouillent pour s'entasser dans une pièce de quinze mètres carrés. Comment ils font, je n'en sais rien, mais ils le font. Et dans les toilettes la merde monte au plafond. Dans les nôtres, chaque jour, au moins deux cents individus caguent, pissent et se lavent. Il y a sans cesse la queue devant. Même si tu es en train de chier dans ton froc, tu dois attendre. Enfin, beaucoup ne la font pas, moi y compris : je pose ma crotte dans un bout de papier et je balance le paquet merdeux sur la terrasse du bâtiment d'à côté, qui est plus bas que le nôtre. Ou dans la rue. C'est pareil. Une honte ! Mais bon, c'est comme ça. Des fois, il y en a un qui passe sur le trottoir à ce moment-là. Faut s'habituer.

Je me suis assis sur mon lit, pas mal déprimé. Il faisait presque nuit, le silence régnait. Sur une étagère, je gardais quelques souvenirs : des pierres, des coquillages, des cendriers, des pièces de monnaie, des figurines en argile et un anneau en fer que j'avais trouvé à moitié enterré dans la boue rouge d'une cannaie à Matanzas. Il avait jadis été accroché à la cheville d'un Noir amené d'Afrique, d'un malheureux coupeur de cannes. Personne ne saurait jamais quelle existence misérable il avait enduré sous le fouet, dans l'une des immenses plantations qui entourent Matanzas...

J'ai eu un mauvais pressentiment. Mieux vaut être seul que mal accompagné. Un frisson de terreur m'a parcouru. Je me suis versé un peu d'alcool sur la tête pour m'exorciser. J'ai pris l'anneau, je suis sorti sur la terrasse et je l'ai lancé loin devant. Il faisait déjà sombre, je n'ai pas vu où il tombait. Je suis rentré et j'ai eu encore recours à l'alcool.

Là, j'étais seul, vraiment seul. Autour de moi, l'air s'est fait plus léger. Il m'en coûtait beaucoup d'apprendre à accepter la solitude. A devenir autarcique. Je restais persuadé que c'était impossible. Ou inhumain, plutôt : « L'homme est un être social », m'avait-on répété tant de fois... Ça, ajouté à la chaleur des tropiques, au sang latin, à mon fabuleux métissage, bref tout se liguait autour de moi pour me rendre incapable de vivre en solitaire. C'était le défi que je devais relever, le filet dont je devais me dégager : apprendre à jouir de la vie dans mes propres limites. Et le problème n'est pas simple, loin de là : les Hindous, les Chinois, les Japonais, tous les gens inscrits dans des cultures millénaires ont consacré une bonne part de leur temps à définir des philosophies et des techniques destinées à enrichir la vie intérieure. Et malgré tout, chaque année, des milliers de personnes se suicident de par le monde, écrasées par leur solitude intrinsèque. C'est qu'on ne choisit pas d'être seul : on se retrouve dans cet état peu à peu, et alors il n'y a plus d'issue. Sinon résister. Vous entrez dans cette immense plaine désertique et vous ne savez plus quoi faire, tout connement. Souvent, vous vous dites que le mieux est de vous enfuir, vers un autre pays, une autre ville, ailleurs. Mais vous n'y échappez pas pour autant. D'autres fois, vous décidez que vous vous préoccupez trop de vous-même et de votre fichue solitude, qui empire chaque fois que vous vous retrouvez dans le silence et l'isolement : bon, il est temps de passer à l'action, vous pensez, et vous sortez de votre trou, vous allez chercher un ami, ou une femme qui vous donnera un peu de sexe, ou je ne sais qui, n'importe qui pour rompre la solitude car vous n'ignorez pas qu'une fois dans cet état le rhum et l'herbe vous dépriment encore plus. Un peu de sexe, alors. Et sinon, au moins un ami.

J'étais plongé dans ces pensées quand je me suis levé

d'un bond et j'ai éclaté de rire. Une bonne crise de rire, absurdement inutile, c'est un magnifique stimulant. Chez moi, ça a toujours donné des résultats. Et si j'arrive à la faire durer plusieurs minutes, et à rire de tout mon être, pas seulement de la gorge, c'est encore mieux. « Allez, je sors », me suis-je dit. Et je suis parti. Chercher un ami.

J'ai descendu les étages. L'immeuble date de 1936, à sa bonne époque il se voulait à l'image des grosses bâtisses de Boston ou de Philadelphie, avec leur façade de banques solides et fiables. En réalité, il n'a gardé que ça, la façade, et les touristes s'émerveillent devant et la prennent en photo, et elle apparaît aussi dans les revues de voyage, surtout sous un ciel d'orage. J'ai vu ainsi des clichés hallucinants de mon immeuble, avec la mer déchaînée bondissant sur le Malecón et cette lumière gris-bleu des cyclones et la façade fouettée d'embruns mais résistant contre vents et marées. Une forteresse majestueuse au milieu de l'ouragan. Seulement, à l'intérieur, c'est une ruine, un labyrinthe insensé de bouts d'escaliers sans balustrades et de pénombre qui sent le vieux, les cafards et la merde fraîche. Un univers de pièces surajoutées qui viennent accaparer les paliers, d'engueulades et de bagarres entre Noirs.

Arrivé sur le trottoir, j'ai eu devant moi l'écriteau antédiluvien, pratiquement illisible désormais : « Une Révolution sans risques n'est plus une Révolution. Et un révolutionnaire incapable d'affronter le risque n'est pas digne de ce nom. » Pas de signature, mais c'est bien le style de Fidel ou de Raúl, ça. Au coin, il y avait un nouveau panneau publicitaire, énorme, qui proclamait en grandes lettres multicolores : « Cuba, un pays d'hommes à la hauteur. » En contrebas de cette formule, un athlète noir sautait dans un ciel bleu. Je ne sais pas, mais pour moi c'était incompréhensible.

J'avais l'intention d'aller chez Hugo. Je ne l'avais pas vu depuis un moment. J'ai marché un peu, j'ai attrapé un minibus, puis un autre, et je suis enfin arrivé à destination. Il vivait dans un coin retiré du Vedado. Des années auparavant, il avait été technicien à la télé. On travaillait ensemble et c'était un bon ami. Ensuite, j'étais parti et je l'avais perdu de vue. Quand je l'avais retrouvé, il avait déjà basculé dans la folie. Ils lui avaient administré des électrochocs et l'abrutissaient avec un mélange copieux de calmants plusieurs fois par jour.

Trop lucide, ce type. Et obsessionnel, aussi. C'est une combinaison mortelle, ça. Il avait la figure et les yeux ravagés par les décharges électriques. Les paupières effondrées. Une fois encore, il m'a raconté l'histoire du chef d'équipe qui lui avait rendu la vie impossible à partir du moment où il avait appris que toute sa famille était partie à Miami. Il essayait de le coincer sur la moindre infraction au règlement, lui sortant à tout moment et sans aucun motif apparent : « Ici, c'est un studio de révolutionnaires, il n'y a pas de place pour la vermine. » C'était devenu cauchemardesque, au point qu'un jour Hugo avait fini par craquer et lui était tombé dessus armé d'un tournevis. Il lui avait arraché un œil et l'avait grièvement blessé. Quand ils l'avaient enfermé dans une cellule très étroite en compagnie de deux délinquants noirs, il n'avait pas pu supporter : il était devenu carrément fou, passant ses journées à hurler et à écumer, jusqu'à ce qu'ils le transfèrent à l'asile et lui balancent sa première décharge. Six années durant, il était resté enfermé, sous électrochocs.

Bref, Hugo ne pouvait pas boire de rhum alors que moi j'avais besoin d'un bon verre. En plus, en me relatant son martyre, il a commencé à se mettre dans tous ses états. C'était chaque fois pareil, quand je lui rendais visite. Il a dû fumer vingt cigarettes en une heure. Je l'ai quitté. Que pouvais-je faire de plus ? M'en aller et le laisser en paix. J'en avais eu mon compte, de ses jérémiades. Et je me suis promis de ne plus revenir le voir.

A minuit dans La Havane de 1994, j'avais faim et j'étais sans un rond. Il n'y avait presque personne dans les rues. J'ai continué à marcher sans hâte. Mieux valait

100

aller se coucher. J'en avais besoin. Un tronçon du Malecón était plongé dans l'obscurité : ils avaient éteint les lampadaires de l'avenue. Là, sur le parapet, deux femmes étaient en train de s'embrasser comme des désespérées. Elles se roulaient une pelle en oubliant le monde entier autour d'elles. Je les ai observées un moment dans la pénombre mais je ne me suis pas arrêté. C'était quoi, aujourd'hui, la Journée des Gays et Lesbiennes ? J'ai poursuivi mon chemin. A moins de cinq mètres des filles, un Noir les matait en se branlant. Il était face à la mer, le dos tourné aux rares passants mais son bras et sa main gauches s'agitaient frénétiquement. Un peu plus loin, une Blanche, mignonne, plus que passable, brûlait de désir en le regardant faire. Assise sur le parapet, elle s'approchait peu à peu par petits sauts. Ils allaient jouir ensemble quand elle aurait terminé sa manœuvre d'approche.

Tout ça ne m'a pas excité. Je résistais. Il faut que j'apprenne à survivre. A encaisser les coups et à récupérer vite fait après chaque direct dans la mâchoire, autrement ils me comptent dix et je perds. Ils me font descendre du ring.

Jour de fatigue

Au matin, il y avait une femme poignardée dans la rue. C'était une métisse très belle, grande, avec une jupe noire ultra-mini, un chemisier et un soutien-gorge blancs trempés de sang. Elle était étendue sur le trottoir, dans une mare rouge. Les gens racontaient qu'elle trompait son mari avec des hommes, tellement souvent que le type avait fini par la saigner. Et vu tout le sang qu'il y avait, on comprenait qu'il lui était tombé dessus avec une haine terrible. Elle avait le visage déformé par une horrible expression de souffrance, les lèvres et le nez brutalement éclatés, informes.

Un crime passionnel, tout simplement. Comme il y en a partout. Mais ici la presse n'en parlera pas parce que voici trente-cinq ans qu'il n'est plus convenable de publier quoi que ce soit de désagréable ou de dérangeant dans les journaux. Tout doit être... bien. Un pays modèle ne peut pas être le théâtre d'assassinats ou d'actes révoltants.

Et pourtant il faut savoir, être informé. Si on ne dispose pas de toute l'information, on ne peut plus penser, ni se faire une opinion, ni choisir de soi-même. On devient des imbéciles prêts à gober n'importe quoi.

C'est pour cette raison que j'ai été tellement déçu par le journalisme et que j'ai commencé à écrire des nouvelles très crues. A une époque aussi navrante, l'écriture ne peut plus faire dans la délicatesse. Quand on est environné par la brutalité, il n'y a plus de place pour les textes raffinés. Moi, j'écris pour provoquer un peu et obliger les autres à renifler la merde. Pas le choix, il faut mettre le groin au sol et humer la puanteur. De la sorte, je terrorise les trouillards et j'emmerde ceux qui aiment tant nous museler quand nous sommes en mesure d'élever la voix.

Non, je ne pouvais plus continuer à me taire, à écrire des débilités en échange de quelques flatteries. La règle de ce jeu-là était trop stricte : il n'était possible que de dire « oui ». Et ça n'en valait pas la peine.

Alors j'ai tout envoyé balader et je me suis mis à écrire des récits dénudés. Ils pouvaient sortir dans la rue à poil, mes textes, et crier : « Liberté, liberté, liberté ! »

Je suis resté une heure sur la terrasse à regarder la police et les badauds s'agiter autour du cadavre. Je vis tout en haut d'un immeuble, à quarante mètres du sol, mais comme la voisine m'avait prêté des jumelles j'étais aux premières loges, voyeur privilégié, aussi morbide et vampirique que les autres. Nombre des mateurs allaient jouer à la loterie, ce soir. Ils ont parié sur le 50, qui représente la police dans la symbolique des chiffres chinoise, et sur le 67, coup de poignard, et sur le 63 meurtre, et le 84, sang, et le 12, femme de mauvaise vie.

Après, j'ai relu ce que Babel avait raconté à Konstantin Pavstovsky à propos de sa technique d'écriture. En général, je ne m'intéresse pas à ces confessions d'écrivains. Elles m'ont fait beaucoup de mal, m'amenant à supposer qu'il existe des méthodes, des techniques. Alors qu'il n'existe rien. Chaque écrivain se construit comme il peut, seul, avec les moyens du bord. Sans se préoccuper de quiconque. C'est navrant, mais il n'y a pas d'autre solution. Pourtant, ce que dit Babel est bien.

Bon, tout ce travail m'avait épuisé et j'avais besoin de me changer un peu les idées. Donc je suis allé passer quelques jours chez ma mère. Elle habite une ville proche de La Havane. Je vais recharger mes batteries là-bas et je reviens à mon perchoir. Je suis un type chanceux, après tout.

Je suis arrivé chez elle vers midi mais elle était dehors, à arpenter les rues en troquant je ne sais quoi, en menant ses petites affaires pour survivre. Sa retraite de soixante pesos est une insulte à une vieille de soixante-huit ans. Heureusement, elle est encore robuste — enfin, pas toujours —, elle peut marcher, elle garde le moral. Moi, je l'aide en lui donnant un peu d'argent. Quand j'en ai. Finalement, j'ai mangé un morceau et je me suis assis dans le salon à fumer. J'aime bien me retrouver chez ma mère pour ne rien faire. Simplement, je me balade, je bavarde avec les amis. Ils me disent : « Et alors, je ne te vois plus à la télé, je ne te lis plus dans le journal, qu'est-ce qui t'arrive ? » Et je réponds : « Il n'arrive rien. » C'est exactement ça, le problème : il n'arrive rien.

Bref, j'en étais là, bien relax, une tasse de café à la main, à fumer, quand Estrella s'est pointée. Une trombe de mauvais augure, celle-là. C'est la femme la plus gueularde et la plus grossière que j'aie jamais connue. En fait, j'en ai connu d'autres, des gueulardes, des vulgaires, des gredines, mais qui avaient de la classe. Et c'est ce qui les sauvait. Estrella, elle, c'est une déchaînée. Moitié cinglée, moitié hystérique, avec peut-être une touche de salope. Enfin, je ne comprends pas comment elle se débrouille mais elle n'a pas de classe. Elle est mariée à un des mes oncles qui vit à la campagne. Elle est entrée comme un cyclone, sans dire bonjour, sans même un regard, elle a jeté sa sacoche sur la table de la salle à manger, elle s'est servi un verre d'eau et m'a demandé où était ma mère.

— Elle est pas là.

— Elle est toujours par monts et par vaux, à battre le pavé. Elle ne s'arrête jamais, la vieille. La police va finir par l'attraper, à force de trafiquer au marché noir. Même des épingles, elle vend !

— Et toi, qu'est-ce que tu racontes de beau ?

— Rien de beau. Tout est une horreur. Tu crois que dans toute cette misère il y a encore quelque chose de beau à raconter ?

— Alors va te faire foutre, Estrella.

— Oh, petit, si tu es mal luné, ne viens pas t'en prendre à moi, hé ?

— Je ne suis pas mal luné, bordel !

Mais je l'étais, et comment. Cette femme m'irritait. Tellement idiote, à se plaindre, à dire des conneries, à faire la folle.

— C'est que je suis nerveuse, tu vois.

— Tu l'es toujours, nerveuse. Prends des calmants.

— C'est que Luisito a fichu sa femme dehors, hier. Il l'a prise en train de lui mettre les cornes avec un voisin. Avec Roque. Tu te rends compte ? Un homme qui est notre voisin depuis toujours ! Il a entortillé la petite en lui promettant qu'il se mettrait en ménage avec elle. Oh, on ne peut plus se fier à personne ! Moi, je l'aimais bien, cette fille-là. Elle n'a que quinze ans, pas plus, mais vaillante au travail, elle m'aidait beaucoup à la maison, elle avait l'air honnête...

— Eh bien, réjouis-toi : ce matin, un Noir de mon quartier a poignardé sa femme exactement pour la même raison. Elle lui mettait les cornes et lui, il est déjà derrière les barreaux. Il va prendre vingt ans, minimum. Donc sois contente que ton Luisito n'ait rien fait de plus que de la jeter dehors.

— Oui, tu crois ? Oui, tu as raison. Ils étaient ensemble depuis six mois seulement. Mais enfin, on l'aimait bien et on se languit d'elle, déjà.

— Et comment ça s'est passé ? Il l'a surveillée et il l'a prise sur le fait avec le type ?

— C'est ça. Il était déjà sur la piste, Luisito. Il lui a dit qu'il s'en allait au village et qu'après il continuait jusqu'à la côte pour attraper des crabes, qu'il ne rentrerait pas avant tard dans la nuit. Mais non, il est revenu le soir même et il les a surpris. Une sœur de Roque leur prêtait sa maison pour qu'ils fassent la noce. Mais Luisito ne l'a pas frappée ni rien. Il l'a prise par le bras, il l'a ramenée chez nous, il lui a donné son linge en boule dans une serviette et il lui a dit : « Disparais d'ici ! » Et la petite qui pleure, qui lui répète qu'il se trompe, que ce n'est pas ce qu'il croit... Tout ça sous mes yeux. Moi, je ne comprenais rien, alors je me mets à crier, à me mêler, à vouloir les séparer. Regarde, j'ai le bras couvert de bleus à force que Luisito me repousse et que je reviens ! Je ne savais pas ce qui s'était passé. Ensuite, il l'a traînée jusqu'à la route et à son retour il m'a expliqué. Il s'est bien conduit, Pedro Juan, il a été correct, pas vrai ? Si ç'avait été moi, je te les écrabouillais sur place, les deux. Elle et ce type. Les deux, ils se prennent la machette égal ! Mais Luisito, il est généreux. Que moi je la virais recto, sans son linge ni rien. Total que ces habits, c'est lui qui les lui avait achetés. Quand elle est arrivée chez nous, elle n'avait rien d'autre que ses frusques sur le dos, et des savates trouées, et les pieds pleins de terre. Mais je suis tranquille, moi. Il a du riz et des dollars, Luisito, parce qu'il récolte beaucoup et qu'il vend bien. Il a le garde-manger plein et il a de l'argent, et c'est tout ce qu'elles veulent, les femmes. L'amour, c'est fini ! A bouffer, et des dollars pour le shopping ! Point final ! D'ici deux jours, il s'en sera retrouvé une autre.

— Ecoute, Estrella, c'est comme ça qu'il est, le monde. Maintenant ne te monte pas la tête et calme-toi les nerfs. Je vais aux toilettes, moi. Assieds-toi, la vieille ne va pas tarder, maintenant.

Je suis allé m'enfermer. J'aime chier à mon aise, sans hâte. Là où j'habite, c'est impossible. On n'a qu'un seul chiotte à se partager entre tous les voisins de palier et c'est une catastrophe, parce qu'il y a toujours quelqu'un en train de se caguer dessus qui vient tambouriner et qui te crie de te dépêcher, de sortir en vitesse. Là, j'avais pris une revue et je me suis mis à lire sur le trône, peinard. Seulement, elle a la bougeotte, la Estrella, et elle est venue me chercher jusque-là. Moi en train de chier et elle qui me parle à travers la porte.

— C'est qu'ils sont chauds par ici, ces derniers temps. Tu te rappelles Tácito, celui qui habitait le village, près de ta tante Siomara ?

— Oui, Estrella, je me rappelle.

— Bon. Eh bien, il a empoisonné la maman.

— Quoi, sa mère ?

— Sa mère ! Une mémé de quatre-vingt-quatre ans qui passait ses journées à enguirlander et insulter tout le monde.

— Comment il a fait ça ?

— Il lui a versé je ne sais plus quel acide dans son verre de lait. D'après ce qu'on raconte, la vieille avait bu à peine une gorgée qu'elle s'est mise à beugler qu'elle avait le feu dans le ventre et elle est morte sur-le-champ avec la bave aux lèvres.

— Et comment ils l'ont attrapé ?

— Ça a mal tourné parce qu'ils ont donné le lait qui restait à un porcelet qu'ils avaient dans la cour et qu'il a claqué pareil, en couinant et en bavant. Comment la police s'est rendu compte, j'en sais rien. Il paraît que ce serait un voisin qui l'a balancé. Le fait est qu'au bout de deux jours ils ont ressorti la vieille du trou, qu'ils lui ont fait l'autopsie et paf, elle avait le même poison que l'animal dans les veines. Il lui en avait mis une dose à tuer un cheval ! Et maintenant les gens disent déjà que c'est lui qui a tué le beau-père il y a dix ans pour avoir l'héritage, trente mille pesos. Et voilà, il pourrit en prison. Et il n'est pas jeune, en plus. Il a la soixantaine ou plus, le Tácito.

Je me suis lavé le cul, j'ai envoyé une décharge de déodorant, je suis sorti des toilettes et je suis parti. Estrella m'avait tapé sur les nerfs, je ne voulais plus l'entendre raconter ses conneries avec sa voix de crécelle, parler comme une folle.

Il me fallait ramasser des mauves pour un exorcisme. Je devais purifier ma piaule sous les toits : à deux reprises au cours des derniers jours, j'avais senti un léger parfum de femme, comme si l'haleine d'un esprit me frôlait. Et ça, c'est mauvais pour moi. Il n'est jamais bon d'avoir des spectres qui vous tournent autour.

Donc, je me suis mis en route. A la sortie de la ville,

dans les champs déjà, il y a un couple d'amis noirs qui vit par là. Raïssa et Carlos. Elle et moi, nous avons eu une longue histoire, très érotique. Des fois, on la renoue mais depuis qu'elle s'est mariée on se tient plus tranquilles. C'est une Noire douce et belle. Quand je suis arrivé, elle avait la radio à fond. La speakerine était en train de répéter : « Liberté, amour, espoir. Il y a trois mots qui peuvent résumer Cuba : liberté, amour, espoir. » Une voix tendre, cette speakerine, très agréable.

Raïssa était seule. Elle a éteint la radio pour qu'on puisse s'entendre.

— Fais du café. Je vais cueillir un peu de mauves et je reviens tout de suite.

— Aïe, Pedrito, du café j'en ai pas ! Dans cette maison y a rien de rien, même pas l'honneur. Mais des mauves si. Là-bas, derrière. Tu t'en prends autant que tu veux

J'ai ramassé un paquet d'herbe que j'ai posé dans un coin.

— Tu vas purifier ton chez-toi ?

— Oui. C'est une voisine à moi qui va le faire, elle est santera. Elle dit que d'un coup elle purifie ma chambre et la sienne, puisqu'elles sont l'une contre l'autre.

— Nous aussi il nous faut consulter une santera, Carlos et moi. Ensemble. On va voir si on finit par lui dire ce qui est, pour qu'il s'en aille, pour qu'il se décide enfin et qu'il me laisse vivre ma vie.

— Quoi ? Je ne te comprends pas, là.

— Ce bougre, Pedrito, c'est un inutile et un saoulard, toujours plus. Maintenant, il n'a trouvé rien de mieux que de se mettre à pleurer quand il est saoul. Et il est jaloux, jaloux, il ne me laisse pas respirer... Je crois qu'il est pédé. Il y a quelques jours, j'étais en visite chez ma commère de très longtemps, Caridad, un voisin arrive, on continue à causer et brusquement il dit à Caridad : « Laisse-moi seul avec cette fifille-là, qu'il me faut lui dire quelque chose. » Moi, je ne le connais pas, cet homme-là, alors j'ai pensé qu'il voulait... bon, qu'il voulait me faire la cour. Mais non. Il me parle comme ça : « Ne me réponds rien. Je vais te raconter ce que je vois parce que tu dois le savoir et parce qu'on m'a amené ici pour que je te le dise. Tu vis dans une maison toute petite, toute sombre et toute pauvrette, presque sans air, et dans cette maison le sang il va couler. Ton mari est un nègre qui parle quasiment pas, il aime boire la mauvaise gnôle, écouter la musique tout fort. Mais c'est pas ton homme, là. Ton mari, je le vois au lit avec un autre bougre, ils sont collés, tout nus, ils dorment. Mais ça, tu ne dois pas t'en préoccuper. Ton homme, c'est un Blanc à cheveux gris qui a les mêmes goûts que toi : il est romantique, et attentionné, il aime boire le rhum avec le vin et écouter la musique tout bas, tout bas. Cet homme-là, il est allé consulter une voyante et il est en train de te chercher, parce que la voyante t'a décrite à lui. Si vous vous cherchez, vous allez vous trouver. Mais ça va pas être facile, non. Lui, chaque fois qu'il s'amourache d'une négresse il croit que c'est toi qu'il a trouvée, mais non. Et il continue à te chercher. Sois prudente avec ton mari, parce qu'il ne veut pas te laisser partir. Il sait que son destin est autre, mais il ne veut pas l'accepter. Toi, tu vas t'en aller. Je te vois sortir de chez toi avec une valise, et tu marches dans le sang. Beaucoup de sang sur le sol, mais ce n'est pas le tien. Fais attention. Tu dois allumer un cierge à sainte Barbara à l'aube de chaque samedi. »

— Purée, Raïssa, ça a de quoi t'espanter, tout ça !

— Et j'ai la trouille, moi ! Chaque fois que j'y repense, j'ai la chair de poule.

— Bon, laisse tomber Carlos. Pars pendant qu'il est temps, tout ça va mal se terminer.

— Oui, j'en peux plus, de toute façon. J'ai une copine qui fait la cavaleuse à Varadero. Elle mène la bonne vie, elle, avec ses étrangers. Robes, parfums, tout ce qu'elle veut. Et moi, pas jusqu'à un bout de savon, j'ai !

— Chaque fois que je viens te voir, tu me dis la même chose, et après tu ne fais rien. Tu l'accuses d'être un fainéant, mais tu es pareille. Et les jours te passent sous le nez et tu continues à crever la faim.

— Là oui j'y vais, à Varadero. Même quinze jours. Tout ce que je veux, c'est me faire un peu de vêtements et quelques dollars, et m'amuser un brin. Je suis prête à tout. Pour moi c'est du pareil au même, faire une omelette ou m'envoyer quatre bougres à la fois et me saouler tous les soirs. M'amuser, quoi ! C'est ça ce que je veux.

— Quel âge tu as, Raïssa ?

— Trente-six.

— Et tu attends encore pour t'amuser, comme tu dis ?

— Encore, oui ! Jusqu'à quand ?

— Et pourquoi tu ne laisses pas Carlos ?

— Je ne saurais pas où aller. En plus, au lit, il est zinzin complètement. Il a une grosse pine, si longue qu'elle m'arrive dans la gorge. Et avec son zoizeau il me rend folle, folle. Tu comprends, Pedrito, il jute et après sa bite reste dure comme fer. Je lui plais beaucoup, beaucoup !

— Mais dans le cul, non. Tu m'as toujours raconté qu'il l'a tellement grosse que tu ne peux pas te la prendre dans le cul.

— Maintenant si ! En y allant tout doux tout doux, je peux. Avec de la graisse. Il se la tartine et il me la met jusqu'au fond. Ah, c'est mon malheur à moi ! Que ça me plaise tant.

Et on a continué à parler. On voulait s'exciter mutuellement. Elle en me racontant comment elle baisait avec Carlos, moi avec une érection fulgurante. Quand je n'ai plus été capable de me retenir, je l'ai sortie et j'ai commencé à me branler lentement.

— Tu es braque ou quoi, Pedrito ? Et s'il arrive du travail, Carlos ? C'est son heure.

— Encore mieux. Peut-être qu'il va l'aimer, ma pine,

et qu'il me la sucera. Puisque toi, tu ne veux même pas la toucher. Allez, continue à me raconter le coup du miroir.

Si Carlos nous surprenait, ça allait être un merdier pas possible. J'ai joui imméditament. J'avais beaucoup de jus, après tous ces jours où j'étais resté seul. Je voulais qu'elle le prenne avec sa langue, mais pas moyen. Bon, j'ai envoyé trois jets bien épais sur la table. Je déteste gâcher ma crème comme ça. Elle a nettoyé tout de suite, on s'est rassis, elle a rallumé la radio. Elle a essayé de relancer la conversation mais je ne pouvais plus m'intéresser à quoi que ce soit, je ne pensais qu'à coucher avec elle et à jeter Carlos dehors d'une manière ou d'une autre s'il arrivait. Et puis non. A quarante-quatre ans, on ne commet plus de telles folies. J'ai ramassé les mauves et je suis parti. Parce que bon, je voulais seulement me reposer un peu et arrêter de me compliquer la vie.

La vie sur les toits

Je vivais un peu plus à l'aise. J'avais réussi à trouver un appartement en terrasse avec seulement deux voisins. Et j'avais dû laisser tomber mon commerce de canettes de bière : trop de compétition. Il fallait se battre comme des chiens autour des poubelles de Miramar. Des fois, je n'arrivais même pas à collecter vingt canettes en une matinée. Alors je suis passé à un autre bizness et tout est allé mieux.

Ma piaule était propre, avec une petite cuisinière à essence, toilettes indépendantes, beaucoup d'air. Dans un autre immeuble près du Malecón, au neuvième étage face à la mer. Les voisins ? Corrects : un vieux couple qui n'arrêtait pas de se crier dessus et un chanteur de boléros avec sa femme.

Ce type-là, je le connaissais depuis quinze ans au moins. A l'époque, il avait un groupe de musiciens, il était jeune : Armandito Villalón et Les Comètes, c'était le nom de sa formation. Ils faisaient des chansonnettes que tout le monde fredonnait. L'une d'elles avait reçu le titre de « hit du quartier pour cette semaine » à la station de radio où je bossais. Mais Armandito courait trop après le fric, il avait dissous son groupe et s'était mis à passer en solo, avec accompagnement simple. Trois boîtes par soirée. Il se faisait beaucoup de thunes en rabâchant les mêmes boléros. Et puis il a perdu sa voix et son ulcère à l'estomac a tourné au cancer, à force de tout ce rhum et de toutes ces cigarettes. Ça lui a donné un infarctus. Il est devenu maigre, mal nourri, tout ridé.

Le pays entrait alors dans la crise des années quatre-vingt-dix et ce type, comme s'il n'avait pas assez d'ennuis, s'en est cherché un autre : il a rejoint une association de défense des droits de l'homme. Là, ils ne l'ont plus lâché. Sous le moindre prétexte, du jour au lendemain, ils le jetaient en prison avec les criminels.

On s'est revus, puisqu'on était devenus voisins. Je lui disais bonjour, comme au temps où je travaillais à la radio et où il enregistrait ses chansonnettes. Mais je l'ai trouvé amer, aigri, obsédé par les idées de liberté et de droits fondamentaux. Et mort de faim, en plus. Il faisait juste un cacheton au Salem, un bouge du centre, du vendredi au dimanche. Un soir, j'y suis allé dans l'intention de m'envoyer quelques verres et d'en profiter pour écouter les boléros d'Armandito. Je ne suis pas entré parce que la boîte a une grille et derrière un gros nègre aussi sauvage qu'un gorille, qui ouvre le cadenas et le referme aussitôt. Ça ne m'a pas plus ça : je ne peux pas me faire boucler comme un taulard dans un club minable où ils vous vendent du rhum merdique à prix d'or. Le Noir m'a expliqué que c'était leur moyen de limiter la casse en cas de bagarre, jusqu'à l'arrivée de la police : « S'ils font du chahut, je les cadenasse là-dedans et personne ne sort tant que je veux pas, ha, ha, ha ! » m'a dit ce crétin avec sa tronche de débile mental.

Le lendemain, j'en ai parlé à Armandito, ce qui lui a fourni le prétexte à un nouveau discours sur les droits de l'homme :

— Oui, y a plus de dignité, plus rien ! Ce pays est une prison et ils ont réussi à mettre leurs schémas répressifs dans la tête de tout le monde. N'importe quel problème, la seule solution qu'ils trouvent c'est d'imposer des règlements, des grilles, des barrières, de la bastonnade, leur discipline. C'est insupportable, Pedro Juan.

Moi, je me suis contenté de lui répondre :

— Tu vas devenir dingue, mon ami. Moi, je me débrouille déjà pas avec ma vie, alors je te dis pas si je devais aller fricoter avec les politicards... Ce sont tous des fils de pute qui ne font que ce qui leur chante, au bout du compte. Et c'est la même chose partout. La politique, c'est l'art de bien tromper les gens.

Et lui, très remonté :

— Voilà, voilà pourquoi on en est là ! A cause du pessimisme, à cause de ce conformisme omniprésent ! Non, il faut leur faire face, il faut les dénoncer ! Lutter, proclamer la vérité...

Un emmerdeur, ce type, et à moitié cinglé. Toujours à raconter les mêmes salades. S'il continuait sur cette voie, il allait finir avec les électrochocs.

Sur la terrasse, ils élevaient des poulets et deux cochons. Lui et sa femme, ils étaient obsédés par leurs bestioles. Ils pouvaient passer des heures devant les cages, hypnotisés, à leur refiler quelques pelures. Depuis le début de la crise en 1990, c'était la grande mode, l'élevage dans les couloirs, sur les toits, dans les salles d'eau : on avait de quoi manger, comme ça. La nana d'Armandito travaillait dans une cantine ouvrière et elle arrivait à avoir une part des restes pour ses bêtes. Toute maigre, elle aussi, démolie. En plus de son cancer et de son infarctus, Armandito avait divorcé : il avait laissé son appart à son épouse et à ses deux filles et il était venu vivre ici, avec cette métisse. A l'époque, c'était une belle plante, grande, très jolie, avec cette grâce joyeuse et piquante des mulâtresses. Mais c'était fini : elle s'était usée, elle avait fondu, même si son ancienne beauté lançait encore parfois des étincelles.

Les vieux de l'étage avaient des poules, eux aussi, et un pigeonnier. Les colombes, ils les vendaient pour les sacrifices de santería. Lui-même l'était, santero. Et il ne parlait pas. Rébarbatif comme tout. Toujours à gueuler sur sa vieille. A part ça, je n'ai jamais rien appris à leur sujet. Ils me saluaient à peine. C'est comme ça : ils te détestent parce que tu es blanc. Bon, parfait. Je ne savais rien d'eux et je m'en passais très bien.

Tant qu'il a fait froid et que le vent soufflait de la mer, j'ai vécu peinard, ici. Mais en avril, avec le retour de la

114

chaleur et du calme plat, les odeurs de merde, les maringouins et les moustiques sont arrivés en force. Ça, c'était
insupportable ! Ni les vieux ni Armandito ne lavaient
leur poulailler. Enfin si, ils jetaient un verre d'eau
dedans, de temps à autre. Il y avait des problèmes d'alimentation, il fallait descendre à la citerne au sous-sol et
remonter l'eau dans des seaux. Neuf étages, sans ascenseur. Tous les cinq ou six jours, pourtant, le niveau était
assez élevé pour qu'on puisse siphonner et on en avait
au robinet.

C'est devenu un cauchemar puant, ces combles, avec
les maringouins qui piquaient pendant la journée et les
moustiques qui vrombissaient la nuit. Impossible de fermer l'œil.

Je ne suis pas amateur de bonnes odeurs, en général.
A l'instant, je serais incapable de me souvenir d'un parfum respiré sur une femme. Ça ne me plaît pas, ou plutôt
ça ne m'intéresse pas. En revanche, je n'oublierai jamais
l'odeur de merde fraîche qui se dégageait d'un jeunot
attaqué par les requins dans le golfe du Mexique. C'était
un pêcheur de thons. Il était à la poupe, remontant un par
un ces magnifiques poissons argentés, quand il est
tombé à l'eau. En deux coups de mâchoires, trois
énormes requins qui avaient suivi le banc lui ont ouvert
le bide et lui ont arraché une jambe. On l'a hissé à bord
très vite, il vivait encore, les yeux exorbités de peur tant
ça s'était passé rapidement, en moins d'une minute. Et
il est mort tout de suite, vidé de son sang, incapable de
prononcer un mot ni de comprendre ce qui lui était
arrivé. Nous avions travaillé côte à côte sur ce bateau
pendant des mois et pourtant je ne me souviens ni de son
nom, ni de la tête qu'il avait. Par contre, cette odeur de
merde venue de son abdomen déchiré, de ses boyaux
déversant leurs excréments sur le pont, est encore très
nette dans ma mémoire.

Il y en a d'autres aussi terribles dans ma vie, mais je
n'en parlerai pas. Le sujet est clos.

La schlingue des poulets et des porcs a commencé à

attirer plus de cafards. Il y en avait toujours eu, mais là c'était l'invasion. Et les rats ! Des mastards qui grimpaient de la cave à chez nous, soit presque quarante mètres. Ils escaladaient les gouttières, fonçaient aux cages grignoter les débris de bouffe et repartaient se mettre à l'abri en bas.

On a bouché les gouttières avec des pierres, mais un jour j'en ai vu un jaillir de la cuvette des chiottes, traverser la pièce comme une fusée et s'en aller sur la terrasse. Je n'en croyais pas mes yeux. Comment cette bête avait pu grimper toute la colonne d'évacuation de merde et passer encore l'eau du siphon ?

J'en ai eu marre. C'était intenable. Je suis allé trouver Armandito, les vieux. Que dalle. Ils ne renonceraient pas à leur ménagerie, même si les rats envahissaient tout l'étage et finissaient par nous chasser de là. Dans mon coin, je pouvais faire tout ce que je voulais, mais je n'avais pas le droit d'exiger quoi que ce soit d'eux. Ils m'ont même sorti un morceau de journal où il y avait un texte de loi sur l'utilisation des parties communes dans les immeubles. J'ai essayé de ne pas élever la voix. Je n'ai pas pu. A la fin, je les ai envoyés au diable.

C'était en août, avec une de ces chaleurs... Ulcéré par cette discussion, j'ai eu l'idée d'empoisonner tous leurs animaux J'ai pris deux graines de strychnine que je gardais dans un papier. Je les avais ramassées au jardin botanique de Cienfuegos, sous un arbre à strychnine, et quelque instinct criminel soigneusement dissimulé m'avait poussé à les conserver pendant toutes ces années. J'ai réfléchi à la manière de m'approcher des cages à la nuit tombée, de leur donner le poison mélangé à un peu de riz. Mais c'était trop tôt, ils allaient avoir des soupçons. Mieux valait attendre et les tuer petit à petit. Oui, mais s'ils se bouffaient une des bêtes empoisonnées et qu'ils en crevaient eux-mêmes ? Bon sang, voilà que je me faisais un film policier dans ma tête, maintenant ! La canicule, l'humidité, les maringouins qui piquent sans arrêt, la puanteur, et moi incapable de décider comment supprimer ces volailles... Il fallait prendre un peu l'air.

J'ai attrapé les quatre malheureux dollars qui me restaient et je suis descendu boulevard San Rafael pour essayer de les changer. Avec un peu de chance, je tomberais sur un péquenot de la province qui me donnerait du soixante-dix pesos. En à peine un mois, l'Etat avait baissé le cours du dollar de cent vingt à cinquante pesos. Ils voulaient limiter la crise en raflant tout, dollars comme pesos. Moi j'avais l'impression que la misère et la famine ne cessaient de s'aggraver, mais eux ils bloquaient tout l'argent dans les coffres du roi...

Alors que je montais la rue Galiano, pas loin du boulevard, un petit voyou m'est passé à côté telle une flèche, suivi par un pedzouille qui brandissait un couteau et criait : « Bloque-le ! Bloque-le ! » J'ai rien bloqué du tout. Le pécore m'a dépassé à toute vitesse. Il s'était fait refiler des faux billets, visiblement, et il s'en était rendu compte, mais trop tard.

Après, on m'a raconté qu'il avait fini par rattraper le filou, lequel avait reçu un coup de couteau dans le dos de sa part et une volée de coups de poing d'un flic qui traînait par là, en rab. C'est une bonne combine, seulement elle est de plus en plus connue, donc difficile à réaliser. On fait une photocopie d'un billet de cinq ou de vingt et on la met au-dessus d'une liasse de billets d'un dollar, normaux. Si on a choisi un endroit pas trop éclairé et qu'on garde le pouce sur la tronche de Washington, ça doit marcher, mais il faut repérer un type pressé de changer et surtout ne pas s'attarder dans les parages.

Je suis resté à San Rafael deux bonnes heures. Pas un acheteur. Des vendeurs, il y en avait à la pelle, mais des péquenots très peu. Ce sont eux qui ont la thune, maintenant. Ils s'enrichissent de la famine des autres. On est entrés dans une nouvelle ère : d'un coup, l'argent commande tout, comme toujours, et détruit tout. Trente-cinq ans passés à fabriquer « l'homme nouveau » et voilà, c'est terminé. Il faut s'adapter, maintenant, et rapido. Ce n'est jamais bon de se laisser trop distancer.

Retour de foi

Je vivais sans m'arrêter, jamais. J'avais besoin de souffler. De rester seul, un moment. Bien solitaire dans un coin, à penser. A quoi, je n'en avais pas la moindre idée, mais il le fallait. Regarder un peu en moi, peut-être. Et en arrière. Même si après tout continuerait comme avant, fou que j'étais... J'enviais Swami Nirmalananda, qui m'envoie ses livres de l'Inde et ne fait rien de la journée à part méditer et respirer les arômes des collines du pays karnatique, au milieu des arbres et des bêtes sauvages.

Mais ce n'est pas évident de dire « stop » quand chaque jour apporte de nouvelles tentations. Ce matin, j'ai reçu une lettre de Paris : « le Peintre » Nato m'invite à son installation *Art and Absence of Clothes* l'été prochain, à Bois-le-Roi. Il n'imagine pas que je n'ai même pas de quoi me payer une boîte de Nescafé, ce dingue. Et puis je me tracasse à cause de cette fatigue qui ne me lâche plus depuis des mois. Je ne sais pas si c'est de l'anémie, ou le sida, des fois je me dis que c'est à cause de la mélancolie et de la tristesse. Et je continue à me battre contre la peur. Enfin, « me battre », façon de parler : ce n'est pas un combat que je peux mener seul. Mais toutes les nuits je prie et je demande toujours à Dieu qu'il libère mon cœur de l'angoisse, mon cerveau de la confusion. Autrement, je suis paralysé. Et Dieu m'apporte toute l'aide possible, et il m'envoie de petits signes.

Des années durant, je me suis éloigné de ce monde

invisible mais parallèle. A treize ans, j'ai démoli le crucifix que ma mère avait accroché au-dessus de mon lit. Je lui envoyé une balle de tennis, de toutes mes forces, avec rage. Au catéchisme, ils voulaient que je croie sans le moindre doute à la Sainte-Trinité, à Adam et Eve... Mais non ! Darwin, je leur ai opposé. Un tremblement de terre commençait à me secouer de l'intérieur. Et puis, tout de suite après, ça a été l'invasion des manuels de marxisme russes et les cours du soir en théorie révolutionnaire. Ensuite, j'ai été appelé sous les drapeaux : quatre ans et demi de service, moi, parce que j'ai toujours eu le chic de récolter le maximum de merde et de me rouler dedans.

Mon unité était stationnée à Rancho Boyeros et chaque année nous, les bidasses, on voyait passer la procession du 17 décembre, le pèlerinage au sanctuaire d'El Rincón. Ils allaient tous demander quelque chose à saint Lazare, ou le remercier de le leur avoir donné. Tout le long de l'avenue centrale, sur des kilomètres, des milliers de gus tiraient derrière eux des chaînes, des blocs de pierre, des rails, des croix en bois. Ils étaient fourrés dans des sacs en jute, ou bien avançaient à genoux et se mettaient en sang. Ils inventaient les tortures les plus diverses. Nous, on rigolait, sans rien comprendre. On se sentait très haut, très loin de cette masse superstitieuse et de son manège hystérique.

Ça c'est passé de la même façon pour plein de gens. On avait eu la foi, et en grand, et puis soudain on nous a dit : « Allez, c'est que de la merde, ça ! Et celui qui prétend le contraire, on le met de côté, et même on lui donne quelques coups sur la calebasse, au passage. » C'était aussi simple : ou tu es dans un camp, ou tu es dans l'autre. Et il fallait se décider vite. La vie, c'est toujours pareil : si tu te décides vite, tu peux perdre ou gagner mais si tu hésites tu n'es qu'un crétin, on t'isole et on te crache dessus en te traitant de médiocre, de timoré, de petit homme gris. Et qui a envie de devenir un petit homme gris ?

Enfin, j'ai été comme ça pendant des années, moi. Orgueilleusement. Avec toute la vérité dans une main et le drapeau rouge dans l'autre. Et puis tout s'est cassé la figure et en un rien de temps tout s'est transformé en eau salée. Mais on ne peut pas flotter, flotter à jamais : ou bien on trouve une planche à laquelle se raccrocher, ou bien on coule. Le comble, c'est qu'on sait maintenant que même le chef du gouvernement fait ses rites, a ses colliers et dix féticheurs autour de lui. Merde alors.

Bon, à cette époque tout s'est mis à tourner mal pour moi. J'étais resté trop longtemps sans appuis dans la tempête. Quand tu n'as pas de prise et que l'ouragan souffle toujours plus fort, il finit par t'emporter et te mettre en pièces. Alors, par simple curiosité, je suis allé consulter une spirite qui avait du sang africain. Je n'attendais rien de précis mais cette femme n'a pas arrêté de me dire des vérités pendant trois quarts d'heure, de décrire des gens réels en donnant leur nom exact. Elle m'a expliqué ce qui m'arrivait et quelle était la solution. Et on l'a fait. Voilà. Je ne vais pas raconter : c'est une affaire à moi, ça. En tout cas, j'ai commencé à retrouver la foi et maintenant j'y vais de temps en temps, à El Rincón.

D'accord, ça ne m'enchante pas d'être avec tous ces vendeurs de gris-gris, tous ces naïfs qui pullulent là-bas, et ce type devant l'autel qui ordonne aux femmes les plus emportées de baisser les bras. Parce que si nous, les hommes, on prie en silence, l'élément féminin des pèlerins fait pas mal de tapage en levant les bras avec des soupirs et des oraisons bruyantes. Il ne respecte personne, ce mec. Tout ce qu'il veut, c'est de l'ordre. Or moi j'en ai plein les couilles d'entendre sans cesse invoquer l'ordre, la discipline, le sérieux, le sacrifice. J'ai passé ma vie à être ça, discipliné, obéissant, sérieux, altruiste...

Donc des fois j'y vais et je prie un peu. Et quand je ressors il y a les gus de la léproserie et ceux de l'hospice du sida, qui se cachent derrière les manguiers et les avo-catiers.

Je ne sais pas pourquoi je raconte tout ça. Peut-être parce que la mélancolie m'est venue en pensant au sort de José Montalvo, de San Antonio, au Texas. Sa der-nière lettre date de 1991. Il avait déjà le cancer, en ce temps-là, et suivait un traitement homéopathique parce que la chimiothérapie n'avait servi à rien. Il m'écrivait avec beaucoup d'affection. Il continuait à être travailleur social pour les *homeless* en plein cœur du pays aztèque, à composer des poèmes, à se battre avec la vieille bicoque qu'il avait achetée et avec son fils de trois ans. « A chaque petit malin survient son heure », me disait-il dans cette missive ; « tu verras, tu vas pouvoir les publier, tes nouvelles. Ne baisse pas les bras ! » Trois années ont passé. J'ignore s'il est mort. J'étais trop préoccupé par la peur et le désordre qu'il y avait dans ma tête pour m'intéresser à Montalvo et à son cancer chicano. Lui, il prenait congé avec cette lettre, mais moi je ne lui ai même pas dit adieu.

Aujourd'hui, j'ai relu ses lettres et ses livres. C'est comme ça. La vie est un pendule. Ça va, ça vient. Des fois, en retrouvant de vieux papiers, je mesure à quel point ce passé a eu de l'influence sur moi : je me suis retrouvé encore plus seul. C'est ce qui nous arrive à tous, peu à peu. En chemin, j'ai laissé derrière moi les femmes que j'ai aimées, les endroits où j'ai été heureux, les enfants qui prennent leur distance. Les amis. Tout ce à quoi on tient et qu'on perd quand même. Et que j'avais voulu garder mais que j'ai jeté par-dessus bord, pour-tant. Et je m'étonne d'écrire comme ça, comme si la fin arrivait. Et Dieu ne m'aide pas totalement à faire la clarté dans mon esprit, à accepter les choses telles qu'elles sont.

Moi en remueur de merde

Gordon traversait lentement les Caraïbes, du sud-est au nord-est. Il avait tout son temps, ce cyclone. Ça faisait quatre jours qu'il avançait en laissant sa trace derrière lui : deux mille morts à Haïti, quatre cents à Saint-Domingue... La mer attaquait sauvagement le Malecón, le vent pulvérisait les embruns sur les vieilles façades décrépites. Je n'avais rien à faire. Rien d'urgent, en tout cas. A long terme, il y a toujours les projets, les espoirs, l'avenir, et tout ira mieux, et Dieu va nous aider... Mais c'est à long terme, ça. Pour l'instant, tout de suite : rien.

En bas de la côte du parc Maceo, il y avait un Noir qui montrait sa pine immense aux passantes. Il la frottait, tirait dessus, très nerveux, en allant de-ci, de-là sans cesser de jeter des regards inquiets autour de lui. Il secouait ce gros bâton pour qu'il finisse par le laisser tranquille. Quand il m'a vu, il s'est figé avec sa tête d'abruti. Il devait être bourré de marie-jeanne, de coke ou d'amphètes. Devant des crétins pareils, les gens montent toujours sur leurs grands chevaux. Pas moi. Je m'en fiche. D'ailleurs, au fond, il y a plein de femmes à qui ça plaît, de voir une grosse bite dans un endroit où on n'est pas censé la montrer. Et il y a même des hommes qui aiment, même si c'est pour se dire, avec une pincée d'envie : « Ah, si je pouvais avoir un engin pareil, tellement énorme, tellement fort ! » Encore qu'ils ne l'avoueront jamais. Sous la torture ils ne le reconnaîtront pas. Et si quelqu'un le leur dit, ils lui répondront, indigné : « T'es qu'un pervers, Pedro Juan, et en plus tu

123

crois que les autres sont comme toi ! » Alors qu'en fait les exhibitionnistes — et il y en a de plus en plus de nos jours, dans les jardins, dans les bus, sous les portails — remplissent un rôle social admirable : ils apportent de l'érotisme aux passants, ils les sortent un instant de leur stress quotidien, ils leur rappellent qu'en dépit de tout nous ne sommes rien d'autre que de petits animaux primaires, rudimentaires, fragiles et surtout, surtout, insatisfaits.

Il n'y a rien de mieux au monde que de se promener sans but sur le Malecón quand un cyclone se déchaîne. Tu avances, tu marches, des fois tu penses, des fois non. Le mieux, c'est de ne pas réfléchir mais c'est presque impossible, ou alors il faut énormément d'entraînement. Un touriste mexicain arrive dans l'autre sens. Soudain, il sourit et me déclare avec son phrasé de Michoacán : « Quoi, elle revient, cette tempête ? Oh, on dirait, oui, on dirait... » Je ne lui réponds pas. Je ne sais pas si elle revient ou si elle s'en va, et je m'en fous. Il y a des rafales de pluie, maintenant. Le Malecón est désert. Il n'est que cinq heures mais avec ce ciel plombé la nuit arrive déjà. Une lumière grise, froide, humide, bizarre dans cette île où d'habitude elle te déchire. Tout est tamisé par un brouillard de pluie, de salpêtre et d'iode. Je me réfugie sous un porche en attendant que l'averse passe. Il va falloir que je m'habitue à vivre avec ces accès de mélancolie et de tristesse, visiblement. Comme avec une vieille blessure par balle, qui se réveille quand il fait humide. J'ai quelques motifs à être chagrin, peut-être. Mais il ne faut pas. La vie est une fête ou une veillée funèbre, c'est à nous de décider. Voilà pourquoi la déprime met la merde dans mon existence. Et je la fais fuir. C'est toujours moi, ça : chasser la déprime, le chagrin et tout le reste.

Pendant une accalmie, je remonte Campanario. Sur l'autre trottoir, une petite foule entoure deux flics qui viennent d'arrêter un jeune, un métis d'à peine seize ans. Ils lui ont passé les menottes et l'ont plaqué contre le mur. Tout le monde le regarde. Ils attendent qu'une voiture de patrouille vienne l'emmener au commissariat. Il a essayé de voler une bicyclette, ce garçon. Il a les yeux baissés au sol, le menton dans la poitrine. Affligé. Je m'arrête un moment pour l'observer. Soudain, ses genoux se dérobent sous lui, il s'écroule sur le trottoir. Il a tellement peur qu'il ne tient plus debout. Dans un murmure, les gens répètent : « Ah, tu es tout couillon, maintenant ! Mais c'est avant qu'il fallait y penser, mon grand salaud... » Je continue ma route.

Après quelques pâtés de maisons, je suis loin du Malecón et du vent. Dans le parc à l'angle de San Rafael et Galiano, il fait presque nuit mais la faune habituelle est encore là. Je m'assois sur un banc. Un peu plus loin, une dame très maigre et très enjouée bavarde avec une autre : « Quand je l'ai essayé la première fois, je me suis dit : "Aaah, c'est un étalon que je vais me marier !" Oh que oui ! Parfaite, elle était. Il m'a fait quatre gosses, l'un derrière l'autre, pan, pan, quelle botte ! Mais moi j'ai pris mes dispositions, je l'ai prévenu : "Pas un de plus." Si on l'avait écouté, on en serait à dix ou douze mioches, ah, ah, ah ! Un taureau de reproduction, c'était ! » A ce moment, un jeune s'approche d'elle, lui chuchote quelques mots à l'oreille. D'un coup elle se lève et part à toute vitesse, sans même prendre congé de sa copine. C'est ça, le bizness de la rue : ou tu te magnes ou quelqu'un d'autre te passe devant.

Je ne suis pas tenté par les affaires, aujourd'hui. J'ai vingt dollars en poche, une vraie fortune. Je suis en train de penser que je vais reprendre la nouvelle sur Rogelio, qui commence par : « Arrêtez de chier sur la terrasse, couillons ! » A Cádiz, ils n'avaient pas voulu la publier à cause de ce « couillons » à la première ligne. Je ne sais pas mais *Don Quichotte* est rempli de mots pareils, non ? Bon, c'est peut-être un mauvais exemple, en littérature : en fin de compte, il est mort misérable, Cervantès. Ils m'ont dit aussi : « C'est très osé. » Pff ! Ils n'y connaissent rien, à ce qui est osé. Je vais la reprendre, oui, mais le « couillons » reste là où il est. Ce sont des couillons inamovibles.

Un Noir vieux et sale vient s'asseoir à côté de moi. Il a envie de faire la causette. Il m'annonce qu'il a été patineur acrobatique et marin. Il a connu tous les continents. Il arrivait dans les ports et descendait avec ses patins. Jusqu'à New York, où il a donné son spectacle en trois occasions. Tout, son portefeuille, un coutelas gigantesque, des pochettes en nylon avec ses papiers et une blague à tabac en aluminium, il a tout à la ceinture, attaché avec des chaînettes. C'est un Grec qui lui a appris ça, quand ils travaillaient ensemble à bord du *Caiman Island*. Je l'écoute vaguement, mais non, je le plante là aussi aimablement que possible et je vais m'installer sur un autre banc. Il fait sombre, je ne veux personne près de moi. Si on me vole mes vingt dollars, je suis à sec.

A cause de ce vieux, j'ai perdu le fil de mon histoire sur Rogelio. C'est une nouvelle que j'ai écrite il y a des années. Rogelio venait de mourir, alors j'ai inventé plein de moments de sa vie. Il n'est pas bon, ce texte. Le mieux, c'est de prendre la réalité, brute, comme elle t'arrive dessus dans la rue. Tu l'attrapes des deux mains et si tu as assez de force tu la soulèves et tu la laisses tomber sur la page blanche, et voilà, c'est fini. Facile. Sans retouches. Des fois, elle est tellement dure, la réalité, que les gens ne te croient pas. Ils lisent ta nouvelle et ils te disent : « Non, non, Pedro Juan, il y a des trucs qui ne fonctionnent pas, là-dedans. Tu t'es laissé emporter par ton imagination. » Mais non. Rien n'est inventé. C'est juste que la force m'est venue d'agripper cette grosse masse de réalité et de la balancer d'un seul coup sur ma page.

Donc, après sa mort, j'ai appris que Rogelio, quand il était encore tout gosse, avait dû aller identifier sa mère à la morgue. Un de ses amants l'avait découpée en six morceaux. Il avait huit ans, Rogelio. Ça lui a baisé la tête. Il était capable de changer de personnage vingt fois par jour, du pleurnichard plein de sensiblerie à la brute la plus odieuse. Du bon à rien faiblard au superman auquel aucun problème ne résiste. Un type bourré de contradictions, sans résistance. Il avait tellement besoin d'amour, il était si lâche et si dépendant qu'il a supporté tous les amants que sa femme prenait, l'un après l'autre. Il y en avait toujours un. Mais à force de serrer les dents, il a été emporté par un infarctus foudroyant, à quarante-six ans. Aujourd'hui, quatre ans après, cette nana n'est plus qu'un squelette ambulant, ravagé par une maladie des os. Le fils cadet passe la moitié de son temps en prison et l'autre moitié à commettre des folies, de désespoir. La fille est une prostituée de troisième catégorie dans les hôtels pour étrangers. Ils sont obsédés par l'idée d'émigrer, tous les trois. Ils croient qu'ils vont trouver la solution aux Etats-Unis. Ils vivent dans une pauvreté horrible, sans un rond, et ils ne se rappellent pas une minute que Rogelio a existé.

Alors je dois le refaire, ce récit. Il va être beaucoup plus fort. Sans une seule invention, un seul mensonge. Je change les noms, c'est tout. Car tel est mon métier : remueur de merde. Ce qui ne plaît à personne. Est-ce qu'on ne se bouche pas le nez quand passe le camion des ordures ? Est-ce qu'on ne cache pas les poubelles au fond de la cour ? Est-ce qu'on ne méprise pas les éboueurs, les fossoyeurs, les siphonneurs de fosses septiques ? Est-ce que le seul mot de « charogne » ne donne pas la nausée ? C'est pour la même raison que personne ne me sourit et qu'on détourne la tête quand on me voit. Parce que je remue la merde. Et en plus, je ne cherche rien dedans. En général, je n'y trouve rien non plus. Je pourrais pas leur dire : « Oh, regardez, j'ai trouvé un diamant dans le caca, ou une belle idée, ou n'importe quoi d'agréable à l'œil. » Non. Je ne cherche rien et je ne trouve rien. Voilà pourquoi je suis incapable de prouver que je suis un type pragmatique et qui a son utilité sociale. Je me contente de faire comme les enfants, qui chient et jouent après avec leur crotte, la sentent, la mangent, s'amusent avec jusqu'à ce que maman arrive, les sorte de leur merde, leur donne un bain, leur mette du parfum et leur dise qu'il ne faut pas recommencer.

Et c'est tout. Le décoratif ne m'intéresse pas, ni la beauté, ni la douceur, ni le délectable. C'est pourquoi je suis toujours resté sceptique devant une sculptrice qui a été ma femme un certain temps : il y avait trop de paix dans ses œuvres pour qu'elles soient vraiment bonnes. L'art n'a de sens que s'il est révolté, tourmenté, traversé de cauchemars et de désespoir. Seul un art irrévérencieux, indécent, violent, grossier, peut nous montrer l'autre face du monde, celle que nous ne voyons pas, ou que nous ne voulons pas voir pour épargner des efforts à notre conscience.

Voilà. Pas de paix, pas de tranquillité. Celui qui atteint la sérénité de l'équilibre s'est trop rapproché de Dieu pour être un artiste.

J'ai fourré mes mains dans les poches, senti le billet de vingt dollars sous mes doigts. Je peux m'acheter une bouteille de rhum et une boîte de cigares. Là-haut, chez moi, le vent doit souffler à fond. Si en plus je me soulève une petite métisse pour y remonter... A cet instant, surgie de je ne sais quelle ombre, arrive cette fille, la négresse zinzin. Je la connais de vue, dans mon quartier. Je ne la salue pas mais ça ne la gêne pas, elle essaie toujours d'engager la conversation avec moi. Et là, elle fonce à toute allure sur moi. En deux ou trois ans, elle, la Noire la plus pauvre, la plus souillon et la plus puante de la rue, était devenue cavaleuse de luxe, à cocoter le parfum et à se balader en robes voyantes, blanches et rouges. Et maintenant, c'est une esclave de Jéhovah. Elle a tout laissé tomber pour prêcher la bonne parole. Elle se trimbale de grosses lunettes, une Bible et des habits très discrets, couleur passe-muraille. Elle m'a repéré, ne me laisse pas le temps de tenter quoi que ce soit et me balance à brûle-pourpoint : « Tu sais lire la Bible, mon frère ? Il y a un psaume que j'aimerais discuter avec toi. C'est le 51, celui qui dit : "Prends-moi en pitié, ô Dieu, dans la mesure de ta bonté ;

selon la grandeur de ta clémence, efface mes fautes. Lave-moi à grandes eaux de mon iniquité, purifie-moi de mon péché." Tu sais pourquoi David demande cette purification ? Non ? Tu ne t'es jamais posé la question, sans doute ? »

Ah non ! Ça, c'est trop pour moi. C'est comme ça, des fois : on s'ennuie et il n'y a rien de bon à faire. Je me lève, je pars m'acheter mon rhum et mes cigares. Je verrai bien ce que je peux fabriquer, après.

Fils du Chaos

Par la fenêtre, je voyais dans l'immeuble d'en face cette vieille femme grisonnante, peut-être un peu négligée, sale même. Assise dans un fauteuil à bascule, elle se balançait furieusement en chantant, sans arrêt. Un mélange de strophes de *L'Internationale*, de l'hymne cubain, de la *Marche du 26 Juillet*, de l'*Hymne de l'Alphabétisation*, de celui des *Milices*, puis encore *L'Internationale*, et c'était reparti. De temps en temps, elle s'arrêtait, comme pour reprendre souffle, et là elle demandait à voix haute : « Qui est le dernier ? Personne n'est le dernier, dans cette queue ? Qui est le dernier pour le pain ? Bon, si le dernier ne se montre pas, moi je suis là ! Aaahh, je m'excuse mais je pose la question et personne ne me répond. Qui est le dernier, camarades ? » Et après, de plus belle : « Il n'est ni Dieu, ni César ni tribun... »

J'attendais que mon oncle rentre du travail. Ça faisait une demi-heure que j'étais assis là, à écouter la folle. D'abord, ça m'avait tapé sur les nerfs mais au bout d'un temps je n'y prêtai même plus attention : je m'étais adapté à sa parano.

J'en étais à ce stade, un peu tassé sur moi, lorsqu'un petit gars est entré en trombe, très jeune, dans les seize ans. Il m'a à peine salué d'un vague signe de tête et d'un « hum ! », puis il s'est mis à houspiller la femme de mon oncle, qui a tout de même près de soixante-dix ans.

— Il me faut une chemise et une cravate de tonton. Grouille.

— Pour quoi faire ?

— Pour les photos du passeport et du visa. Allez, dépêche, tata.

— Alors tu t'es décidé, finalement ?

Mais le jeune ne l'écoutait pas. Il était déjà devant le placard de la chambre. Il a ouvert la porte et il a commencé à chercher une chemise blanche.

— Tiens, voilà, celle-là. Repasse-la-moi, tata.

Ils reviennent ensemble dans le salon.

— Tu as dit bonjour à Pedro Juan, mon petit Carlos ?

— Je sais pas qui c'est.

— Mais si, vous vous connaissez ! C'est aussi un neveu de ton oncle, Pedro Juan, mais comme il habite La Havane ça fait des années que vous ne vous êtes pas vus. Voilà Carlitos, mon petit-neveu.

Je ne me souviens pas de lui, de toute façon. Et puis si, il me semble revoir une image de lui tout enfant, une image brouillée. Un hyper-actif, tout le temps.

— C'est le fils d'Odalys, ta nièce ?

— Oui, c'est le tout petiot d'Odalys.

— Ah, si, je me rappelle, maintenant.

Ils sont parents d'une femme à laquelle mon frère a été marié, mais en plus cette dame est l'épouse de mon oncle. Des fois, même moi, je m'y perds. Il suffit de revenir à sa ville natale pour que cousins, neveux et neveux de neveux surgissent de partout. Je crois qu'il y a des centaines de personnes avec lesquelles je suis apparenté. Sans l'être, en réalité. Carlitos, lui, n'a toujours pas percuté. La tante lui donne une explication définitive :

— C'est le fils de Zoïla ! L'aîné de Zoïla.

— Oh con, mais oui ! C'est que maintenant tu es chauve, et plus maigre !

Il me salue, tout joyeux. Je souris. La tata revient au sujet qui la préoccupe : Carlitos.

— Tu t'es décidé, alors ?

— J'ai toujours été décidé !

— C'est sérieux, ça, Carlitos. C'est pour toute la vie.

— Je sais.

— Et qu'est-ce que tu vas faire, là-bas ? Tu n'as pas de métier.

— Comment ça ? Papa est directeur d'une compagnie d'électricité. Je vais travailler avec lui.

— Il est « employé » d'une compagnie d'électricité.

— Il est « directeur » !

— Mais, Carlitos, il vit dans le New Jersey et tu ne connais même pas un mot d'anglais, ni rien.

Le jeunot lui tourne le dos pour me prendre à témoin :

— Tu comprends, Pedro Juan, ça fait quatre ans qu'il est là-bas, papa. Il dirige une compagnie d'électricité. Maintenant, il me demande de venir. A moi et à mon frère. Mais lui il ne veut pas y aller. Il est d'un mollasson, d'une indécision, c'est pas croyable. Moi j'y vais pas, j'y cours, mon ami !

— Tu es sûr que c'est le directeur, Carlitos ? Au mieux, il doit être...

— C'est le dirlo, Pedro Juan, je te le dis, con ! Aujourd'hui je suis un peu sur les nerfs et à la bourre, tu vois, mais un de ces jours je t'explique. En affaires, mon père, c'est un loup ! Il est déjà millionnaire. Noue-moi cette cravate, tu veux ?

Je lui fais le nœud d'avance, sans qu'il la mette.

— Et tu vas aller dans le New Jersey avec le papa ?

— Oui, oui ! C'est là qu'elle est, sa boîte.

— Il fait froid, là-haut. Tu auras le mal du pays.

— J'aurai le mal de rien du tout. Et en plus j'aime ça, le froid. Hé, Pedro Juan, tu te mets à faire comme la tante, con ? Assez de me casser le moral, oh ! Dis donc, mon ami, tu veux regarder un peu si quelqu'un est intéressé à acheter une montre japonaise et une moto ?

Il lève son poignet devant moi, puis tend un doigt vers la rue :

— Voilà la montre. La moto est en bas. Nickel chrome, elle est. Je suis fauché comme les blés, mon ami. Faut que je me fasse de la thune, de quoi tenir le coup jusqu'au départ.

La tante a travaillé en silence, en levant seulement un peu les sourcils. La chemise est repassée, maintenant. Carlitos l'enfile encore chaude, se passe la cravate.

— Tiens, tu me serres le nœud, s'te plaît ? me demande-t-il.

Elle tente une dernière intervention, la tata :

— Et ta femme, et ta fille ?

— Qu'elles restent ici, et basta ! Et arrête de déconner, d'accord ? Moi je continue pas dans cette merde, à crever la dalle. Après un an là-bas, tu vas me voir revenir sur un yacht de luxe. Pas en avion, oh non ! Le premier truc que je me paie, c'est un yacht de croisière. Ensuite une caisse, ensuite une villa ré-si-den-tielle avec piscine. Hé, en une année je me retrouve millionnaire ! Tu vas voir.

Puis, à mon intention :

— Bon, à la revoyure, mon ami. Faut que je fasse ces photos aujourd'hui, vu que demain je vais à La Havane déposer mon dossier. Le jour où ils acceptent ma demande, j'aurai un pied au paradis et l'autre encore en enfer.

La vie secrète de Kate Smith

Je pense que la vie de Kate Smith restera à jamais un mystère total. Personne ne pourra découvrir ce qu'ont été ses quatre-vingt-neuf années d'existence, jusqu'à sa mort, techniquement un assassinat. Je dis techniquement car sur un plan légal ce n'en a pas été un.

Je dispose de deux versions de son histoire : la sienne, et celle d'une voisine qui la détestait.

Il y eut un temps où tous ces réduits du dernier étage étaient trois luxueux penthouses occupés par trois Américains solitaires qui avaient de quoi payer le loyer, organisaient de discrètes bacchanales avec un mélange d'éphèbes et d'odalisques de toutes les couleurs possibles et imaginables, et se nourrissaient exclusivement de jambon, d'olives et de whisky. Ce dernier détail, je le tiens d'Abelardo, un vieil Asturien qui était alors livreur des magasins d'import-export installés dans l'immeuble du coin, dont le dernier étage a subi la même transformation que le nôtre.

A la victoire de la Révolution, en 1959, l'un de ces Américains avait laissé tomber la fiesta tropicale et il était rentré chez lui. Un deuxième avait essayé d'assassiner Fidel selon un plan très original concocté par la CIA : après s'être lié d'amitié avec le chef d'Etat et avoir découvert sa passion pour la plongée, il lui avait offert une belle combinaison isotherme en caoutchouc dont l'intérieur était imprégné d'un puissant poison. Celui-là, il a continué à s'amuser avec des éphèbes, certes un peu rustiques, au cours des vingt et quelques années qu'il a passées dans une prison de La Havane.

Il n'était resté que Kate là-haut, cloîtrée derrière des grilles omniprésentes. Les propriétaires du bâtiment s'étaient enfuis à Miami. Les loyers ont été baissés, attirant toujours plus de gens. Chaque jour nous sommes plus nombreux dans cette île, nous ne savons déjà plus où nous caser. Ceux qui nous gouvernent appellent ça « densification de l'habitat ». Nous, les densifiés, on dit qu'on vit les uns sur les autres. Nos dirigeants n'ont pas la moindre idée de ce que ça signifie de cohabiter à six ou sept dans une piaule de huit mètres carrés avec des toilettes collectives fréquentées par cinquante personnes ou plus. Et même s'ils arrivent à l'imaginer, ils font comme si de rien n'était.

Donc, Kate avait gardé son appartement et son bout de terrasse face à la mer, juste au-dessus du Malecón, pendant que le reste de l'étage se divisait en réduits peuplés d'inconnus rustauds. Des gens fort vulgaires. Sans doute que j'en suis un de plus, un rustaud de merde. Je ne sais pas et je ne veux pas savoir. Ça doit être déprimant, d'être convaincu d'un pareil constat. Enfin, Kate, elle, a fait mettre des grilles et des cadenas à chaque porte et à chaque fenêtre, et même à l'intérieur pour protéger chaque pièce en enfilade. Elle donnait des cours d'anglais. De conversation, surtout. Elle vivait de ça.

Quand je suis venu habiter ici elle avait déjà dans les quatre-vingts balais mais elle restait très vaillante. Elle faisait de l'exercice et elle avait assez d'énergie pour descendre certains soirs sur le Malecón, où elle dépensait sans compter pour séduire des nègres immenses. Elle remontait avec eux, prenait son pied, les payait et ciao, je ne te connais plus. D'après les racontars, ce n'était jamais le même, jamais. Bon, même moi qui n'ai rien du grand Noir baraqué et plutôt brute, elle a cherché à m'appâter, la vieille. Sous tous les prétextes : me donner des cours d'anglais gratis, jouer au ping-pong ensemble, pratiquer le jiu-jitsu... Quand elle a appris que j'avais été journaliste de radio avant d'avoir une crise et de venir échouer dans cet immeuble de merde, elle m'a invité à venir écouter du Wagner chez elle. Mais Wagner, moi je ne peux pas, alors elle a condescendu à Mozart. Et elle me distrayait avec ses histoires de petite immigrée hongroise dans le New York du début du siècle. A sept ans, elle ne parlait encore que sa langue maternelle mais un jour elle avait subi une telle humiliation dans un bar où elle était entrée vendre des billets de tombola qu'elle avait appris l'anglais en un mois. Très vite, elle avait oublié le hongrois, égayé ses cols de dentelle au fuseau et changé de nom. Dans sa jeunesse, elle avait adhéré à un groupe probolchevique. On l'avait pourchassée, elle avait dû s'enfuir au Mexique, puis en Jamaïque où elle était restée un moment avant de se réfugier finalement à Cuba vers 1950. Ça, c'était sa version.

Elle ne m'a jamais dit son vrai nom. Je l'ai appris bien plus tard, par Ouikha, la médium de notre immeuble. Une fois, j'ai été assez idiot pour lui suggérer qu'on écrive un livre sur sa vie. Il suffit que je dise une bêtise pour en payer les conséquences, mais comme je n'arrête pas d'en dire, je paie sans cesse. Ce serait un grand succès, j'en étais sûr... Elle m'a mis à la porte de chez elle en criant toutes sortes d'insanités :

— Non ! Il faut que je reste cachée ! Ils veulent m'assassiner ! M'assassiner ! Ils ne m'ont jamais pardonné, dans mon pays, imbécile ! Ah, vous n'êtes qu'un crétin comme les autres, disparaissez ! Je ne veux plus vous voir ici !

Hystérique complète. Moi, j'ai pris poliment congé :

— Retournez dans le con de votre mère, espèce de vieille salope. L'imbécile et la crétine, c'est bien vous, vieille pute ! Suceuse de négros !

Et je suis parti, et on ne s'est plus jamais adressé la parole.

L'autre version, elle m'a été donnée par une retraitée qui a été ma voisine jusqu'à sa mort. Pas d'un coup, non, par bribes. Cette vieille-là avait travaillé des années dans

136

les services secrets, le contre-espionnage je crois, mais elle avait eu un problème qu'ils avaient découvert et ils l'avaient jetée dehors. Elle savait des choses dont personne n'était au courant. Par exemple, elle pouvait me donner des pistes sur les millions de dollars qu'ils refilaient à telle ou telle autre guérilla, la Brigade América ou le Vénézuélien Carlos, ou d'autres encore... Pour l'instant, je n'en dirai pas plus. Je n'ai pas envie d'avoir encore des emmerdements.

Enfin, d'après elle Kate avait été nazie, en fait. Après avoir fait travailler des femmes dans un camp de concentration en Allemagne, elle était entrée en Amérique en 1945, où elle avait mené sa barque. Quand elle s'était faufilée à Cuba dix ans plus tard, c'étaient les grandes heures du BRAC, le Bureau de répression des activités communistes. Elle avait changé les dates pour berner son monde mais d'après la vieille fliquesse elle était arrivée en 1955, pas en 1950. Donc bolchevique rien du tout, parce que le BRAC l'avait servie sur un plateau d'argent au FBI.

Elle était terrible, cette Kate. Déjà très âgée, elle avait pris l'habitude d'amadouer des jeunes pour qu'ils l'aident à tenir sa maison. Elle les persuadait de s'installer chez elle et rédigeait aussitôt un nouveau testament qui les désignait comme seuls héritiers. Mais personne n'arrivait à la supporter plus de quelques semaines. Ils renonçaient tous, en disant qu'ils préféraient s'en aller plutôt que de devoir pendre haut et court cette vieille salope. Je n'ai jamais cherché à savoir quels sales tours elle pouvait leur jouer et, à vrai dire, ils n'en parlaient pratiquement pas, ces rescapés. Par dignité, je suppose. De toute façon j'avais mes propres tracas, j'essayais de survivre dans la tempête et je n'avais pas le temps de me soucier d'une cinglée de plus.

A la fin, elle était tombée sur un jeune couple prêt à tout pour se trouver un toit. Ils venaient du trou-du-cul du monde, morts de faim, sans un rond, ils n'avaient jamais mis les pieds dans un appartement avec téléphone, tourne-disque, cuisinière à gaz, téléviseur, frigidaire et vue sur la mer. Ooooh ! Quand ils se sont vus dans la place, ils se sont crus arrivés au paradis et ils se sont dit : « Bon, on bouge plus d'ici, hein, même à grands coups de bottes dans le train ils nous font pas sortir ! »

Résultat, lorsque la vieille a commencé à déconner en exigeant qu'ils lui lavent le cul chaque fois qu'elle avait cagué ou en essayant d'attirer le type dans son lit — elle avait peur de dormir seule, d'après elle... —, ils sont partis à la recherche des somnifères les plus radicaux qu'il y ait en vente. Et hop, comprimés pour la vioque. Elle ronflait, c'était devenu la Belle au Bois Dormant du dernier étage. Ils l'ont matée comme ça, mais dès qu'elle se réveillait elle essayait de recommencer ses simagrées. Elle se baladait en traînant les pieds et faisait chier son monde. Alors ils se sont décidés : ils ont augmenté la dose, sévèrement. Elle a sombré dans le coma. Elle est restée trois jours à agoniser par terre, enfermée dans sa chambre, entre deux râles. Finalement, ils l'ont emmenée au pire hôpital de La Havane en disant qu'ils ne savaient pas qui l'avait mise dans cet état. Aucun médecin n'a voulu l'approcher : elle puait trop, encroûtée dans sa merde, sa pisse et son vomi. Elle est morte au bout de deux heures. Pour s'épargner d'autres complications, ils ont fait don de son cadavre à la Faculté de médecine et ciao. Finie, Kate.

Mais c'est connu, la mauvaise herbe ne meurt jamais : Kate Smith continue à errer à notre étage. Chaque fois qu'elle en a l'occasion, elle fourre son nez là où on ne l'attendait pas. De temps en temps son esprit possède la Ouikha. En ne laissant que ses initiales, K.S. Ou bien elle signe : K. Smith.

Les assassins vivent toujours derrière ses grilles. Ils se croient dans un vrai penthouse, alors ils nous ignorent, nous les rustauds des combles. Ils voudraient même construire un mur pour ne plus nous voir. Ce qu'ils ignorent, c'est que nous avons notre Ouikha, nous. Et qu'elle est efficace. Je ne sais pas comment mais c'est un fait. Et K.S. revient à la charge toutes les nuits. Si on l'interroge sur ses meurtriers, elle répond volontiers. Elle n'arrête pas, même. Mais dès que je lui pose des questions sur sa vie, elle se tait et se dissipe dans les airs. Elle garde le dernier mot, cette fille de Satan. La vieille salope.

Noël 94

Dimanche 25 décembre, tôt le matin, Angelito est monté aux combles. Il avait la soixantaine et il habitait au quatrième étage de l'immeuble, lui. Avec beaucoup d'amabilité et de discrétion, il a demandé la permission de regarder les réservoirs à eau. C'est seulement après que j'ai compris que j'avais pris pour de la discrétion ce qui était du désespoir. Il m'a expliqué que l'eau ne coulait plus à son robinet depuis des jours. Je l'ai laissé passer par chez moi pour aller voir les citernes sur le toit. Sans perdre un instant, il s'est jeté dans le vide. Quarante mètres en chute libre.

Les premiers à s'approcher du cadavre écrabouillé sur le macadam ont été deux chiens des rues. Ils ont dévoré une bonne partie du cerveau sanguinolent, encore bien chaud. Le sort leur avait offert un excellent petit déjeuner.

Les vieux et les adultes ont pris l'événement au sérieux. Avec préoccupation, même : c'était le cinquième mort dans le quartier en quelques jours. Lily, l'épicière, m'a dit : « A cette époque de l'année, les bonnes gens ne voyagent pas, ils ne traitent pas d'affaires, ils évitent les fêtes et le scandale. Les croyants savent que l'année prend et que l'année donne. » Les jeunes, eux, sont restés indifférents. Pour eux, la mort n'existe pas : c'est quelque chose de trop lointain.

Ça faisait des années qu'Angelito ne dessaoulait pas. La famille s'était dispersée. La fille avait cavalé les touristes jusqu'au moment où elle avait réussi à se marier.

Elle était partie vivre dans un village de Segovia, en épouse obéissante. Le fils s'était embarqué dans un canot pour Miami ; sa femme, en se retrouvant sans mari et avec un gosse presque adolescent, avait connu une seconde jeunesse, telle la veuve joyeuse : elle était devenue chanteuse et danseuse dans un groupe de salsa et puis, coup de chance, elle s'était retrouvée animatrice d'un programme de radio à Mexico, « Lady Salsa ». Angelito était resté avec sa vieille, à se disputer et à hurler toute la journée, et avec son petit-fils, l'enfant de Lady Salsa et de l'émigré. Puis la femme était morte d'un infarctus et il n'y avait plus qu'Angelito et le fiston, Eduardo, un bon ami à moi.

Personne ne se rappelait que c'était le jour de Noël. Les jeunes avaient tout oublié de ça. Ils écoutaient vaguement les vieux évoquer des trucs comme la Nativité, la nuit sainte... C'était un beau dimanche, froid, avec un soleil vif et la mer en furie, l'écume blanche éclatant sur le Malecón sous le bleu profond du ciel. Des lambeaux de nuages glissaient rapidement dans le vent glacé qui soufflait du nord. Mais même ce spectacle paradisiaque n'avait pas réussi à dissuader le vieux : il s'était jeté dans le vide, point.

Eduardo est parti avec la police faire sa déposition. Revenu vers midi, il est monté me voir. J'avais une bonne réserve d'alcool cachée chez moi. Et lui était tout joyeux.

— On va faire des affaires fantastiques ce soir, mon ami !

— Comment ? Tu n'es pas pris par cette histoire avec ton grand-père ?

— Oh, non ! C'est fini, ça. Ils m'ont dit que la médecine légale allait prendre contact avec moi plus tard, pour je ne sais quoi. Bon, tu as toujours la gnôle ?

— Oui. J'ai vendu quelques bouteilles, mais pas beaucoup.

— Ecoute, je me suis dégotté deux cents Meprobamatos. Cette nuit, il y a un groupe de freaks qui se retrouvent au cimetière de Colón pour une fiesta. Avec dix de tes boutanches, on est parés.

— Mon salaud ! Et comment on négocie ça ?

— Un dol' la bouteille, un dol' le paquet de vingt cachetons.

— Ça me va, mon ami.

— Hé, Pedro Juan, tu me fais pas faux bond, hein ? Vers les onze heures je passe te prendre et on fonce là-bas.

— Tu y es déjà allé ?

— Laisse tomber ça. J'ai le contact pour entrer. C'est du tout cuit.

Et en effet les affaires ont été bonnes. Nous sommes entrés dans le cimetière par-derrière. Vu qu'il y avait une panne de courant, il faisait noir comme dans un four. Les freaks s'étaient donné rendez-vous dans un grand caveau en pierre, bronze et verre. Tout abandonné, plein de détritus, les vitraux cassés. Sur le portique en marbre noir, une inscription en lettres d'acier : Famille Gómez-Mesa. Au milieu du caveau, une stèle en marbre rose avec un gisant délicatement sculpté dessus.

Il y en avait qui s'étaient assis là, sur la sculpture. Ils avaient allumé des bougies et se repassaient sans arrêt une tête de mort qu'ils embrassaient dévotement. Ils fumaient des joints, avalaient des cachets. Un des types égrenait un rock alangui sur une guitare. Heureusement, ils m'ont acheté l'alcool sans tarder. Dans un coin, un fossoyeur noir, celui qui les aidait à entrer et leur assurait protection, était en train d'enculer un freak. Comme je n'avais pas envie de me retrouver dans la merde si les flics débarquaient, j'ai interrompu le nègre. Je lui ai donné un dollar et je suis resté avec neuf. L'ambiance était en train de se réchauffer, Eduardo ne voulait pas s'en aller : il était déjà pété et il bandait dur en matant la grosse pine noire qui s'enfonçait dans le cul du freak. Je les ai envoyés chier et je suis parti. La vérité, c'est que j'avais la trouille

L'Art avec un grand A

J'ai mis la cafetière sur le feu et je suis allé à la fenêtre. Le jour se levait. De mon perchoir, c'est un beau spectacle, le soleil en train de sortir de la mer. Contempler l'éternité, voilà un bon moyen de ne pas trop sentir la puanteur du sordide. Encore que j'y sois presque habitué, au sordide. En plus de la mer, des nuages et de tout cet infini, on aperçoit aussi les terrasses des autres immeubles, parce que j'occupe le point le plus élevé du quartier. Et là, je me suis frotté les yeux mais non, c'était vrai : à quatre-vingts mètres de moi, sur un autre toit, deux filles étaient en train de baiser un type assis sur une caisse de bière. Fallait voir comment elles se démenaient ! L'une d'elles, assise sur le bonhomme, avait une belle chevelure noire qui s'agitait en tous sens, des seins généreux, parfaits, un corps blanc superbe. A cheval sur le type, elle montait et descendait en jouissant comme une folle. La seconde, mince, bien tournée, apportait une stimulation auxiliaire aux deux autres : elle les mordait à l'épaule et au cou, glissait sa langue entre leurs lèvres réunies et faisait quelque chose aux fesses de la fille avec sa main. Puis elle s'est étendue sur le dos, en ouvrant bien les jambes, et s'est mise à se branler en leur exposant sa motte poilue, noire. Oooh... Et moi en train de mater de loin !

J'ai pris des précautions pour qu'ils ne me remarquent pas. Je caressais ma pine raide comme la justice. Je les entendais presque. A l'intérieur, Luisa s'était réveillée. Je l'ai appelée pour qu'elle prenne son pied avec moi.

Mais non : « Ça m'intéresse pas, ces trucs-là ! » Elle est quand même sortie pour se laver les dents à l'évier. Comme j'insistais, elle a fini par regarder un peu mais c'était vrai, ça ne l'excitait pas. Quelle bizarrerie, alors ! C'est une folle du cul, Luisa, et pendant qu'on nique elle me raconte ce qu'elle a fait au lit avec tous les autres. Des histoires interminables. En plus, on est ensemble depuis quatre mois mais son répertoire paraît inépuisable. Dès que je suis entré en elle et qu'on est bien collés l'un à l'autre par nos jus respectifs, elle démarre un de ses récits : « Ah, ce que j'aime la pine, papito, ce que je suis pute ! Une fois, j'ai... » Et ils sont toujours meilleurs. Elle donne les moindres détails, elle s'en délecte. C'est superbien, beaucoup mieux que le téléphone rose puisque c'est gratuit et en direct. Moi, je déteste l'électronique. Et le téléphone rose, qu'est-ce que c'est d'autre ?

Toujours assis, le type se branlait, maintenant, tandis que les filles, debout devant lui, ouvraient leur sexe avec leurs doigts et se masturbaient. Ils ont continué comme ça un moment, puis ils se sont rhabillés, ils ont allumé des cigarettes et ils se sont mis à bavarder tranquillement, installés sur des caisses de bière. Le mec avait tous les attributs du baroudeur européen, jusqu'au sac à dos vert olive : l'aventurier qui explore la forêt tropicale et qui prête une oreille attentive aux putes locales pour enrichir son expérience. Et donc il les écoutait en souriant pendant qu'elles parlaient en gesticulant et en souriant. Elles lui faisaient des amabilités pour lui soutirer plus de fric, quoique les putes soient très bon marché, ici. Ah, les tropiques, leur luxuriance, leur sensualité ! Les tropiques à portée de toutes les bourses... Bon, ils avaient terminé juste à temps parce que tout autour des types étaient apparus sur les autres terrasses. Ils regardaient les citernes, pour voir si l'eau arrivait ou s'ils allaient encore rester à sec plusieurs jours.

J'ai versé le café. La vieille d'en bas m'a crié : « Pedro Juan, téléphone ! » Elle est ravie que je sois là-haut dans mes combles parce qu'elle me prend un peso pour chaque appel que je reçois. C'était Carmita. A sept heures du matin, elle vient m'emmerder ! Elle veut que je passe chez elle. Un petit bizness matinal, con !

Luisa est partie à son travail, à la poste. Elle gagne une misère. Cinquante fois, je lui ai dit de laisser tomber : il lui suffit de vendre n'importe quoi pour se faire son salaire multiplié par trois. Comme il n'y a rien, dans cette ville — ou si, il y a de tout, mais dans les shoppings en dollars, et à des prix de Tokyo —, on vend deux stylos, trois briquets, cinq enveloppes, la moindre bricole qu'on se trouve et ça y est, on est paré. Et au diable les horaires, les chefs, le flicage ! Avec un peu de jugeote, on peut se faire plein de thunes. Il faut savoir profiter de la crise : en eaux troubles, la pêche est toujours meilleure. Dommage que je ne sois pas accointé aux petits malins d'en haut, ceux qui se partagent le gros du gâteau. Mais enfin, quand le requin saute, il éclabousse. C'est toujours pareil.

J'ai pris encore une tasse de café, j'ai allumé un cigarillo et je suis descendu. A huit heures, le boulevard San Rafael était déjà en ébullition. Les flics harcelaient les vendeurs ambulants mais malgré leur présence les magouilleurs passaient à côté de toi en te proposant leur camelote à l'oreille : « pizzas », « hamburgers et boissons fraîches », « dollars à cinquante, allez, il m'en reste que deux », « coquitos-ganja, coquitos-ganja »... Et ainsi de suite. De tout. La vente à la criée, ça ne s'entendait plus depuis trente-cinq ans, à Cuba. Et là, ils recommencent, mais à voix basse, furtivement. Des fois, l'article est fait de manière si discrète et si rapide qu'on ne comprend rien. De temps à autre, un policier « saisit » un sac plein de pizzas ou de hamburgers et en profite pour dépouiller le gars de tout son argent. Et ils ne bronchent pas, les vendeurs à la sauvette, parce que autrement c'est le cyle infernal, les amendes, le tribunal, le casier judiciaire. Personne ne ressemble autant à un délinquant qu'un flic. Les extrêmes se rejoignent.

La crise que traverse le pays est terrible, elle envahit jusqu'au plus petit recoin de l'âme. La famine, la misère, c'est comme l'iceberg : la partie la plus importante ne se voit pas au premier coup d'œil. Mais « il faut avancer posément, camarades, sans perdre le contrôle. Peu à peu, nous allons trouver notre place dans ce monde complexe et dans l'économie de marché, mais sans abandonner nos principes, etc. ». Ah, putain, les années quatre-vingt-dix ! Inoubliables ! Enfin, moi je remontais la pente, à ce moment. Je guérissais de tout. Et j'étais gorgé de sexe. Avec Luisa, je balançais ma purée deux ou trois fois par jour et ça, c'est excellent pour le moral. Tu décharges ton sperme au fur et à mesure que tu le fabriques. Comme ça, les réservoirs restent vides et plein de choses se règlent d'elles-mêmes, sans avoir à s'en préoccuper. Je le dis toujours, moi : un homme sans femme, c'est le désastre total.

Je me suis arrêté pour regarder des arbres de Noël. Des sapins verts, tout petits. Ça ne se voyait plus en vente dans la rue depuis des années et des années, depuis que la Nativité, les Rois mages et tout ça ont été abolis par décret. Beaucoup de gens étaient en contemplation devant ces arbres. La plupart n'en avaient encore jamais vu dans leur chienne de vie. J'ai entendu un Noir derrière moi : « Tu me laisses te suçoter le tété juste, hé, mamita ? » Et la Noire à côté de lui : « Oh, écoute, non, animal, t'approche donc pas ! » Le type : « Rien qu'un petit suçon, mamita. Allez, fais pas de tapage, que tout le monde nous observe. » Et ils ont continué comme ça, à plaisanter. La fille était très belle, le gars bien baraqué. Ils étaient de bonne humeur.

J'aime bien ce boulevard. Tous les petits bizness sont là, toutes mes relations d'affaires aussi et des fois une occasion se présente. Il fallait que je me dépêche d'arriver chez Carmita. Et juste là est apparu Panchito. Ah, bordel ! Panchito et ses conneries habituelles. J'ai essayé de m'esquiver. Impossible.

— Hé, Pedro Juan !

— J'suis à la bourre, mon ami. On se voit plus tard.

— Non, attends un moment !

— Mais on m'attend, con...

— Ah, fais pas ton salaud, Pedro Juan. Ecoute un peu. Dis, tu connais quelqu'un qui vend des pneus de vélo ?

— Non. Je suis pas dans cette branche, moi.

— Et moi, j'suis dans le caca. Sans vélo, je peux pas continuer. Les bus pour Mantilla c'est l'horreur, mon vieux.

— Bon, faut que je file, Panchito.

— D'accord, mon frère. On se reparle.

Il faut savoir l'arrêter, Panchito. Autrement il commence avec n'importe quelle baliverne et on en a jusqu'au lendemain matin.

Je suis enfin arrivé au coin de Zanja et Dragones. Carmita habite une sorte de couloir juste au-dessus du journal *Chung Wa*, à l'entrée du quartier chinois. Elle a un peu arrangé ce trou à rats et s'est mise dedans avec le papa invalide, sur sa chaise roulante. Il fait sombre, étouffant, le plafond est très bas et c'est plein de poussière. Beurk, vivre dans un cachot pareil, il y a de quoi gerber. Mais moi ça m'est égal. Je ne lui ai jamais demandé ce qu'était devenue sa maison de famille, dans notre cité natale. Un petit palais du début du siècle, avec des jardins tout autour. Mieux vaut ne pas poser de questions. Maintenant, elle m'appelle dès qu'elle a un petit boulot intéressant. Ce jour-là, il s'agissait d'attendre jusqu'à ce que je reçoive le signal, et ensuite aller quelque part récupérer deux tableaux, un de Lam, l'autre de Portocarrero. Il y avait aussi un petit Picasso mais celui-là devait rester planqué plus longtemps parce que toute La Havane ne parlait que du vol survenu dans la résidence d'un mec friqué à Miramar. Ça a été un coup facile : tu vois cette croûte, abracadabra, elle a disparu, tu piges comme c'est simple ?

Rien que pour changer d'endroit le Lam et le Portocarrero, c'est cent dol's qui me reviennent. Alors je patiente, *no problem* !

On a passé la journée à boire du rhum et à manger des patates frites. Installés près de la paroi en verre au fond de sa maison-couloir. C'est Carmita qui a eu cette idée pour ne pas bloquer le peu de lumière qu'il y a. Impressionnant, ce grand mur de bois et de verre taillé avec derrière un fouillis de livres, de meubles anciens, de porcelaines, de bronzes, de jades, d'ivoire. On se croirait dans un musée. Il y a une fortune, là-dedans.

Ça avait pourtant quelque chose de triste, d'accablant. Je ne savais pas quoi mais je le sentais. Et donc toute la journée j'ai été abattu, morose, au bord des larmes, presque. Je me suis dit que c'était à cause du rhum, sauf qu'au contraire il me donne envie de rire et de déconner, d'habitude. Bref, je ne comprenais pas ce qui m'arrivait et Carmita s'en est rendu compte.

— Qu'est-ce que tu as ? Pourquoi tu es tout silencieux ?

— Je ne sais pas. Je suis un peu tristoune, oui.

— Tu as des problèmes ?

— Des problèmes, j'en ai toujours. Je suis habitué, depuis le temps.

— Tu sais que j'en suis presque à croire un truc ?

— Quoi ?

— Ces vitres, elles viennent de caveaux.

— Carmita, quand même ! Tu les as prises au cimetière ?

— Je crois en Dieu, je respecte les saints. La santería, c'est une chose démoniaque.

— Mais c'est mal, Carmen, c'est très mal. Pourquoi tu t'en es servie ?

— Parce qu'il n'y a plus de verre, dans cette ville ! Tu le sais bien. A n'importe quel prix, on n'en trouve pas. Celles-là, c'est un type des pompes funèbres de Colón qui me les a vendues. Et elles vont bien ici. Mais plein de gens qui s'assoient là, ils réagissent comme toi. Il y en a même qui se mettent à pleurer.

— Tu es complètement folle, merde ! Ça ne se fait pas. Ils sont là, ces morts ! Je les sens. Et c'est pour ça que tu n'avances pas dans la vie. Il faut les enlever de là, exorciser cette piaule !

— Je ne vais rien enlever, ni rien exorciser ! J'y crois pas, à ces rites à la con ! Et tu m'excuseras, toi et tes colliers et ton bracelet d'orisha et ton foulard rouge, mais c'est des rites à la con !

— Ne blasphème pas. Surtout toi.

La femme de Carmita est arrivée sur ces entrefaites. Elles vivaient ensemble depuis des années. Carmita et moi, on a grandi ensemble. On était du même quartier, dans la même école. Elle m'a toujours plu. Elle était belle, douce. Après, je n'ai plus entendu parler d'elle, puis j'ai quitté notre ville natale et un jour on est tombés l'un sur l'autre à La Havane. Elle était architecte, et gouine à cent pour cent, déjà. Un peu amaigrie, le visage creusé, avec une sorte de mélancolie dans les yeux. Ensuite elle a abandonné l'architecture et elle s'est lancée dans le trafic de l'art et des antiquités. Elle connaissait son affaire, c'est sûr. Notamment le prix de chaque pièce et le fric que pourraient en tirer les fils de pute diplomates qui achetaient tout ça quand ils les revendraient en Europe. C'est le pied, la diplomatie : on a l'immunité et on a la valise, que personne ne peut toucher. Ce qui revient à se dire : je fais ce qui me plaît, point. Pas de prison, pas de flics, pas de procureurs. Rien. On est Superman.

Carmita et sa copine sont allées dans leur chambre et moi j'ai continué à boire du rhum au milieu de cette galerie bourrée de machins poussiéreux, plus triste qu'un pingouin dans un carnaval. Et puis elles m'ont appelé. Il était dix heures du soir, veille de la fête de saint Lazare. Carmita avait préparé un petit autel décoré de fleurs pour le saint. Elle a voulu que j'allume un cierge. Elle a amené son père dans la chaise roulante, aussi. Nous avons passé un moment devant l'autel. Chacun à prier pour dédier sa chandelle à saint Lazare, j'imagine. Quand on est ressortis, le musée de Carmita était en flammes. Tout brûlait, livres, meubles, plafond en bois. Un incendie dévastateur.

— Carmita, sur la tête de ta mère, je t'avais prévenue !

— Arrête de dire des conneries, Pedro Juan ! Aidemoi à sortir ces tableaux !

A nous trois, on a sauvé quelques toiles d'Amelia Peláez, de Romañach et de Ponce qui étaient cachées derrière les bibliothèques. Elle a pu aussi retirer un objet en ivoire. C'était la fournaise, des morceaux de toit s'effondraient. Je me suis brûlé, rien de grave, et on a dévalé les escaliers. La police était déjà en bas. Pas de trace des pompiers, par contre. Nous sommes restés comme des statues sur le trottoir, à regarder le feu ravager tout l'étage, se propageant à vive allure. J'étais hypnotisé par un bombage sur le mur en face de moi : « Lilliam, je m'en fiche qu'on sache : tu es découverte ! Erick » Les lettres bleues se coloraient de rouge et d'orange sous les flammes, puis retournaient à l'obscurité. C'est seulement quand un policier nous a poussés en arrière avec de grands cris que je me suis réveillé. Un autre s'est approché de nous :

— Il ne reste personne, là-dedans ? Il y a des victimes ?

A ce moment, nous nous sommes souvenus du père de Carmita. Avec un hurlement, elle a jeté les tableaux et la pièce d'ivoire par terre et elle est partie en courant dans la fournaise, en criant : « Papa ! Papa ! » Elle n'est jamais revenue.

Les pompiers se sont finalement pointés. Ils ont éteint l'incendie. Les Chinois du journal bondissaient dans tous les sens en piaillant que leur imprimerie allait être fichue. Il y avait toute une foule de badauds. La copine de Carmita pleurait, effondrée sur le trottoir. Un flic s'est emparé des tableaux et du bibelot. Il n'avait pas la moindre idée de ce que pouvaient être ces saletés mais un autre risquait à tout moment de le devancer, qui saurait, lui. Mieux valait s'esquiver : dans la confusion, je me suis glissé à travers le cordon de policiers sans que personne ne m'arrête. Je suis parti vers le Prado. Il était presque minuit. Le jour de la Saint-Lazare. Je me suis assis sur un banc et j'ai prié. Je lui ai demandé de me venir en aide et quelque chose a résonné dans ma tête, quelque chose qui répétait : « Je t'aide, mon pèlerin, je t'aide, mon pèlerin... »

Des fois, presque toujours, il est bon de se laisser guider par l'intuition, sans réfléchir. Les idées préconçues fichent un sacré bordel dans la vie. Et donc je me suis levé sans penser à rien et j'ai marché en direction de Casablanca. Il y avait un train pour Matanzas à quatre heures du matin. J'ai pris les ruelles les plus sombres pour arriver aux quais : je n'avais pas envie de tomber sur un flic qui me demande mes papiers. Je suis resté un long moment dissimulé sous un porche. La vedette est arrivée, j'ai traversé la baie. A Casablanca, j'ai acheté mon billet et je suis monté dans mon train. Une locomotive électrique Hersey, modèle antédiluvien, qui avait bien cinquante ans dans les pattes, plus trois wagons de marchandises reconvertis à la va-vite : des trous dans les parois en guise de fenêtres, soixante sièges en plastique riquiqui et durs comme du fer, une ampoule moribonde au plafond. Autour de cette faible lumière, des araignées bien nourries s'affairaient à tisser leur toile et à capturer des dizaines de minuscules papillons de nuit qui volaient en cercles affolés, aveugles. Elles avaient plus que de quoi bouffer mais c'était peut-être un peu lassant, comme menu. Sans doute rêvaient-elles de s'envoyer une mouche, de temps à autre...

Le train est parti à quatre heures sonnantes. Quelle merveille ! Ça existait donc encore, la ponctualité ! Il était presque vide. Parmi les passagers les plus notables, un petit pédé très jeune et très pute, accompagné de trois autres, qui avaient tous l'air de freaks ou d'évadés de l'hospice du sida ; un grand Noir tout sale qui, avec son pantalon en toile de sac, devait être en train d'accomplir un vœu à saint Lazare ; une grosse mémé à moitié cinglée qui a essayé d'engager la conversation avec moi à deux ou trois reprises et qui m'a posé la main sur la cuisse jusqu'à ce que je change de place en lui disant d'aller branler le con de sa mère... Il y avait un couple, aussi. Elle, une Blanche d'une quinzaine d'années, cheveux teints en blond, miteuse, malpropre, qui allumait une cigarette après l'autre. De la main gauche, elle serrait un foulard autour de son cou. Au début, je me suis dit qu'elle avait été opérée mais non, en regardant mieux j'ai vu que sa peau était couverte de suçons et de morsures. L'orang-outang noir qui était avec elle, un type énorme, la serrait dans ses bras et n'en pouvait plus de l'admirer, de la renifler, de la lécher. Elle, très contente. Parfois, elle enlevait le foulard, lui montrait son cou violacé et lui disait tout haut, pour que personne n'ignore la passion sauvage qu'elle était capable d'éveiller : « Tu as vu, tu as vu ce que tu m'as fait ? Recommence pas, hein ? »

C'était impossible de dormir, sur ces sièges. J'ai ramassé une feuille de magazine qui traînait par terre. Les chasseurs de fossiles de l'île de Wight dérobent une empreinte de dinosaure vieille de cent vingt millions d'années. Ils ont dû faire la traversée, couper la pierre avec des scies spéciales et se coltiner une masse de deux cents kilos pour la vendre quatre cents dollars. Je n'arrive pas à croire qu'on puisse se donner tant de mal et prendre tant de risques pour si peu d'argent. Les gens s'ennuient, voilà tout. Ils voient un film sur les dinosaures qui les impressionne et ils foncent, tels des gosses. Ils veulent tous avoir une empreinte de panard gigantesque dans leur jardin. Eh bien moi, je me débrouillais mieux avec les tableaux et les antiquités, franchement. Quel dommage que tout soit fichu, maintenant.

Le train avançait lentement dans la nuit. Il ne pouvait pas dépasser les vingt ou vingt-cinq kilomètres à l'heure, autrement les wagons auraient déraillé. Mais on est arrivés ponctuellement à Matanzas, c'est-à-dire à huit heures dix. J'étais à nouveau dans ma ville natale, avec toute la charge de merdier et de bonheur que ce satané patelin a pour moi. Trop de gens me connaissaient encore, ici. Et à cette heure-là ils étaient déjà tous dehors, à courir, à fouiner, à se chercher les pesos. Il fallait que je passe inaperçu. « Je t'aide, mon pèlerin, je t'aide... » Mais rien ne se passait. *No problem*. J'ai quitté la gare, j'ai marché. J'ai regardé de loin l'endroit où j'avais vécu pendant vingt-cinq ans. J'étais heureux, alors, sauf que je ne l'ai jamais su. On n'a conscience de sa chance que quand elle vous quitte.

J'avais une cousine, à Matanzas. Je me suis débrouillé pour arriver chez elle sans croiser de vieux amis, ou pire encore de vieux ennemis. Et sans savoir quoi dire, non plus. Une brave cousine, mariée à un type très bosseur, très rugueux, qui lui polissait la vie avec son cœur doublé en toile émeri.

Elle m'a offert un café, m'a chauffé un peu de riz aux fayots. Après manger, j'ai fait une longue sieste. J'étais reposé et j'étais en train de me dire que je devais reprendre ma route quand son mari est arrivé. Il avait une petite exploitation agricole dans les collines, assez loin de la ville. Un type costaud, la soixantaine. On a bu du rhum, mauvais comme tout, qui puait le kérosène, mais qu'il vantait plus que s'il s'était agi d'un cognac de prix. Brusquement, sans réfléchir, j'ai dit que j'étais très nerveux, sous traitement psychiatrique et sans travail. Que j'avais besoin de m'éloigner un moment de La Havane pour me retrouver un peu.

— Là-haut, sur mon toit, je ne pense qu'à me jeter par la fenêtre et à finir quarante mètres plus bas.

— Ah, Pedrito, ne dis pas des choses pareilles ! Que Dieu te pardonne ! s'est écriée ma cousine.

— Je suis fatigué de toute cette misère, de toute cette faim et de toute cette cohue autour de moi. Tout le monde essaie de te baiser, de te soutirer un peu de fric par tous les moyens. C'est comme ça, la mouise. La merde appelle la merde.

Alors, le bonhomme me regarde :

— Reste donc ici, avec nous, repose-toi un brin. Et tiens, si tu veux n'avoir affaire avec personne et oublier les gens, tu t'installes dans la hutte, là-haut. Comme ça tu me donnes un coup de main, au passage. Tu sais travailler la terre ?

— Je me débrouille dans n'importe quoi. Qu'est-ce que tu fais, là-bas ?

— Le manioc, le maïs, le haricot, la patate, la citrouille, la cacahuète. Un peu de tout. Grâce à ça, on n'est pas morts de faim. C'est un endroit guère accessible et la terre est bien reposée. Il n'y avait que des arums et du pourpier. Tout ce que tu sèmes, ça vient bien.

— OK. Je suis partant.

Le lendemain, je me réveille à cinq heures du matin et on y va. On arrive au lever du soleil. C'est le paradis. Ça faisait des années que je n'avais pas marché dans les collines, au milieu de la brume et du silence de l'aurore, avec les silhouettes brouillées des vaches en train de paître l'herbe emperlée de rosée. Et puis tous ces arbres, tout ce vert un peu gris... On parvient à la hutte en guano. Il y a même un puits. Je reste là. J'envoie par le bonhomme un message à ma cousine : « Je vais me soigner les nerfs là-haut. Si on demande après moi, tu ne ne sais rien. »

Et me voilà. Tel un esclave enfui dans la montagne. Ma cousine dit que j'ai toujours été fou : « Il n'y a qu'à le laisser, il finira par se lasser de rester tout seul. » Mais non. C'est très bien, de vivre par soi-même dans tout ce vert et ce bleu. Sans rien à redouter ni à attendre. La terre, le ciel, les plantes. C'est beau. En plus, s'ils m'attrapent, à La Havane, ils m'arrachent les couilles.

Rien à faire

Quand on dit d'un homme que c'est un tigre, cela ne signifie pas qu'il a des griffes et un pelage de tigre.

Sri Ramakrishna

Comme les rêves, les villes sont bâties de désirs et de peurs, bien que leur logique soit secrète, leurs règles absurdes, leurs perspectives trompeuses et que chaque chose en cache une autre.

Italo Calvino, *Les Villes invisibles*

Rien à faire

Vers midi, je suis allé rendre visite à ma tante dans la Vieille Ville. Elle a un cancer de l'intestin. Les médecins l'ont condamnée. Ils ne la veulent plus à l'hôpital parce qu'ils ne savent pas quoi faire d'elle. Ce sont de grands diplomates, les toubibs : ils n'assument jamais leur ignorance ni leurs erreurs. Enfin, leurs erreurs, ils les enterrent, plutôt. Et l'ignorance, ça peut toujours se cacher. A moi, ils m'ont dit : « Votre tante est en phase terminale. Il faut la reprendre à la maison. Il lui reste deux semaines à vivre, au maximum. » Mais voilà deux ans qu'elle agonise en râlant de douleur, en se vidant de son sang, terrorisée par la mort. C'est une salope, une mesquine, et ce depuis toujours, mais je ne crois pas que Dieu devrait punir quiconque de cette manière. Quoique, bon, il n'y a pas trop moyen de discuter, avec Dieu.

C'est une voisine qui s'occupe d'elle. Je lui refile quelques pesos et elle se débrouille pour l'aider, plus ou moins. De la voir rugir de souffrance, maigre comme un squelette, ça ne me produit plus d'effet. On s'habitue à tout.

Je suis parti à pied, sans hâte. Le samedi, il y a très peu de bus à La Havane. Pratiquement aucun. Mieux vaut ne pas s'en soucier. Que la tata soit en train de crever, qu'il n'y ait presque rien à bouffer, que les bus ne circulent pas, que je n'aie pas de boulot : pas grave. Dans le journal d'aujourd'hui, en première page, une interview d'un ministre important et satisfait. Tout souriant et grassouillet sur la photo. « Cuba n'est ni un paradis, ni un enfer », qu'il dit. Moi, je lui aurais demandé : « C'est quoi, alors ? Le purgatoire ? » Mais non, le journaliste s'est contenté d'adopter un air entendu et de reprendre la phrase en gros titre.

J'étais détendu. Beaucoup de baise, l'esprit tranquille. Pas d'angoisse. Enfin, il y en a toujours, des angoisses, mais j'avais réussi à les éloigner un peu. A les renvoyer à une certaine distance dans le futur. C'est une bonne façon de les rendre moins distinctes et de ne plus les écouter. J'avais une femme chez moi, j'avais repris quelques kilos. J'existais. Sans rien à faire. Survivre, je crois qu'on appelle ça. On se laisse glisser sans plus attendre quoi que ce soit. Aussi facile que ça.

Devant le Musée national, deux touristes marchaient lentement. Très gros, très grands, très laids, très blancs, très rouges, ridés, perdus, abrutis. Exactement ça. Le vieux avait une canne et une énorme valise qui avait l'air de peser. Qu'est-ce qu'il trimbalait là-dedans, en se promenant dans le calme solitaire d'un samedi après-midi, aucune idée. La femme tout aussi horripilante. Ils étaient vêtus comme s'ils se baladaient au bord d'un fjord glacé en automne. Mais ils ne semblaient pas se rendre compte de la sueur qui leur dégoulinait dessus et ils regardaient partout, un guide touristique à la main, captivés par le bateau historique et les avions historiques sous les arbres historiques du Musée. Complètement largués. Le type m'a jeté un coup d'œil. Il avait la bouche toute rentrée en dedans, comme s'il avait reçu un bon coup de poing. Il me dévisageait. Sautant sur l'occasion, j'ai sorti mes superbes pièces de trois pesos à l'effigie du Che, bien astiquées.

— *Good afternoon. How are you ? Do you like a coin ? Is a commemorative with Che Guevara image. Only one dollar every one.*

— *No, shit, youggrrrhttchchssyyye, out, out !*

Je n'ai pas compris son gargouillis mais il a levé sa canne en faisant mine de me frapper. Des aigris pareils, ça ne devrait pas sortir de chez soi. Ça a le foie pourri et la bouche qui pue la charogne, c'est clair.

— Va fourrer le con de ta mère, vieux pédé !

Lui non plus n'a rien pigé. Au moins, il m'avait procuré le plaisir de lui répondre. Non, mais quelle engeance !

Heureusement, tout n'est pas que de la merde. En continuant sur Trocadero en direction de chez moi, au niveau du numéro 162 à peu près, j'ai aperçu un jeune couple avec une petite fille, eux aussi en promenade. La femme était une métisse incroyablement jolie, tout en blanc, avec un cul bien ferme, bien dessiné et bien placé. Ça vous bouleverse le paysage, une beauté pareille. Pas seulement à cause de ses fesses : pour tout ce qu'elle était. Chaude, sensuelle, la robe ajustée soulignant la couleur cannelle de sa peau. Elles ont un rythme dans leur démarche, ces métisses... Conscientes de leur pouvoir, elles ont une allure prodigieuse. Elles avancent dans la vie sans que rien ne résiste à leur passage. A côté d'elle, son mari, un petit Noir vêtu avec soin, et entre les deux la fillette, d'environ trois ans. C'est pour cette raison qu'ils ont tant de mal à vivre ailleurs qu'ici, les Cubains. Parce que malgré la faim, malgré la misère toujours plus affreuse, les gens sont... différents. Comme cette métisse, par exemple. Elle devait avoir dans les vingt-deux, vingt-trois ans, mais à quarante ou quarante-cinq ans elle sera toujours aussi belle. Et toi, tu sais qu'elle est là, que tu peux l'aimer un temps et être heureux avec elle. Tant que ça dure, évidemment.

Avant de remonter chez moi, je suis passé par le magasin à l'angle de Manrique et Laguna. Ils avaient du rhum. Je me suis mis dans la file pour acheter mon litre mensuel. Dans ma poche, j'avais mon carnet de ravitaillement : une vaste plaisanterie au stade où nous en étions, en 1995. Ça n'avançait pas, donc j'ai eu le temps d'aller à mon immeuble, d'acheter une bouteille vide à une des vieilles décaties du rez-de-chaussée et de reprendre ma place. Chachareo était là, en train de chan-

ter et de déconner, comme toujours. Un vioque loque-
teux, misérable. Il s'arrangeait pour qu'on lui donne du
rhum, dans une canette de bière qu'il tendait à tous et
qui ne désemplissait pas. Il poussait la chansonnette,
racontait des histoires. Les gens qui faisaient la queue
l'ignoraient mais il revenait à la charge avec son toupet
d'ivrogne. Il cherchait les yeux de quelqu'un, lui faisait
ses pitreries et quémandait un peu d'alcool dès que
l'autre avait reçu sa ration. Et ainsi de suite. Il lui suffisait d'un centimètre de rhum par demi-heure pour entretenir sa murge permanente.

Là, il repère un petit jeune, moitié de métis, sans
doute originaire de la province orientale, et au moment
où il va lui faire son aubade imbibée, le type prend un
air méchant et lui crie :

— Tu me lâches, hé ! Et tu t'approches surtout pas,
parce que moi je te colle deux balles dans le bidon, saoulard de merde ! Avec moi on joue pas !

Il soulève sa chemise, lui montrant le revolver qu'il a
à la ceinture. Chachareo se sent provoqué :

— T'auras pas les couilles de le sortir, ce flingue !

Derrière moi, quelqu'un me souffle :

— C'est un flic, ce cochon-là. Et mauvais comme le
con de sa mère. Tu vas voir que ça va mal tourner.

Ledit flic serre les dents et regarde ailleurs, avec une
mine de dur à cuire. Chachareo s'accroche :

— T'es mort, là ! Tu crois qu'on peut menacer un
homme comme ça ? Tu sors ce flingue et tu es mort !
J'suis un couillu, moi !

Dans la queue, deux femmes l'appellent :

— Hé, Chachareo, continue de chanter. Viens un peu
par là et chante...

Le policier a la bouche cousue. Ses yeux lancent des
éclairs et le tonnerre mais il ne dégaine pas. Chachareo
s'éloigne vers le bout de la file d'attente, tandis que les
deux femmes le hèlent encore. Au milieu de la foule, un
zigue lance : « Police, ça glisse ! » On rit. L'intéressé
devient rouge comme une tomate.

Si on le piquait, le sang ne sortirait pas. Là-bas au fond, Chachareo balance une remarque à propos des provinciaux de l'Est qui viennent faire les gros bras dans la capitale, puis se lance dans une ritournelle où marie-jeanne rime avec La Havane.

Ce n'est pas plus mal. Le sang n'a pas coulé.

Finalement, c'est mon tour devant le tonneau. On me remplit ma bouteille, on coche la case dans mon carnet, je paie et je remonte sans tarder à mon repaire sur le toit. L'étage est désert. Le vieux d'à côté s'est tué, la vieille a pris en horreur leur piaule et sa solitude, elle est partie vivre chez une de ses filles. Luisa n'est pas là non plus, mais il y a plein de parfum dans l'air. Elle a dû se mettre la moitié du flacon, au moins. Plus ça sent fort, plus elle aime. C'est le scandale permanent, cette femme. Elle doit traîner sur le Malecón, maintenant qu'il fait presque nuit. Qu'elle se fasse un bon paquet de fric, au moins. Les vendredis et samedis soir, ça marche bien. Même si la compétition est de plus en plus forte.

Je me verse un verre de rhum et je vais m'asseoir sur la terrasse, peinard. Le pic du Morro est tout doré, la mer très calme. Un immense tanker quitte le port à vide. Trois marins sont occupés à remonter quelque chose à la proue. Les machines ronronnent doucement. Il est tellement gros, ce bateau, et il passe si près que je crois sentir vibrer son pont d'acier. Vert et rouge, il se dissout vite dans la brume du soir. Il y a un type tout seul, tout habillé en blanc, accoudé à la rambarde de la troisième passerelle. Il a les yeux braqués sur la belle cité qu'il laisse derrière lui, cuivrée par le couchant. Et moi je regarde le navire vert et rouge qui se perd dans l'ombre, et qui s'éloigne.

Virtuoses et frappadingues

J'aime me masturber en humant l'odeur de mes aisselles. Ces effluves de sueur, ça m'excite. Sexe sans
risque, mais corsé. Surtout quand je me retrouve seul la
nuit, bien échauffé, pendant que Luisa court après le fric
dans la rue. Encore que ce ne soit plus comme avant. A
quarante-cinq ans, j'ai la libido qui baisse, et mon stock
de sperme aussi : à peine une petite giclée par jour.
J'entre dans le fameux « âge critique » : moins de désir,
moins de semence, ralentissement des glandes. En tout
cas, les femmes continuent à papillonner autour de moi.
Je crois que j'ai plus d'âme, maintenant. Moi, plus
d'âme ? La bonne blague. Je ne vais quand même pas
dire que je suis plus près de Dieu ! Ça, c'est une jolie
tournure, bien pédante : « Oh, moi, voyez-vous, je suis
plus près de Dieu. » Non. Pas du tout. Il m'envoie des
signes, parfois. Et je continue à essayer. C'est tout.

Bon, je me casse. Se branler sans compagnie, c'est
comme de danser tout seul : d'abord tu es tout content,
c'est super, et puis soudain tu te rends compte que tu
fais l'imbécile. Qu'est-ce que je fabrique à poil devant
la glace, en train de m'astiquer le pompon ? Allez, je
m'habille et je me casse. J'enfile des habits sales, raides
de sueur. Aujourd'hui je suis répugnant, c'est dit. Je
dévale les escaliers et au cinquième étage je tombe sur
les idiots de l'immeuble en train de chialer. Ils sont
jeunes mais débiles, mongoliens, ou fous, ou retardés.
Un truc comme ça. Pas vraiment normaux. Limite. Ça
fait des années qu'ils sont ensemble. Ils puent à cent

mètres. Chient sur les paliers, pissent partout. Des fois, ils se baladent tout nus chez eux et se montrent à la porte. Ils scandalisent et ils en bavent. Là, elle est assise sur une marche, en train de pleurer toutes les larmes de son corps, avec des sanglots pas possibles, et elle dit au gus : « Je t'aime, je t'aime mais j'en peux plus. Je t'aime tellement mais comme ça je peux plus ! Je t'aime et je t'aime, aaaah, mon poulet, mais j'en peux plus, aaah ! » Lui, il allume une cigarette, se range sur le côté pour me laisser passer et répète : « Je sais que tu m'aimes, ma doudou, je sais que tu m'aimes, va... » Et il se met à sangloter, lui aussi.

Au moins, ils n'ont pas cagué dans l'escalier, aujourd'hui. Ce qu'il leur faudrait, c'est une brosse bien dure, un savon et une douche froide. Je sors dans la lumière de quatre heures et je m'immobilise. Bon, je vais où, maintenant ? Au gymnase faire un peu de boxe, ou là-bas, au coin de Paseo et de la 23e Rue ? La dernière fois, j'ai gagné vingt dollars à la roulette russe. C'est la bonne heure, fin d'après-midi. Certainement qu'il y aura quelqu'un. Allez, en avant pour la roulette russe.

J'aime bien marcher sans me presser mais je n'y arrive pas. Il faut toujours que j'aille comme un dératé. C'est grotesque : si je suis paumé, à quoi bon me dépêcher ? Justement pour ça, sans doute : je suis tellement largué que je n'arrête pas de courir. J'ai trop peur de m'arrêter une minute et de découvrir que je ne sais même pas où je suis, pas du tout.

J'entre au Las Vegas. Eternel, ce coin. Il sera toujours là, ce cabaret où elle chantait des boléros avec le piano plongé dans l'obscurité, les bouteilles de rhum, les glaçons... Tout. A jamais. Ça fait du bien, de savoir qu'il y a des choses qui ne changent pas. Je me requinque avec deux verres bien tassés. Autour de moi, c'est très silencieux, très frais, très sombre. Alors que dehors, toute cette chaleur et cette humidité. Et ce bruit. Mais dès qu'on met le pied ici tout s'inverse. En réalité, c'est un caveau où le temps est enseveli, arrêté pour toujours. Je m'assois un moment et hop, le cerveau se met à fonctionner.

L'esprit et la matière. Voilà, c'est le début et la fin de tout. Je m'envoie un verre de rhum et déjà ils sont là à s'affronter, violemment. L'esprit d'un côté, la matière de l'autre et moi au milieu, divisé, morcelé. J'essaie de comprendre un peu. C'est difficile. Impossible, quasiment. Et la peur... Depuis l'enfance, elle ne me quitte pas. Je me force à la combattre, maintenant. Je vais boxer dans un gymnase, je m'endurcis. Je boxe avec n'importe qui et je n'arrête pas de trembler, intérieurement. J'essaie de cogner fort, d'être agressif, mais non, la peur reste là et continue son travail. Alors je me dis, bah, t'inquiète, on a tous peur ! C'est elle qui se montre en premier, toujours. Il suffit d'arriver à l'oublier. Oublie-la ! Fais comme si elle n'existait pas et vis ta vie.

Je me tape encore deux rhums. Un délice. Enfin, ce que je ressens, je veux dire. La gnôle, pas trop : elle a le goût du gazole. Et puis je m'en vais à la roulette russe. Il me reste sept dollars et vingt-deux pesos. Pas mal. J'ai déjà été beaucoup plus bas et je m'en suis toujours sorti.

Il y a déjà du monde au carrefour de Paseo et de la 23e Rue. Formule Un est là aussi, avec son vélo. C'est le bon moment, presque cinq heures, ça circule sec, dans tous les sens. On se met d'accord. Je joue mes sept dollars à cinq contre un. Si je gagne, c'est trente-cinq pour moi. Chaque fois, je parie que le jeunot va s'en tirer. Mais il y a presque toujours un Noir très friqué, avec des chaînes en or partout, même aux chevilles, et ce grand abruti parie sans arrêt le contraire : « Je mise sur son sang présentement là, mon ami. Le sang et le sang, viens pas me demander rien de plus. » Quand on se retrouve ensemble à jouer, il accepte toujours la cote à cinq contre un. Total, je n'ai jamais décroché gros.

Si, il y a un mois, je suis arrivé à mon record : trentecinq dollars d'un seul coup. La chance, quoi. Delfina était avec moi. Quand j'ai récolté la mise et que je lui ai montré les billets, elle est devenue folle. Moi, je l'appelle Delfi parce qu'elle a le nom le plus merdique de toute La Havane. On est allés aux plages, on a loué une chambre et on s'est fait deux jours de fiesta avec bouffe, rhum et fumette. C'est une belle Noire provocante, Delfi, mais visiblement je ne suis plus à la hauteur pour ce type d'orgies. Tout ce qu'elle voulait, elle, c'était de la pine, du rhum et de l'herbe. Dans cet ordre. Mais moi, je ne pouvais pas baiser vingt-quatre heures sur vingt-quatre. Dès que je n'arrivais plus à bander, cette insatiable essayait de me mettre un doigt dans le cul pour obtenir un peu plus. Alors je lui donnais deux claques et je lui disais : « Retire ça de là, négresse de merde ! » Et on continuait quand même, encore et encore. La force de l'inertie, peut-être. Et puis il n'y a plus eu de rhum, ni de marie-jeanne, ni de fric et j'ai récupéré ma cervelle. Ça me brûlait de partout : la tête, le trou de balle, la gorge, la bite, les bourses, le foie, l'estomac. Delfi, rien du tout. Elle a vingt-huit ans et c'est la vraie Noire, tout en muscles et en énergie. Elle aurait pu continuer encore deux ou trois jours sans souffler. Infatigable, la nana. Merveilleuse. Un prodige de la nature.

Le jeune qui devait jouer à la roulette russe a enfourché son vélo. Il avait le crâne serré dans un foulard rouge. Un petit métis encore gamin, dans les quinze ou seize ans. Il vivait avec sa bicyclette, ce mec. Même pour chier, il ne la lâchait pas. Une bécane râblée, solide, avec des pneus larges et des chromes partout. C'était son gagne-pain. Chaque fois qu'il s'en tirait, il se gagnait vingt dollars nets. Et il était bon. Ou bien il faisait des acrobaties avec son vélo, là aussi pour de l'argent. Il demandait à dix gosses de s'allonger côte à côte au milieu de la rue, il prenait quelques mètres d'élan, se signait, démarrait de toutes ses forces et s'envolait par-dessus les jeunes. Ça, il le faisait n'importe où, à la demande. Les gens pariaient, mais lui non. Il empochait ses vingt dollars et disparaissait. Vaniteux, il disait : « Formule Un, c'est moi. »

Et donc il a commencé à remonter Paseo en enchaînant cabriole sur cabriole entre les voitures. Pirouettes, sauts, doubles saltos en retombant sur une seule roue... Un artiste. Les passants le regardaient sans savoir ce que ce petit noiraud tenait entre les mains. Nous, les sept à parier, on prenait des airs dégagés à l'angle du couvent des bonnes sœurs, sous les arbres. Pas un seul flic en vue mais Formule Un devait attendre que l'un de nous donne le signal. Au moment où le feu est passé au vert sur la 23e, un gus à côté de moi a levé et baissé le bras et Formule Un a redescendu Paseo tel l'éclair. Perpendiculairement, en direction de La Rampa, il y avait au moins trente bagnoles, très énervées à cette heure de pointe et qui ont démarré en trombe. Et de l'autre côté, vers Almendares, encore trente ou quarante qui piaffaient et vrombissaient d'impatience. Bref, il avait soixante-dix chances de mourir écrasé en traversant le carrefour. Contre une. Mes sept dollars flottaient là-bas : si ce mec se faisait écrabouiller, je me retrouvais à poil. Il fallait que Formule Un s'en tire et gagne ses vingt billets verts. Et il a réussi ! C'était la foudre, ce petit ! Je ne sais pas comment il a pu. Vif comme une mouche. Une seconde après, il était de l'autre côté de l'intersection, à faire virevolter sa bécane et à rigoler, brillantissime.

Il est arrivé vers nous en se marrant à gorge déployée : « Formule Un, c'est moi ! » J'ai touché mes trente-cinq dol's, je lui en ai donné cinq et je l'ai attiré un peu à part. J'ai pris ses mains dans les miennes. Elles étaient sèches, fermes. Les yeux dans les yeux, je lui ai demandé :

— Ça ne te fait pas peur, alors ?

Il a haussé les épaules.

— Hé, déconne pas, vyé-Blanc ! Moi c'est Formule Un, l'ami ! Formule Un !

Avant lui, à ce même carrefour, quatre jeunots s'étaient fait tuer. Je préfère ne pas m'en souvenir. Deux autres n'avaient pas eu les couilles de se lancer, au dernier moment. C'est comme ça. Les rares à survivre, ce sont les plus virtuoses et les plus frappadingues.

Sortie de cage

J'allais à la campagne, j'achetais de la bouffe, je la rapportais à La Havane et je la vendais. Tout se négociait, tout partait. De l'ail et des citrons jusqu'à la viande de bœuf. N'importe quoi.

Quand je suis arrivé chez un pécore, le type avait un cheval mort affalé au milieu de la cour. Le ventre déjà gonflé. Lui, il avait du mal à repousser un essaim de Noirs qui s'agitaient autour, armés de machettes, de couteaux et de sacs. Une meute, plutôt. Ils voulaient dépecer la bête et se l'emporter tronçon par tronçon. Je les ai comptés : ils étaient huit, décharnés, affamés, dépenaillés, les yeux hors de la tête. Le paysan leur expliquait qu'il avait été emporté par une maladie et qu'il se putréfiait très vite. Ils ne cherchaient pas à discuter. Tout ce qu'ils demandaient, c'était d'en prendre chacun un morceau. Après, ils se chargeraient eux-mêmes d'enterrer la tête, les pattes, enfin ce qui resterait de cette carne squelettique déjà couverte de mouches vertes et dont le cul dégorgeait des vers et du pus.

— Pourquoi tu ne les laisses pas le boulotter et basta ? me suis-je étonné.

— Non. J'attends la police. S'ils ne constatent pas qu'il est mort de maladie, ils vont me faire un procès.

— Et après ?

— Après qu'ils se le bouffent ! Qu'est-ce que je m'en fous, moi !

Je voulais savoir s'il avait des poules, des œufs, n'importe quoi. Mais il ne pensait qu'à l'arrivée des flics, qui le sortiraient de tout ça. Il m'a dit :

— Est-ce que tu vois ce spectacle, le citadin ? Et dire qu'on prenait les Angolais pour des sauvages parce qu'ils mangent du mulot grillé ! Et les Ethiopiens, même les tripes de vache pourries ! Eh bien, c'est notre tour, maintenant. Par ici, même les chats, il n'y en a plus. Les gens les ont mis à la marmite. Tu me trouves un chat et je te l'achète, moi. Parce que les rats sont en train de me liquider la maison.

J'ai eu l'impression qu'il n'en menait pas large. Ils étaient agressifs, ces Noirs.

J'en ai reconnu un parmi eux. En d'autres occasions, il m'avait aidé à trouver des paysans qui avaient des victuailles, eux, et qui étaient prêts à vendre. En quelques années, sa famille avait changé trois fois de nom et ils n'étaient pas encore sûrs de tenir le bon. Au siècle précédent, les esclaves prenaient le patronyme de leur maître, ajouté à n'importe quel prénom chrétien dont on les baptisait. Mais ceux-là, ils ne savaient plus très bien à quelle famille avaient appartenu leurs aïeux et leurs grands-parents. Et encore moins où se trouve le Nigeria, ou la Guinée. Ils avaient tout oublié. En l'espace de cent ans à peine. Aujourd'hui, ils ne veulent qu'une chose : se mélanger avec les Blancs. D'après eux, c'est pour « améliorer la race ». Et là, ils sont dans le vrai : sous tous rapports, les métis sont bien mieux que les Noirs purs ou les Blancs purs. C'est une bonne affaire, le métissage.

Celui-là était fort sympathique. Il rigolait tout le temps.

— Quoi de neuf, Gener-Iglesias-Pimienta ?

— On est là, le Havanais, on est là. A se battre pour le manger.

— Je vois ça, oui. Il est pourri, ce canasson. Laisse tomber.

— Oh non ! Quand la marmite a bouilli la pourriture elle est partie.

— Tu connais quelqu'un qui a de la bouffe, mon compère ?

Il a réfléchi un instant.

— Ah oui, il y a bien Carmelo, le vieux sang-mêlé là-bas en face. Il avait du fromage blanc, hier. Peut-être bien qu'il lui en restera.

Je suis parti à la recherche de Carmelo. Il n'en avait plus. Avec ses deux vaches, seulement, les gens s'arrachaient le peu qu'il produisait.

Le train allait bientôt passer. Je n'avais plus le temps de continuer à écumer ce coin. Incroyable mais vrai : j'allais rentrer les mains vides, et en plus voyager toute la nuit le ventre creux, sans même pouvoir dormir. A six heures et quelques du soir, je suis monté dans le wagon mal éclairé, qui puait la crasse et l'urine, bourré de centaines de gus qui repartaient à La Havane avec poulets, cochons, moutons, sacs de riz et de victuailles. Le seul crétin à revenir bredouille, c'était moi ! Putain de con, chaque fois que j'y pensais, j'avais envie de me cogner la tête contre la paroi du wagon. Je n'avais pas assez cherché. J'aurais dû au moins trouver des citrons, des oranges, de quoi couvrir le billet de train !

Voilà, nous faisions notre entrée dans la jungle. A grands coups de pied au cul. On avait tous quitté les cages et on avait commencé à lutter en pleine forêt vierge. On en était sortis atrophiés, de cette captivité, abrutis mais téméraires. Nous n'imaginions pas ce que la bataille pour la survie allait être mais nous étions forcés d'y aller. Après trente-cinq années enfermés dans les cages du Zoo, où l'on nous avait distribué une maigre pitance, quelques médicaments mais aucune idée de ce qui se passait de l'autre côté des barreaux. Et soudain il faut se risquer dehors, sauter dans la jungle. Avec le cerveau engourdi et les muscles affaiblis. Seuls les meilleurs peuvent rivaliser pour se tailler une place. Et moi, j'essayais. J'y mettais de la force, beaucoup de force.

Le train est arrivé à l'aube. Je n'habite pas loin de la gare, moi. Je suis rentré à pied, j'ai grimpé les huit étages tant bien que mal et je me suis jeté sur mon lit. J'ai fait un cauchemar : un type qui était moi me tombait dessus avec un couteau et commençait à me lever des biftecks dans la bedaine. Il parlait sans arrêt mais je ne l'écoutais pas. Je ne sais pas ce qu'il racontait. En même temps, je hurlais de douleur chaque fois qu'il me coupait un morceau. Il n'y avait pas de sang, seulement ces beaux filets de barbaque bien rouge et fraîche et moi qui gueulais, gueulais... Je me suis réveillé en sursaut. On tambourinait à ma porte en criant : « Pedro Juan, Pedro Juan ! »

C'était Caridad, hystérique, tenant le petit par la main. Nous nous sommes séparés il y a cinq ans et nous avons ce gosse de six ans. C'est une Noire belle et chaude. Très belle. Lazarito s'est retrouvé métis, mais métis de luxe. Il paraît quatre ans de plus que son âge. Il a hérité du meilleur de chacun de nous. Tiens : exactement ce que je racontais un peu plus haut.

Elle est entrée comme une furie, sans me donner le temps d'ouvrir la bouche. Il y a quelque temps, elle s'est mise avec un petit maquereau blanc, obsédé et coureur de jupons. Elle n'aime pas les nègres, Caridad.

— J'ai attrapé Roberto en train de branler Lazarito ! Il la lui suçait, ce sale fils de pute ! Oh, il faut que tu le tues, Pedro Juan ! Il faut que tu lui coupes les couilles ! Ce pédé-là, il voudrait que mon fils le soit aussi, le macaque !

— Attends, du calme ! Assieds-toi une minute et dis-moi ce qui s'est passé.

— Et toi tu restes là comme si tout allait magnifiquement bien ! Qu'est-ce que c'est que ça ? Tu n'as plus de sang dans les veines, bougre ?

— Si. Mais... comment c'est arrivé ?

— Rien de rien ! Je te raconte rien du tout, merde ! J'étais sortie tôt, je suis revenue très vite. Il m'attendait plus tard. Je l'ai surpris. Je lui ai envoyé un couteau de cuisine mais je l'ai pas eu... Oh, il fallait que je le lui mette, ce couteau ! Le petit, il était encore à moitié endormi, dans son lit, et l'autre qui lui suce la pine en le branlant...

L'air effrayé, Lazarito pleurait doucement.

— Tout de suite je vais à la police le dénoncer pour détournement de mineur. Ah, le salaud que c'est ! Tant que je le vois pas en taule, je n'arrête pas !

Puis, à l'adresse du petit, qu'elle s'est mise à secouer par le bras :

— Et toi, tu dois devenir un homme, avec les couilles et tout, un homme ! Pourquoi tu t'es laissé faire ça ? Allez, vas-y, réponds ! Pourquoi tu l'as laissé ?

Là, il a fondu en larmes.

— Ne chiale pas, couille molle ! Un homme ça pleure pas ! Arrête de pleurnicher, que tu es un homme !

Et elle est repartie en traînant le gosse derrière elle.

— Tu le cherches et tu le démolis, Pedro Juan ! Tu le cherches et tu le tues, moi je vais trouver la police, là !

Je ne l'ai pas cherché et je ne l'ai pas tué. A la place, j'ai dormi jusqu'au soir. Je me suis levé avec une faim de chien. Je pensais me laver un peu et aller essayer de débusquer quelque chose à manger, mais Caridad a surgi à nouveau, tout aussi hystérique que le matin. Elle ne s'était pas calmée et continuait à secouer Lazarito par le bras.

— Tu n'es qu'un vaurien ! A partir d'aujourd'hui celui-ci n'est plus ton fils, puisque tu es incapable de le défendre. Pourquoi tu lui as pas fendu le crâne, à ce grand salaud-là ? Ne me dis pas qu'il te fait peur, quand même. Vaurien ! Tu ne m'adresses plus la parole, jamais, et tu ne viens plus voir le petit. Hors de ma vue ! L'autre enfant de putain, il est sous les verrous, il va devant le tribunal. Mais c'est moi qui vais l'accuser, moi seule, vu que toi tu n'es qu'un bon à rien ! A compter de maintenant, c'est moi la mère et le père de Lazarito puisque tu n'es qu'un feignant et un poltron de merde !

Elle a disparu sans me laisser caser un mot. Je suis resté sur le pas de la porte, à réfléchir... Non. Il n'y avait rien à réfléchir. La tête vide, j'étais. Et dire que je n'avais même pas un verre de rhum sous la main.

Mon cul en danger

Par chance, je ne suis resté en prison que sept jours. Un type ultra-balèze voulait me la mettre dans le cul à tout prix et je ne savais pas quoi faire de plus pour échapper à ça. A part lui transpercer le cœur avec un poignard, ce qui était impossible. Depuis le début, j'étais resté dans mon coin, la mine sévère, sans parler à quiconque mais il m'a tellement provoqué que j'ai fini par lui sauter à la gorge un beau matin. Une brute épaisse, le gars. On aurait dit un orang-outang mentalement retardé. A mains nues, je ne pouvais rien. Il m'a mis KO, ce qui m'a empêché de prouver que j'étais un homme, un vrai. De toute façon, il se fichait bien de ce qu'on était ou pas. D'après ce qu'un gus de là-bas m'a raconté, dès qu'il s'entichait de quelqu'un, il le poursuivait et le travaillait jusqu'à ce qu'il finisse par lui bourrer la rondelle, coûte que coûte. C'était ce qui était arrivé auparavant à un petit Black mignon. Ils avaient dû le sortir de là avec une hémorragie terrible, direction l'hosto.

Moi, je m'en suis tiré avec le cul intact et après ça j'ai essayé de rester tranquille un moment. Au tribunal, j'ai écopé d'une amende de dix mille pesos. Tout ça parce qu'ils m'avaient chopé avec vingt langoustes. Mais s'ils avaient débarqué un jour plus tôt et s'ils avaient découvert la viande de bœuf que j'avais, j'étais bon pour trois ou quatre ans de taule. Et là, j'aurais perdu non seulement mon œillet mais aussi mes deux tympans.

Je me suis cherché un boulot bien dégueu. L'alimentation du bétail aux abattoirs. Toute la journée à charrier

des caisses remplies de peaux à moitié pourries, de carti-
lages de bovins, de tripes, de graisse, d'yeux, d'oreilles,
toute une merde dont personne ne peut imaginer la puanteur. Plus répugnant, impossible. Avec un Noir qui travaillait avec moi, on entassait ça près du hachoir. De
l'autre côté, ils apportaient les chargements de soja et il
y avait encore deux autres types chargés de doser la
pâtée. « Des protéines ! Plein de protéines pour le
peuple, camarade ! » me gueulait l'un d'eux par-dessus
le potin que faisait le malaxeur. Et il rigolait, avec sa
tronche de gros planqué. Je n'ai jamais réussi à savoir
s'il plaisantait ou pas. Il faut dire que je ne lui ai pas
demandé. Il n'y avait que lui qui parlait. Comme je ne
voulais plus d'ennuis avec les autorités, je n'ouvrais pas
la bouche, point. Parce que même les protéines, c'est
politique. Du genre qu'ils balançaient du poison là-
dedans pour tuer tout le monde et pour accuser les Yankees, après... Qu'est-ce que je m'en foutais, moi ? Peinard, je voulais être.

Mais les problèmes me tombent littéralement dessus,
à moi. Un jour, je quitte les abattoirs à quatre heures. Je
n'attends pas le bus. En marchant, je traverse Carlos III,
je continue par Espada vers San Lázaro. Il y a un bar où
ils ont du rhum de Santiago de Cuba. Quel pied, putain.
L'aubaine. Très animé, ce bouibe du quartier de Cayo
Hueso, mais encore bien tranquille aussi tôt dans la soirée. Il y a un comptoir avec des banquettes. Ils font des
soupes et des ragoûts pour une clientèle des plus misérables. Je m'assois dans un coin, je commande un
double rhum. Ça me fait du bien. L'alcool dissipe la
fatigue. M'anesthésie. Je suis installé sur une banquette
tout près du trottoir. Les portes sont larges, grandes
ouvertes, du genre qui coulissent vers le haut. J'aime
bien être assis près d'une issue : si une bagarre éclate,
on peut filer vite fait.

Celui qui est en train de boire à côté de moi se met à
me raconter ses ennuis. Soudeur, il est. Il y a une
semaine, il lui est arrivé un vraiment sale tour. Il avait

bossé deux jours en extra, de huit heures du matin à dix heures du soir, et à la fin il avait les yeux qui le brûlaient, mais il avait pu récolter six dollars. Sa femme les lui a arrachés des mains. Avec, elle a acheté une paire de tennis à leur fils, qui allait nu-pieds. En quatre jours, il les a esquintés. « Ici c'est pas une vie, l'ami. Celui qui se tire, il a raison. » Et il continue ses histoires.

Moi, je l'écoutais mais en même temps je ne quittais pas des yeux une petite métisse qui s'envoyait du rhum et avait l'air de bien s'amuser en bavardant avec une dame très enveloppée et un Noir qui avait six colliers passés autour du cou. Il payait chaque fois avec des billets de vingt, ce type. La petite me lançait des regards en coin et j'attendais la première occasion pour engager la conversation. J'étais un peu trop absorbé par sa bouche, ses tétés et toute son envie de mener la bonne vie. Je me suis mis à bander. Dur. Ça faisait des jours que je n'avais pas baisé, je n'allais pas la laisser échapper, la mulâtousse.

Le gars du bar, un négro avec une tête de boucher bellâtre, répétait toutes les deux minutes : « J'ai un de ces ragoûts de crabe, aujourd'hui ! Spécial spécial. Avec ses 'ti piments-là, de quoi se taper toutes les doudous après, ça n'a pas de prix ça... Piquant piquant qu'il est. »

J'étais en train de terminer mon deuxième double rhum quand deux types sont soudain apparus à la porte derrière moi. Couverts de sang, à se donner des coups de couteau et à tituber l'un contre l'autre, pratiquement moribonds. Tout le monde les a vus avant moi parce que je leur tournais le dos et le temps que je réagisse c'était trop tard : ils se sont écroulés sur moi. Les deux ensemble. En plus d'être aux trois quarts morts, j'ai eu l'impression qu'ils étaient saouls, ou pétés à l'herbe. J'ai essayé de me lever mais ils me pesaient dessus. L'un des deux m'a coupé avec son schlass, un grand coup dans le bras et dans les côtes à droite. Tout s'est passé tellement vite, je n'ai rien compris. Je ne savais pas d'où ils arrivaient. Et puis dans un silence complet, sans un cri ni même une petite plainte, rien. Et voilà, ils étaient clamsés, entassés sur moi. Un amas de chairs sanguinolentes. Le bar s'est vidé en une seconde. Il ne restait plus que l'employé à l'autre bout du comptoir. Même les plus fauchés avaient abandonné leur assiette de soupe sans demander leur reste.

Brusquement, une femme survient. Elle pleure, elle crie : « Il me l'a tué, il me l'a tué ! » et elle tombe sur l'un des cadavres en le serrant dans ses bras.

Moi, je suis coincé contre le comptoir, avec ces deux types et cette femme qui me bloquent le passage. J'essaie de bouger quand même. Il faut que je me tire, tout de suite. Mais non, un flic est déjà là. Il me prend par le poignet et me demande mes papiers.

J'arrive à formuler quelques mots : « J'étais juste en train de m'envoyer un verre, moi... » Mais on dirait qu'il y a une sourdine à ma voix. Je m'entends à peine, ou plutôt de très loin, comme si j'étais en train de parler à l'autre bout de la pièce. Je sors ma carte d'identité de la poche arrière de mon pantalon. En la tendant au policier, je m'aperçois qu'elle est couverte de sang frais. Le mien et celui des mecs qui sont venus mourir sur moi. J'en suis couvert. Trop de sang pour qu'il me croie innocent. Carrément coupable, j'ai l'air.

Ensuite, tout s'enchaîne : voiture de police, commissariat, déposition, ils ne comprennent pas mes blessures et tout ce sang alors que je dis ne rien savoir, je demande mon seul témoin, l'employé du bar, mais non, il a été placé en garde à vue soixante-douze heures, le temps qu'on éclaircisse ça, tu crois que c'est la seule affaire qu'on ait à s'occuper, ils me bouclent, ils m'oublient, dix jours en taule, heureusement pas la même qu'avant, le type intéressé par mon cul n'est pas là, ils finissent par me libérer, je paume mon boulot aux abattoirs... Bon, visiblement je n'ai pas d'autre choix que de reprendre mon trafic de langoustes et de bidoche.

Joyeuses, simples et libres

Des fois, on a besoin de vraiment pas grand-chose : de la baise, du rhum et une fille qui te dit des conneries. Pas intelligente, surtout : les intellos, les malignes, j'en ai soupé. Après, elle s'en va et tu restes seul, peinard. Tu bois encore, ou tu te prends une douche et tu fais un somme. Et le lendemain, tu te réveilles bon pied bon œil, prêt à sourire à tout le monde et à répondre que tu vas très bien, oui, et que tu es enchanté de la vie. Et les autres : « Oh, magnifique ! Enfin, je rencontre quelqu'un content de son sort ! »

Mais ça ne se passe pas toujours ainsi. Ça ne se goupille pas toujours si facilement. Des fois, je tombe sur des femmes trop déconcertantes. Carmen, par exemple. Elle, c'est le genre d'individu dont l'existence se résume à une seule et simple question : ou tu as du fric, ou tu n'en as pas. Le reste n'a aucune importance. J'en croise de plus en plus, des femmes comme ça. Elles ont peut-être toujours existé mais c'est seulement maintenant que je remarque à quel point il y en a. Bon, de toute façon je n'ai pas envie de parler de Carmen. Trop de cynisme. De pragmatisme, je veux dire. Ou peut-être que non : un cynique pragmatique, c'est quelqu'un qui calcule beaucoup plus que les autres. Alors que là, ce n'est que de la pauvreté spirituelle. Toute celle qu'il lui faut pour exploiter le malheureux abruti qui lui donne de l'argent. Elle le hait mais elle lui joue la comédie et elle lui soutire tout ce qu'elle veut. Même pas la peine de se souvenir d'elle.

Ensuite, il y a eu María. Tout le contraire, elle. Du feu, cette femme. Une poétesse déjantée de Guanabacoa. Elle m'écrivait des poèmes, un déluge de poèmes sur des feuilles vertes couvertes d'une grande écriture ronde : « J'agonise, plongée dans le cataclysme dévorant de l'impossible », ou : « Ton souffle, un volcan dans mon corps. Ma touffe crie des flammes. »

Toute cette incandescence, je n'ai pas pu. Son incroyable voracité de mulâtresse délirante, c'était trop pour moi. En peu de temps, elle a consumé ma peau et mon cœur. Mais je renais de mes cendres, moi. Et j'ai continué seul.

Et donc je suis là. Sans rien à faire. Tranquille sur mon toit, à boire mon rhum devant le crépuscule. Je ne veux plus d'intimité avec quiconque. J'ai été blessé à un point tel que je ne peux plus risquer encore. J'ai décidé de vivre seul. Une vie normale mais solitaire. Et logiquement, au bout d'un certain temps, quelqu'un arrive à me fasciner. Parvient à briller. Ça me convient, comme ça : rien n'est pour l'éternité.

Mais on ne vit pas que d'amour et de solitude. Il faut bien se chercher de l'argent, de quoi manger un peu et se payer quelques bières le soir venu. Moi j'avais perdu mon travail aux abattoirs, l'engraissage des bêtes, et plus rien ne se présentait. La crise était à son comble en 1995. Tout allait mal : les idées, les finances et le présent. L'avenir, ce n'était même pas la peine d'en parler.

Un soir, j'étais en train de picoler de la bière, à côté de vieux habitués. Je les ai salués pour déconner un peu : « Comment va, les récidivistes ? » Ils n'ont pas compris l'humour mais on s'est mis à parler un peu. L'un d'eux m'a demandé ce que je faisais. Rien, je lui ai dit. Pas de travail. Alors un autre, qui jusque-là avait gardé le silence, me demande, la langue pâteuse :

— Tu voudrais bosser à l'hosto municipal ? C'est une bonne planque. Tu n'as pas à t'échiner. J'ai laissé tomber aujourd'hui, la place est libre.

— Et si c'était si bien, pourquoi tu es parti ? Tu faisais quoi, là-bas ?

— La corvée de pluches. Tu vas là-bas, tu demandes le docteur Simón et tu lui dis que tu viens de ma part. De la part de Rafael. Tu verras, ça va te plaire. Ça plaît à tout le monde.

Le lendemain, je me rends à l'hôpital municipal et je cherche ce docteur Simón. Je me disais que le boulot consistait à peler des patates toute la sainte journée. On m'envoie à travers une enfilade de couloirs mal éclairés, j'attends un bon moment et enfin je me retrouve devant lui.

— Rafael m'a dit de venir vous voir. Il a laissé sa place, paraît-il.

— Oui, on a dû le vider.

— Ah ! Il m'avait pas dit ça...

— Il a encore de la chance qu'on l'ait éjecté sans le traîner devant les tribunaux, en plus.

— A cause de quoi ?

— De viol de cadavres.

— De... Comment ? Mais il n'était pas à la cuisine, à peler des patates ?

— C'est comme ça qu'ils appellent la salle d'autopsie. La corvée de pluches. C'est interdit, cette expression. Vous êtes un ami de ce Rafael, là ?

— Non. Je l'ai rencontré par hasard.

— Il n'est pas normal, ce gars. On l'a surpris en train de violer une morte. Moi-même, j'ai essayé de l'enlever de là, mais il est tellement dingue qu'il n'a rien voulu savoir tant qu'il n'a pas joui. Jouir dans un cadavre ! Et après, il a cherché à rameuter le syndicat, à faire du scandale parce que je l'ai limogé sur-le-champ.

— Il est malade du cerveau ?

— Pas net, en tout cas. Je ne sais pas. Il a avoué qu'il l'avait fait tout le temps. Et il a été employé trois ans ici !

— On voit de tout, hein.

— C'est un poste d'assistant qui est libre. Vous devez aider les médecins pendant les autopsies.

— Ah, docteur, je pense que je vais pas pouvoir. Avec ceux qui découpent les macchabées ? Non, c'est pas possible.

— Il faut s'y faire, c'est tout. La majorité des gens n'en sont pas capables.

— Les êtres humains sont faits pour la vie, pas pour la mort.

— Si c'est travailler dans un hôpital que vous voulez, laissez tomber la philosophie.

— Moi ? Philosophie ? Non, rien du tout.

— Bon, je crois qu'ils ont besoin de quelqu'un à l'autoclave.

J'y suis allé. L'autoclave, c'est une grosse marmite à vapeur. On met tous les ustensiles dedans, on attend qu'ils soient désinfectés et on s'en ressert. Mon boulot, c'était de passer dans tout l'hôpital avec un petit chariot et de prendre les pinces, les seringues, et ainsi de suite. Huit heures par jour à trimbaler mon chariot pour cent vingt pesos mensuels. Plus minable, impossible. Mais c'était rigolo, quand même. Je pouvais le supporter quelques mois en attendant mieux. Il y en a plein qui vivent comme ça : en attendant mieux. Et puis il y avait les infirmières. Les joyeuses infirmières. Certaines m'ont plu, j'ai plu à certaines. Je suis sorti avec deux ou trois d'entre elles. Elles sont super, les infirmières. Joyeuses, simples, pas bornées. Pas de complications d'intellos, pas de plans à qui sera le plus malin. Rien de compliqué, non. Et elles savent vous soulager. Le seul problème, c'est qu'elles rêvent toutes d'épouser un médecin pour pouvoir venir et repartir de l'hosto en voiture, avec une mine très sérieuse, comme si elles avaient plein de soucis, et sans regarder personne. Et dans ce cas, elles se maquillent beaucoup, mettent des bijoux et de belles blouses blanches que les parents du toubib leur envoient de Miami. Plusieurs avaient déjà réussi à en fourrer un dans leur piège. Leur piège vaginal, je veux dire. Tant mieux pour elles. Les autres continuaient à être joyeuses, rigolardes et libres. Et simples, surtout. Jusqu'à ce qu'elles s'attrapent un médecin, elles aussi.

Je me suis mis à la colle avec une. Bien joyeuse, bien rigolarde et bien libre. Une grande métisse, encore un peu belle même si sur le retour. Rosaura, elle s'appelle. Elle a eu un enfant avec un toubib — un Blanc, évidemment — mais elle n'a pas réussi à le marier et à monter dans la voiture. Elle continue en bus, elle. Et elle a laissé tomber, maintenant : à quarante ans, la compétition avec les infirmières jeunes et jolies est trop rude. Ça marche très bien entre nous. Je ne saurais pas expliquer pourquoi mais elles sont très désinhibées dans cette profession. Elles te sucent hardiment, se mettent à poil devant toi, s'envoient du rhum, se masturbent et te chuchotent des histoires porno à l'oreille. Autobiographiques, les histoires. Elles te font un sex-show pour toi tout seul, et ça leur plaît. Enfin, c'est peut-être que j'ai eu de la chance, juste, et que j'ai connu les plus érotiques. Mais bon, ça me plaît. Les femmes qui en font trop, je craque. Et en général celles qui sont bégueules au lit en font trop quand elles sont habillées. J'ai vérifié ça bien trop de fois.

Ça marchait, donc. Que j'aie un emploi aussi minable et un salaire aussi symbolique, elle s'en fichait. Tout ce qui comptait, c'est que je sois blanc, qu'on baise bien et qu'on soit *fair play*. Elles sont très racistes, les métisses. Bien plus que les Blanches ou les Noires. J'ignore pourquoi mais elles ne supportent pas les Blacks. Rosaura, par exemple, me disait souvent : « J'ai jamais, jamais eu un fiancé noir, même un petit copain. Moi, coucher avec un nègre ? Mooooi ? Pas question. Dès qu'ils se mettent à suer un tout petit peu, ils commencent à puer. Et ils sont très grossiers, en plus. » Bon, ça n'a rien de dramatique. Un jour, je suis allé chez sa mère, et elle est très très noire, elle. D'après elles, le père était très blanc. Elles parlent de tout ça à voix haute, sans se cacher. Ce n'est pas un drame. Plutôt une comédie d'intrigue.

Elle a deux frères, Rosaura. Sans travail. Ils étaient là quand on est passés. On a pris un peu de rhum, on a bavardé. Normal. La vieille m'a dit de revenir un jour pour qu'elle consulte les saints à mon sujet. Elle m'a emmené dans sa salle d'incantations. Chaque chose à sa place, tout bien préparé. Un truc fort. Elle me l'a montré en guise d'avertissement. Ça voulait dire : « Regarde ce que j'ai ici. Si tu joues un sale tour à ma fille, c'est pas rien qui ve te tomber sur le coin de la figure. » Une dure à cuire, cette vieille santera. Elle prend soin de sa famille. C'est tout ce qu'elle a : des enfants et des petits-enfants.

Donc tout allait bien avec Rosaura. Très libre, très joyeux. Le pied. Mais un matin un médecin arrive dans le service, en nage, langue pendante, ouvre le frigo, prend le verre de Rosaura et boit l'eau glacée qui était dedans. Elle le voit, elle se fâche : « Hé, cochon, pourquoi tu touches mon verre ? Rends-le-moi ! » Elle s'approche pour le lui enlever. Le toubib ne trouve rien de mieux que de faire l'imbécile : il lui souffle de l'eau à la figure, pour rire. Oh, quelle idée ! Encore plus indignée, elle lui envoie une claque. Lui, il croit que c'est un jeu mais non, elle est très en colère et comme il est karatéka il jette le verre par terre et il l'immobilise avec une clé. Ils se bagarrent encore, soudain Rosaura tombe par terre, sur les fesses, et elle se rompt la colonne vertébrale. Après, ils ont découvert qu'elle souffrait d'ostéoporose. Ils l'opèrent, ils la plâtrent du cou jusqu'au coccyx.

Quand ses deux frères apprennent l'histoire, ils prennent deux grands couteaux de boucherie et se mettent à chercher le toubib dans tout l'hosto. Il a le temps de s'enfuir et de se mettre à l'abri. Ils appellent la police et hop, en taule, les deux Noirs. Rosaura accuse le médecin, et un autre encore d'avoir menti pour le couvrir. Elle demande qu'ils soient licenciés et privés de leurs titres. « Jusqu'au bout, je ne les lâcherai pas ! » elle me dit. Mais pour l'instant, elle a les deux jambes paralysées. Une esquille d'os lui a abîmé la moelle épinière. Elle est condamnée à la chaise roulante à perpétuité, visiblement.

La vieille veut intervenir à sa manière, elle aussi : « Ma fifille si mignonne invalide, mes deux garçons en prison ! Il va payer, cet enragé-là ! Il va payer pour tout ce qu'il a fait. Il te faut me chercher quelque chose de ce sale bonhomme, Pedro Juan. Une chemise, un mouchoir, quelque chose. Je vais te l'esquinter, moi ! Le mascagner ! Il va regretter d'être sorti du ventre de sa mère ! Tant que je ne le vois pas dans la chaise roulante, je continue. Toi, tu me trouves une affaire à lui, mon fils, n'importe quoi, vole-lui n'importe quoi avec sa sueur dessus et rapporte-le-moi, que j'en finisse avec lui. C'est toi l'homme dans cette maison, maintenant, venge-nous ! »

Putain, et moi qui vivais si bien. Pourquoi je l'ai seulement regardée, cette métisse ?

Perplexité

La misère sévissait, provoquant chaque jour de nouveaux ravages. Tout le monde essayait de s'enfuir, d'une manière ou d'une autre. D'aller ailleurs. La débandade. Carlitos, le fils du Chaos, appelait sans cesse sa mère et son frère. Et il pleurait à l'autre bout du fil. Très paumé à Miami, avec de l'insomnie permanente, il était en train de passer à côté de son American Dream. Dépensant des fortunes en téléphone, sans aucun intérêt ni aucune énergie pour quoi que ce soit. Il n'y arrivait pas. Il portait en lui le désespoir de la confusion, et son cœur demeurait entouré de barreaux.

A cette époque, j'ai un peu baisé avec sa sœur. Elle était médecin, lisait Bécquer, adorait les *telenovelas* mexicaines et les poèmes spiritualistes de Benedetti qu'elle me recopiait sur ses ordonnances et dont elle m'abreuvait pour lutter contre mon ignorance de la poésie. Faire mon éducation esthétique, telle était son ambition, convaincue qu'elle était de mon terrible mauvais goût depuis qu'elle avait découvert quelque part chez moi les *Poèmes pour lutter contre la calvitie* de Nicanor Parra.

Elle utilisait des formules comme « faire l'amour », « nous pouvons être heureux », « moi je ne dis jamais de mensonges », etc. Elle était très perdue, en réalité. Ça arrive souvent à ceux qui ont trop de gens autour d'eux. Ils commencent à être tiraillés entre leur devoir, leurs possibilités et leur volonté. Et entre ce qu'il ne faut pas faire, ce qui n'est pas possible et ce qu'ils ne veulent pas.

Elle était sans cesse nauséeuse à force de se bourrer de calmants. Elle avait trois tentatives de suicide à son actif, et l'intention latente mais bien ancrée de réessayer. Elle consacrait beaucoup de son temps à un psychologue qui essayait de la réconcilier avec le monde, malgré tout.

Bref, elle n'était pas fiable, donc mon intérêt sexuel et son amour ont été de courte durée. Comme l'a écrit Torín Cellado, « un abîme d'incompréhension s'ouvrait entre la belle jeune fille et le séduisant quadragénaire ».

A ce propos, j'ai fait un petit calcul : au cours des cinq dernières années, j'ai couché avec vingt-deux femmes. Ce n'est pas la moyenne idéale, pour un type de quarante-cinq ans. Pas question de se repentir, non, mais c'est un peu préoccupant. Non pour ma richesse intérieure : à cause du sida. Ça me scierait de me condamner à mort avant terme pour avoir joui dans le mauvais trou.

Bon, à part la promiscuité, il fallait continuer. Et s'endurcir encore, évidemment. Les autres, ils croyaient que je mûrissais. Erreur : je tentais seulement de devenir de plus en plus dur, d'empêcher qui que ce soit de me manipuler. Que chacun se bousille tout seul. Je devais doser avec soin le peu d'amour qui restait en moi si je ne voulais pas que le réservoir se retrouve à sec et que le moteur s'arrête. Et je gardais toujours l'espoir de refaire le plein quelque part, à un moment ou à un autre. Un utopiste de merde, voilà ce que j'étais. Esquinté complet mais rêvant encore de trouver assez de beauté intérieure, de quoi remplir à nouveau le réservoir et de tout recommencer, de redevenir ce fameux type généreux et plein d'amour. « Tu es idiot ou quoi ? » je me demandais parfois. Mais à d'autres moments, quand j'étais plus détendu, je me disais : « C'est possible, oui. »

J'en étais là, donc. Très tracassé par ma vieillesse croissante, par la solitude qui guette classiquement les vieux, et ainsi de suite. Mais des femmes surgissaient régulièrement et elles s'extasiaient : « Oh, tu as une telle maturité ! Comme c'est bien ! Qu'est-ce que j'aimerais vivre avec toi ici, on ferait çi, on ferait ça... » Moi, je pensais dans ma tête : « Maturité, tu parles ! Si elles connaissaient la vérité, elles partiraient en courant et en criant, elles ne remettraient plus les pieds dans le quartier ! »

Résultat, j'avais quarante-cinq ans et j'étais seul, et chaque jour la solitude était plus facile, plus gratifiante. Comme le soutient mon ami Hank, ce sont les premières ampoules qui font le plus mal, après on a des cals. A partir de quarante balais, tout devient plus simple. Ou plutôt on y voit plus clair.

Oui, j'avais déjà tiré quelques conclusions et... Mais oh ! « Quelques conclusions. » Quelle horreur ! Est-ce qu'il y a un seul être au monde capable de faire ça ? Non, ce que je voulais dire, c'est que je commençais à comprendre un truc aussi vieux que la condition humaine, mais qu'il faut toujours réapprendre. L'éthique du pauvre, c'est de respecter celui qui a de l'argent et qui peut distribuer quelques miettes. Celle de l'esclave, c'est d'aduler et d'admirer le maître. C'est aussi basique que ça. Le pauvre, ou l'esclave — c'est du pareil au même —, ne peut pas se permettre d'avoir des principes moraux trop complexes, ni de se montrer trop exigeant sur le plan de la dignité. Autrement, il mourra de faim. « Si tu me donnes rien qu'un peu, ça me suffit et je t'aime », voilà tout. En général, les femmes assimilent ça dès l'enfance et s'arrangent avec. Mais nous, les hommes, il faut qu'on complique les choses avec la révolte, la rectitude morale, ce genre de grands mots. Et à la fin on comprend aussi, juste un peu plus tard qu'elles.

Cet instinct de conservation exacerbé, c'est l'un des aspects de la pauvreté, donc. Mais attention, elle en a bien d'autres. Le plus évident, peut-être, c'est qu'elle te dépouille de la grandeur d'âme. Ou de la largeur d'esprit, au moins. Avec elle, tu deviens un type ladre, minable, calculateur. Survivre, c'est le seul impératif. Alors aux chiottes la générosité, la solidarité, la gentillesse et le pacifisme...

J'en étais là dans mes interrogations quand Alejandro, un vieil ami à moi, est arrivé. A moitié ivre et tout content. Il venait d'apprendre qu'il avait gagné un permis de séjour aux USA à un tirage au sort et il était en pleine euphorie. Toutes ses copines voulaient se marier avec lui. Pour qu'il les épouse et les emmène avec lui, elles lui offraient leur argent, même. Mais lui, rien du tout. Il ne voulait que sa mère pour l'accompagner : « C'est le seul bagage que je peux prendre avec moi. A condition que les fils de pute de l'ambassade me donnent un visa pour elle. Laisser la vieille toute seule derrière moi, impossible. »

J'ai sorti une bouteille de rhum et on a bu. On a picolé sec pendant qu'Alejandro imaginait déjà ce qu'il allait faire et ne pas faire à Miami. On a tellement parlé que je ne me souviens plus de rien. Si, seulement que je lui répétais : « Au prochain tirage, j'envoie ma lettre. Avec un peu de chance, je gagne. »

Aujourd'hui, c'est la gueule de bois. Affreusement mauvais, ce rhum. Il m'a flanqué une migraine terrible. Mais même dans cet état je m'efforce encore de mettre un peu d'ordre dans ma vie intérieure. Pour l'extérieur, ce n'est pas difficile : tout le monde est persuadé qu'il n'y a qu'un Pedro Juan, très solide, très réaliste et très joyeux. Ils ne se doutent pas que derrière cette apparence il y a une foule de petits Pedro en train de se retourner des baffes et de se faire des croche-pieds à qui mieux mieux. Chacun essayant de passer la tête dehors le premier.

Détente à La Havane

Après quelques jours en province, je suis rentré blindé : langoustes, viande de bœuf et douze litres de rhum. A deux reprises, les flics ont contrôlé l'autobus et à deux reprises je me suis bouffé les couilles d'angoisse. Mais chaque fois, j'ai été sauvé par ma mine sérieuse. A la gare routière, il a bien fallu que je cherche quelqu'un pour me ramener chez moi, chargé comme j'étais. Les vautours demandaient soixante pesos pour le petit trajet jusqu'au centre de La Havane. Quand je discutais le tarif, c'était toujours la même chanson : « Il faut bien que je me retrouve au moins le prix de l'essence. Et qu'est-ce qu'elle est chère, qu'est-ce qu'elle est chère... »

A la fin, un type tout timide s'est approché. Presque en se forçant, il m'a proposé de me prendre dans son *rickshaw* : un vélo avec un petit chariot soudé dessus. Comme il était fluet, je l'ai prévenu :

— Moi, je fais déjà quatre-vingt-dix kilos et il y en a encore soixante avec ces caisses. Tu vas pouvoir ?

— Mais oui, bien sûr.

— Jusqu'au coin de San Lázaro et Perseverancia, tu prends combien ?

— Vingt-cinq pesos.

On est partis en enchaînant Ayestarán, Carlos III, Zanja, Belascoaín, San Lázaro. Dès que les côtes le laissaient reprendre un peu son souffle, il me racontait sa vie. Technicien métallurgiste, il était, mais la crise l'avait mis au chômage. « Ça fait cinq ans que j'impro-

187

vise dans la rue. Pas facile, non. Il y a ma femme, le petit et moi. Et elle est à nouveau enceinte, maintenant. Et elle le garde. Conclusion : quand il y en a pour trois, il y en a pour quatre. »

Il pédalait dur, tout en sueur. A onze heures du matin, le soleil de mai tape déjà fort.

— Tu dois paumer tes deux kilos par jour, à te démener comme ça.

— Non, plus maintenant. Au début, j'ai fondu, oui. Mais là ça va. C'est que la carriole rapporte, quand même. Oh, juste de quoi bouffer, mais ça suffit.

— Oui. Et en plus on est tous chicoulanes, maintenant, hein, l'ami ?

— Bien vrai. Va savoir jusqu'à quand on va être dans cette panade.

C'était un squelette, ce type. Il n'aurait pas pu maigrir plus. On est arrivés. J'ai été tenté de lui refiler cinq pesos de pourboire, mais je me suis ravisé. On m'en donne, à moi ? Non, au contraire, tout le monde me discute le prix de la viande, du rhum, des langoustes. Alors je lui ai souhaité bonne chance et puis chacun à ses affaires.

Devant mon immeuble, une Havanautos noire était garée. Bagnole de luxe.

Je suis monté droit chez moi, j'ai mis les langoustes et la bidoche au froid, je me suis fait un café et je me suis assis pour souffler. La grosse vieille d'à côté s'est mise à gueuler. Apparemment, elle avait les nerfs parce que l'eau avait disparu depuis quatre jours. Rien chez nous ni dans les baraques voisines. Pas un robinet à la ronde où se remplir au moins un seau. Alors elle criait, la vioque, et soudain elle est sortie dans le couloir en s'arrachant les cheveux : « Cherchez de l'eau, bordel, trouvez-en quelque part ! Ah, ce fils de pute, je lui chie dessus, moi ! » Ses enfants, un garçon et une fille, essayaient de la calmer : « Allez maman, calme-toi, maman, ça suffit maintenant ! » Tout le monde a quitté sa tanière pour regarder Prudencia et son attaque d'hystérie. C'est un vieux Noir qui a réussi à la mater. Il est allé à elle, l'a frappée avec un rameau d'arbre de paradis en marmottant quelque chose que personne n'a pu entendre et elle est tombée raide par terre, évanouie d'après ce que je voyais. Le vieux a continué à la souffleter avec sa branche, jusqu'à lui faire reprendre conscience. Ils l'ont installée sur une chaise. J'ai pensé lui apporter une tasse de café mais je me suis retenu : ici, on n'accepte rien des voisins. Trop peur de la sorcellerie. C'est compréhensible : je suis nouveau, les gens se méfient de moi. Et moi, je n'ai pas plus confiance en eux.

L'odeur de merde et de pisse qui venait des toilettes était insupportable. Quatre jours sans flotte dans un immeuble occupé par près de deux cents personnes, et avec cette chaleur, il y a de quoi devenir aussi dingue que cette vieille. J'ai refermé la porte et je suis resté un moment dans mon coin. Peu après, une relation d'affaires est arrivée pour me voir :

— Hé, l'ami, Formule Un intervient ce soir. Il va sauter par-dessus dix jeunes.

— Celui-là ! Je mets cent pesos qu'il passe.

— Non. Moi aussi, je parie qu'il se les enfile. J'en suis sûr, même.

— Bon, on oublie, alors. Dis, tu connais quelqu'un qui voudrait du bœuf et de la langouste ?

— Oh, con ! Robertico, tu vois qui c'est ?

— Non.

— Ça fait des tas d'années qu'il vit en Allemagne, Robertico, mais il est venu dire bonjour à la famille. Parle-lui, l'ami.

— Et où il est, ce Robertico ?

— Ici ! La dernière piaule au fond. La belle bagnole noire en bas, tu l'as vue ? C'est lui qui l'a louée. Il est plein aux as. Il est venu avec son Allemande et les deux mouflets.

— Et ils sont tous entassés dans une pièce ?

— Oui ! Déjà ils sont comme neuf ou dix là-dedans,

plus Robertico, la femme et les chiards, ça fait treize. Ce type, c'est un ponte, je comprends pas pourquoi il est pas descendu à l'hôtel.

— Il est en Allemagne depuis quand ?

— Onze ans, mon vieux. Il est parti en 84. Avec un de ces contrats études-emploi, tu te rappelles pas ? C'est vrai que t'es pas du quartier, toi. Dépêche-toi d'aller le voir, si ça se trouve il va te la prendre, ta marchandise.

Il avait trois chaînes en or pur sur le poitrail, Robertico. Avec trois énormes médaillons de sainte Barbara, de saint Lazare et de la Vierge du Cobre. Plus le collier blanc d'Obatalá et le rouge de Changó. La piaule était envahie de valises, de paquets et de caisses, avec des fringues, des ventilateurs, des marmites électriques, une télé neuve... Lui, c'était une sorte de mage noir à moitié nu, un beau corps lustré de sueur, dans les trente-cinq ans. A ses côtés, une Allemande bien bâtie, un peu plus grande que lui et leurs deux petits mulâtres, sans doute les métis les plus chanceux du monde car la combinaison des parents était idéale. Tout ce mélange paraissait à la fois irréel et très cohérent : une blonde, des Noirs, des métis, des objets tout neufs qui brillaient dans ce trou sombre et oppressant, au milieu d'un immeuble à moitié détruit.

C'était encore l'Allemande la plus intéressante. Elle ne comprenait pas deux mots d'espagnol. Elle se contentait de sourire et de répéter « hola, hola ». J'aurais donné cher pour savoir ce qu'elle pensait de cet endroit, avec ces effluves de merde, pas d'eau, une chaleur et une humidité à vous asphyxier. Mais malgré tout, elle rigolait, elle avait l'air toute contente et à son aise.

Le type a discuté sec. A la fin, il m'a arraché une remise et s'est retrouvé avec tout le chargement, bœuf, langoustes et rhum. Il avait même apporté un congélateur neuf, qu'il a étrenné avec ma marchandise. Quand j'ai eu l'argent en poche, je lui ai dit que j'avais été en Allemagne des années avant. Il a ouvert une bouteille de rhum pour trinquer avec moi :

— Ah oui ? Quand ?

— En 82. Ça fait treize ans.

— A Berlin ?

— Oui, j'ai travaillé à Berlin un an. J'ai bien connu tout le secteur socialiste. A cette époque j'étais journaliste et je suis allé très souvent en Europe.

— Et maintenant tu vis ici, dans cette baraque ?

— Oui.

— Hé bé, mon compère, quelle chute ! Tu n'as jamais connu une piaule aussi minable, je parie ?

— Non, mais ça me va. Je suis peinard, ici.

— Moi, j'ai le mal du pays, c'est pas imaginable. Ça fait onze ans que je piaffe comme un canasson. Ma chance, c'est Ingrid et les petits.

— Mais tu vis bien, quand même !

— Ouais, mais c'est pas facile, non. Après deux verres, je suis là, à chialer. Même avec les enfants, je peux pas parler espagnol. Ils n'aiment pas. J'ai voulu qu'ils apprennent mais ça leur plaît pas.

— Mais tu dois bien continuer jusqu'au bout là-bas. Tu t'es habitué à la bonne vie, tu ne peux plus revenir ici.

— Je sais, je sais. Ici c'est la reculade. Je reviens tous les deux ou trois ans et chaque fois c'est pire.

— Il n'y a même plus de flotte, en ce moment.

— Si ça continue, je vais être obligé de partir à l'hôtel, oui. Et j'ai pas envie. J'aime bien passer mes séjours ici, avec les miens.

— Bon, Robertico, faut que j'y aille. Grand merci pour le verre, mon vieux.

— Tu fais quoi, ce soir ?

— Rien.

— T'éloigne pas, alors. On va aller un peu se balader en caisse, voir si on se lève deux ou trois cavaleuses et après on file à la plage. Ça ne me dit plus rien, de sortir avec les nègres du quartier. Ils se bourrent la gueule en cinq minutes, ils font du chahut et ça se termine chez les flics chaque fois.

— Les Blancs aussi, ils se bourrent.

— C'est pas pareil. Je te connais pas, toi, mais je vois que tu es le gars sérieux.

— Et ton Allemande, elle te laisse sortir seul ?

— Ah, mon compère, avec cette femme-là je fais tout ce que je veux ! Reste dans le coin ce soir, c'est moi qui invite. Et on va s'en donner, l'ami ! On se cherche deux juments et on les monte jusqu'à l'aube. Faut que je me détende, mon frère. A mon retour, tout ce qui m'attend c'est un tournevis électrique et des milliers de vis de mes deux. Du lundi au vendredi, huit heures par jour, à visser et à visser...

— D'accord. Je serai chez moi, alors.

Les choses qui durent

Hier soir, en plein milieu du raffut, des saouleries et de la musique propres à tous les samedis, Carmencita a coupé la pine à son mari. Je ne sais pas comment ça s'est passé parce que ces gens-là, moi, j'essaie de m'en tenir à l'écart. En réalité je suis terrorisé, mais ils ne doivent surtout pas s'en douter. Si jamais ils reniflent qu'ils m'inspirent de la peur et du dégoût, je suis cuit.

J'étais assis par terre dans l'embrasure de ma porte, en train de prendre un peu d'air frais et de me demander où je pourrais me foutre en attendant que l'immeuble retrouve un peu de calme et que je puisse enfin me coucher. Je n'arrive toujours pas à dormir dans ce potin, rien à faire. Donc me voilà avachi sur le seuil de chez moi quand brusquement ce Noir surgit de sa piaule couvert de sang et en se tenant les couilles. Derrière, tout aussi hurlante et vociférante que lui, un couteau dans la main droite, Carmencita a jeté au sol le bout de pénis qu'elle avait dans la gauche et lui a crié quelque chose comme : « Maintenant oui que tu vas continuer à enfiler toutes les morues que tu veux, fils de la grande putain ! »

Le nègre poussait des râles terribles. Tout de suite, deux ou trois types sont arrivés et l'ont emmené à l'hôpital. Ils avaient oublié le couillon de phallus par terre mais une petite vieille l'a ramassé, l'a fourré dans une poche en plastique et le leur a jeté en braillant : « Prenez voir un peu ça qu'ils la lui recollent, le pauvret, que Dieu le protège ! »

Carmencita s'est enfermée chez elle. Je suppose

qu'elle devait claquer des dents parce que la vendetta n'allait pas tarder à lui tomber dessus : ou bien les frères du type viennent l'ouvrir à la machette, ou bien les flics arrivent, ou bien le mari en personne qui s'empressera de rentrer se la bouffer vivante dès qu'ils le laisseront sortir de l'hosto.

La semaine dernière, c'est Lily qui a fichu une trempe à son régulier. Il est toujours hospitalisé mais il ne veut pas porter plainte. Les uns disent que c'est parce qu'il est très amoureux d'elle, les autres que de toute façon il est quasiment dans le coma. Enfin. Elles sont graves, ces négresses. Tout le temps agressives. Des fois je me dis qu'elles se mettent la haine les unes les autres et qu'elles finissent par se déchaîner pour un homme, alors que c'est quoi, un homme ? Rien. Un de plus parmi les quelques dizaines que chacune s'envoie et supporte dans sa vie...

Aujourd'hui, c'est très calme. Il ne se passe rien le dimanche. Tout l'immeuble se fige, presque silencieux. On croirait un gros monstre maladroit qui se tord, crache du feu et provoque des tremblements de terre six jours par semaine et qui se repose le septième. Reprend des forces.

J'ai envie de profiter de la tranquillité pour écrire une histoire au sujet des deux travestis qui vivent ici. Ce sont des amis à moi. A tout le monde, d'ailleurs. Ils sont paisibles, aimables et très heureux. L'un d'eux rêve de percer comme chanteuse de charme, avec un numéro où il fait une imitation de Marilyn Monroe. Lui, c'est Samantha. Il arrive à se transformer vraiment bien, n'importe où ailleurs il récolterait des prix et il vivrait super bien de ça, mais ici ce n'est qu'un pauvre crève-la-faim qu'ils n'arrêtent pas d'embêter et qui gagne quelques pièces en faisant coiffeur à domicile. Après le spectacle qu'ils ont donné à la salle América, la chasse aux sorcières a été déclenchée. Pas directement contre les pédés, non, ils sont plus malins que ça : contre les responsables et les programmateurs qui avaient permis aux travestis de monter sur scène. Leur grande hantise, c'est que le moindre petit espace de liberté individuelle puisse devenir un terrain pour la libre-pensée.

Bon, mais aujourd'hui je suis confus dans ma tête. Impossible d'écrire. Je n'arrive qu'à me répéter une phrase, toujours la même : J'aime les cicatrices, pas les blessures. Pourquoi je rabâche ça tel le paranoïaque ? J'aime les cicatrices, pas les blessures.

Je ressemble de plus en plus aux Noirs de cet immeuble : sans rien à faire, toute la journée assis sur le trottoir à essayer de survivre en vendant des petits pains, un morceau de savon, quatre tomates. Ce qui te tombe sous la main. Et ça tous les jours. Sans jamais se demander : « Demain, on fait quoi ? » ou : « Qu'est-ce qui va se passer ? » Non, ils se posent par terre avec un savon dans une main, ou deux paquets de clopes, et ils laissent le temps passer. Et ils survivent, oui. Les jours se succèdent.

J'étais en train de penser à tout ça, à ressasser et à aimer les cicatrices quand Luisa est arrivée. Elle était morte de fatigue, elle bâillait à se décrocher la mâchoire mais elle avait bien gagné sa croûte. Une petite fortune, elle rapportait : quarante dollars, deux canettes de bière et une demi-bouteille de whisky. Pour une nuit de samedi, ça aurait pu être mieux, mais bon. Elle s'est lavée, elle a pris une aspirine, on a branché le ventilateur et on s'est mis au lit tout nus. Elle a dit qu'elle avait assez bu, mais moi je me suis servi un bon verre de whisky avec de la glace. Elle m'a raconté le type qu'elle avait levé sur le Malecón la veille au soir. Elle adore me donner les détails, tous les détails. Ce zigue-là voulait s'envoyer en l'air à la plage, sur le sable. Et il a eu ce qu'il voulait, avec pleine lune, palmiers et une merveilleuse métisse. Plus tropical, impossible. Très européen, le gus : il avait ses capotes dans la poche, il tenait à ce que ça se passe bien, normal, sans bizarrerie.

— Il avait le pistoun tout mou mais tordu à gauche, alors il m'a fait mal. Non, mais ça va aller. Je te raconte la suite après, mais laisse-moi dormir mes yeux un peu, mon beau macho, parce que là je suis morte.

Et une seconde après, plus personne. J'ai fini mon verre, je m'en suis servi un autre. Pas sommeil. En plus je ne peux pas dormir dans la journée, moi. Et ça me plaît, de regarder cette mulâtresse à poil. Elle est vraiment belle. Très mince, bien faite. Tant que ça dure, c'est le bonheur. Rien de plus à espérer. Dans le secteur, c'est ce qu'il y a de mieux.

A ce moment, je me suis rappelé un petit matin, il y a des années. J'habitais un endroit superbe, avec une grande terrasse ouverte sur la mer des Caraïbes. Je m'étais levé à l'aube, j'étais sorti dehors et là, brillant de tout son éclat dans la pénombre, il y avait Vénus. Je suis allé à la chambre des enfants, j'ai réveillé Anneloren, qui devait avoir cinq ou six ans, je l'ai emmenée à la terrasse, je lui ai montré l'astre et je lui ai dit : « Tu vois, c'est comme ça tous les jours. D'abord Vénus, ensuite le soleil. C'est éternel. Tout ce qui est important, toutes les choses qui comptent vraiment, elles durent. Et nous savons qu'elles sont là, et que nous pouvons les remercier d'être là. »

Ensuite, quoi encore ? Je ne sais plus. Je crois que j'ai continué avec le whisky. Jusqu'à atteindre le fond de la bouteille.

Jours de cyclone

Ça faisait des jours que je lâchais des pets affreusement puants. Comme je ne mangeais que des haricots noirs, ils se transformaient aussitôt en caisses fétides. A toute heure du jour et de la nuit. Même moi, cette odeur de merde pourrie, ça me filait la nausée. Heureusement que j'étais seul chez moi parce que pendant toute la semaine Luisa servait de cavalière à un touriste espagnol friqué et qu'elle était avec lui à l'hôtel. Si elle avait été là, j'aurais été peiné pour elle, franchement. Un pet, c'est rigolo, mais à partir de deux ça devient gerbant. Et pire encore s'ils puent comme ça. Enfin, peut-être que Luisa allait revenir avec de la thune. Qu'on puisse améliorer un peu notre train de vie. Pas longtemps, mais quand même du mieux. J'espère seulement que cette grande pute ne va pas tout claquer au shopping en robes, parfums, etc. Il nous faut quelque chose à croûter.

Déjà trois jours sans un flèche et ce salaud de nègre d'à côté qui aplatit de la ferraille au marteau. Il fabrique des seaux.

Le plus probable, c'est que Luisa ne réapparaîtra pas tant qu'elle n'aura pas raccompagné son Espingouin à l'aéroport. Et moi, d'ici là, j'aurai calanché de faim. Non. Je vais vendre des seaux, tiens ! Je vais voir le type, on palabre un moment, il m'en prête un pour « démonstration ». Si je le vends, je peux me faire vingt pesos. Tu parles d'un plan de merde. Mais enfin, c'est mieux que rien. C'est super. Je prends le seau et je descends dans la rue. Il pleut. Ils disent qu'un cyclone est

197

en train d'arriver sur Tampa, mais moi je ne vois pas pourquoi il chibre autant chez nous s'il est là-bas, en Floride...

De toute manière, je préfère me faire tremper dehors que de rester dans ma piaule. Il va me rendre sourd, ce mec, à marteler son fer-blanc toute la journée. Et l'autre, sa bonne femme, à enlever leurs poux à tous ses petits nègres, qui doivent bien être dix. Hystérique complète, parce que chaque fois qu'il pleut ils se prennent des morceaux de toit et de murs sur la figure et elle se met à prier tous les saints pour que l'immeuble ne s'écroule pas.

Presque sans réfléchir, je pars chez Arturo avec mon seau à la main. Lui, c'est un vieux mystique, rose-croix, yogi et peintre naïf. Il ne bouffe que des fruits et du miel, prend du « prana » par tous les pores. « Le karma, c'est tout ce qui compte. Ton désordre commence et finit en toi seul. Il te faut mettre de l'ordre en toi, méditer, équilibrer ton karma » : toujours le même conseil, il me donne, mais moi je n'ai pas de temps à perdre avec ces bobards. Il faut se chercher son manger, non ? Si je me mets à bouffer trois merdes karmatiques, je vais mourir de faim et alors la grande pute, là, elle saute dans un avion et hop, je te connais plus, et quand je m'en rends compte elle est en train d'atterrir en Europe. Conclusion : faut avancer. En avant ou je crève la dalle. Après, il sera toujours temps de faire du rangement dans mon karma, et autres foutaises.

En ce moment, Arturo a une aventure avec une actrice de vingt ans. Lui, il doit tourner autour des soixante-cinq. Elle me plaît bien, cette petite, mais rien à faire : elle est littéralement hypnotisée par le vieux tromblon. Je ne sais pas ce qu'il lui fricote, mais il l'a dans la pogne. Il la peint toute nue sur ses tableaux. Il a une minuscule maisonnette pas loin de chez moi et il a la bonne vie, le vieux singe, vu qu'il vend ses œuvres aux touristes, en dollars. Il passe à peine un œil par la porte entrebâillée. On dirait qu'il est à poil. Et le seau, il n'en veut pas.

— Je peux te le laisser et tu me paies demain, Arturo.

— Non, pas besoin, merci.

— Y aura peut-être un voisin que ça intéresse ? Tu as une idée ?

— Non, je vois pas.

— Bon, alors amuse-toi bien, vieux.

— C'est ce que je fais. Ciao.

Oui. Le berger ne laisse jamais le loup approcher de ses petites brebis. Je continue. Je vais d'une entrée à l'autre, mon seau à la main, des fois je dis : « Attention, c'est du spécial, là. De l'authentique. Il n'est pas en plastique, celui-là. Toute la vie, il va vous durer. Spécial spécial. Des comme ça, on n'en voit plus. Fer premier choix, garanti toute la vie. » De temps en temps, quelqu'un me demande le prix. Pour déconner. Ils n'écoutent même pas la réponse et ils poursuivent leur chemin.

Je descends Galiano jusqu'au Malecón. La mer fait sa sauvage. Le vent est fort. Est-ce qu'il a tourné, ce cyclone ? J'entre dans un immeuble où j'ai vécu des années, je monte tout en haut, je sonne. Et si la vieille Hortensia me l'achète, ce seau ? Je dégouline de pluie. Mais ça m'est égal : tout mouillé, au milieu de la tempête et des rafales, je me sens bien.

Elle a été policière toute sa vie, Hortensia. Capitaine de la Sûreté de l'Etat. A la retraite depuis longtemps. Et veuve, maintenant. Et dans une mouise terrible.

Depuis que le mari n'est plus là, c'est une vraie porcasse. Enfin, pas d'argent, pas de bouffe, pas d'eau, pas de savon... Sa famille ne l'aide pas. Elle est seule, à moitié dingue. Elle est persuadée que le monde entier lui en veut. Mais elle a beau être ravagée, elle continue à vouloir tout régenter et à faire sa commandeuse. C'est pour ça que sa fille la laisse dans son coin. Une fois, au temps où j'étais le voisin d'Hortensia, elle m'a dit : « Je ne peux plus la supporter. Préviens-moi quand elle meurt. »

Sur le coup, j'ai pensé que c'était une sacrée salope. Mais non. Après, j'ai commencé à la comprendre.

— Depuis que tu es parti, il n'y a plus personne, à cet étage. Un terrain vague, c'est.

— Pourquoi vous dites ça, Hortensia ? Il faut reprendre courage et continuer. Que Lucio soit mort, peu importe.

— Oh si, mon fils, ça importe ! Il était mon soutien dans la vie. Et dire que je le disputais, que je voulais divorcer... Maintenant, tout le monde m'a tourné le dos.

— Non, non, ne parlez pas comme ça ! Dieu est toujours avec nous.

Je dis ça rien que pour l'emmerder, parce qu'elle ne croit en rien. Même pas à la putain de sa mère.

— Balivernes ! Dieu, des clous ! Puisque je n'ai pas un sou vaillant, moi ! Dans ce pays, celui qui n'a pas de dollars, il est mort. Alors il faudrait que je pense à Dieu, non mais ! Allez, viens t'asseoir une minute, qu'on bavarde un peu.

— Non, Hortensia, impossible. J'y vais. Je suis en train de vendre ce seau.

— Ah ! Les filous d'à côté, ils vont te l'acheter !

— Vous croyez ?

— Bien sûr. Ils sont pourris d'argent. Lui, il travaille dans un shopping et il vole à tour de bras. Sale engeance. Voler le gouvernement, voler Fidel !

— Laissez tomber ça, Hortensia ! Oubliez un peu la politique, essayez de vivre du mieux possible les années qui vous restent.

— Ah, mon fils, c'est que je suis déjà finie, moi ! Et regarde un peu ce que c'est devenu, la Révolution...

— Oui. Les Chinois, ils disent que tout est un cercle. Chaque fois, tout revient à son commencement.

— Je ne comprends pas. Qu'est-ce que tu dis ?

— Rien. Qu'il ne faut pas être triste. Allez, appelez ces gens, qu'on voie s'ils me le prennent.

Et en effet, ils m'ont acheté le seau. Et je suis parti.

Je ne suis pas là pour supporter les jérémiades d'Horten-sia. A la porte, elle m'a dit :

— On ne peut pas abandonner le peuple de cette façon. Cet immeuble part en morceaux, il n'y a jamais d'eau, ni de gaz, ni à manger, ni rien, mon fils, rien ! Qu'est-ce que c'est que ça ? Jusqu'à quand ? Les auto-rités doivent s'occuper de nous ! Toi tu es journaliste, non ? Pourquoi tu n'écris pas un article sur cette mai-son ? A voir si ça touche le cœur de quelqu'un... Ici il y a beaucoup de petits vieux, on est tous abandonnés parce que...

— Hortensia ? Vous ne voyez pas que je suis en train de vendre des seaux ? Je ne suis plus rien du tout, même pas balayeur ! Un de ces jours, quand j'aurai plus de temps, je reviens et on discute, d'accord ? A bientôt.

Je suis redescendu. L'ascenseur est cassé depuis des lustres. Et douze étages, il y a. Au second, il m'est venu l'idée de frapper chez Flavia. On a eu une grande his-toire d'amour qui a duré deux ans, avec Flavia. On fai-sait de beaux projets pour rester ensemble et nous aimer jusqu'à la mort. Elle avec ses sculptures, moi avec mes bouquins. A cette époque, elle m'appelait « papa », tou-jours très tendre, elle me répétait : « J'ai tant besoin de toi, papa. » Sauf qu'elle est quand même partie en Espagne, puis à New York. Elle s'est bien occupée d'elle, mais elle a oublié nos projets : plus besoin de papa, terminé. Et puis elle est revenue. On s'est vus une heure, cette fois-là, et les adieux ont été vraiment une souffrance pour moi. Mais elle non, très contente. C'était il y a longtemps... Récemment, elle est repassée à New York, elle a eu des expositions personnelles où ils ont bu du vin californien à sa santé, elle a vendu ses dessins à mille dollars pièce. Elle m'a montré les photos, en me signalant du doigt le directeur de la galerie, et une petite tantouze qui l'a aidée à la mise en place de l'expo, et sa cousine, et les voisins qui y étaient aussi. Enfin. Elle a l'air beaucoup plus calme. Et elle a des dollars, en plus. C'est un bon calmant, les billets verts. Elle m'a fait un café et elle m'a déclaré :

— Oh, parvenir à la célébrité, c'est très difficile, à New York. Mieux vaut se trouver un peu d'argent et s'amuser, pas vrai ?

— Je ne sais pas. Je n'ai jamais cherché la célébrité à New York.

— Ah, ne réagis pas comme ça ! Tu continues à m'en vouloir ?

— Je ne t'en ai jamais voulu. J'ai été très triste, c'est tout.

— Bon, on ne va pas reparler de ça !

— Tout va bien. Je suis juste passé te saluer, voir comment tu allais.

— Ne continue pas à te déplumer comme ça. Tu es tout maigre. Pourquoi ?

— Je prends des cours pour être danseur de ballet.

— Oh, ce que tu es lourd !

— Bon. Ciao.

Et je suis parti. Elle n'imagine même pas le sillage de poèmes éplorés qu'elle a laissé derrière elle, tout ce chagrin et ces larmes. Comme dans un boléro. Elle ne le sait pas. Et elle ne le saura jamais, parce que je ne vais pas lui offrir ce plaisir.

Il pleut très fort, maintenant. Avec des bourrasques. Des jours comme ça, je n'aime pas. Ça me donne encore plus faim.

Pleine lune sur le toit

Luisa continuait avec son Espingouin blindé. Ou doré, même. Elle est passée à la piaule en coup de vent, m'a laissé dix dollars et m'a dit :

— Tout va bien. Il est des Asturies, ce toubab-là. Un blédard, mais plein aux as.

— Un quoi ? Toujours à récolter des mots bizarroïdes, toi.

— Hé oui ! Faut toujours apprendre. Et toi, continue dans ta merde et te cherche pas une Espingouine aussi !

— Arrête tes conneries, Luisa ! Bordel, c'est quoi, un blédard ?

— Un bitako, ti'chéri, un péquenot, si tu veux savoir. Paysan. Campagnard. Agriculteur.

— Aaah...

— Et il veut m'emmener avec lui.

— Ouais. Ils veulent tous t'emmener. Mais dès qu'ils mettent le pied dans l'avion, alors...

— Oh, ne fais pas l'oiseau de mauvais augure ! Tu portes la malchance. J'y vais. Quand j'aurai terminé avec lui, je reviens. Aïe, doudou, qu'est-ce que tu me manques !

— Toi ? Tu as une moule à la place du cœur. Même ta mère, elle te manquerait pas.

— Me parle pas comme ça, titi.

— Si je te manquais tant, tu ne me jetterais pas dix misérables dollars. Je vais crever de faim, moi.

— C'est qu'il m'a pas donné d'argent, papito ! Il

casque tout direct. Ce billet-là, je le lui ai engourdi hier pour te l'apporter. Fais pas ton ingrat, ti'chéri.

Elle m'a couvert de baisers et elle est partie. Fantastique, cette petite. Elle me faisait tourner en bourrique. Resté seul, j'ai caché le billet derrière une des charnières de la porte, bien plié entre les vis toutes rouillées et déglinguées. Ensuite, je suis allé sur le toit.

Je vivais au douzième et dernier étage d'un immeuble du Malecón, à une bonne soixantaine de mètres au-dessus de la rue, et j'avais pris l'habitude d'aller m'asseoir sur l'avant-toit, les jambes dans le vide. C'était très facile : il suffisait de sauter de la terrasse sur la corniche, très jolie, soutenue par des gargouilles de pierre taillée en forme de griffons et de paradisiers. C'était une vieille et solide bâtisse dans le style bostonien, mais toujours plus amochée par tous ces gens qui s'entassaient dedans en essayant de survivre.

Et voilà, donc. Simple comme bonjour. Je me sentais comme un oiseau, là-haut, et je me souvenais du temps où j'avais des couilles et où je sautais en deltaplane d'une colline de la vallée de Viñales, en serrant les fesses tellement j'avais la trouille de m'écraser au sol. Mais il ne m'a jamais trahi, ce truc. Le soir, je me laissais tomber sur la corniche et je restais là, bien au frais sur mon perchoir dans la pénombre de la nuit. Ça me plaisait trop. Je rêvais toujours de partir dans le vide, de m'envoler. Le type le plus libre du monde.

Ce soir-là, Carmita est passée. Une aventurière, celle-là. Elle avait trois hommes à la fois : un marin, un mécano et un douanier. C'est un cas, cette femme. Elle a quarante et un ans mais on croirait qu'elle en a onze. Une passionnée de sexe, d'argent et de jeux de hasard. Enfin, plutôt dans cet ordre : argent, sexe, argent, jeu et encore plus d'argent. Et de manigancer, et de rafler tout ce qu'elle peut. Elle habite au cinquième avec ses gosses et ses hommes. Je n'ai pas encore compris comment elle s'arrange pour les échanger sans qu'ils se rencontrent jamais. Et ce soir-là, j'ai eu le pressentiment qu'elle

204

voulait ajouter une quatrième victime à sa collection de types bien pratiques. Sans prévenir, elle s'est mise à brailler dans mon dos. Moi j'étais telle la chauve-souris devant la lune, une belle lune bien pleine qui rendait la nuit claire et bleue. La mer tranquille, le Malecón presque désert, et moi en extase dans le vide, sans penser à rien. Etre suspendu en l'air face à l'océan, dans la brise fraîche de juin et tout ce silence autour, c'est si merveilleux qu'on peut faire le vide dans sa tête. Je flotte, je rentre en moi-même, je ne cherche plus rien. Seul avec moi. C'est comme un miracle au milieu de cette tempête, de tous ces naufrages. Je deviens un miracle vivant et voilà que Carmita est derrière moi et qu'elle piaille

— Mais tu vas ranfaler, Pedro Juan ! Qu'est-ce que tu fabriques là-dessus ? Ah, pauvre de moi !

— Oh, du calme, du calme ! C'est quoi, ces hurlements ?

Elle se prend pour ma mère, ou quoi ? Et en plus, c'est la première fois qu'elle monte à mon étage ! Si on vivait ensemble, elle me sortirait de mon perchoir à coups de latte.

Bon, je ne sais pas comment ça s'est passé mais quelques minutes plus tard je suis descendu acheter un peu de rhum pas cher, à goût de kérosène mais enfin, avec du citron et de la glace c'est potable. On s'est bu deux ou trois verres et on a parlé un moment du million de gens qui se sont retrouvés sans travail, tous à vendre n'importe quoi dans la rue, à essayer de survivre.

— Ils m'intéressent pas, Pedro Juan. Qu'ils crèvent.

— Quand même ! Moi, ils me font peine.

— Eh bien moi, non ! Et toi, qui c'est qui t'aide ? D'après ce que je vois, tu es plutôt maigroulet. Si tu te remues pas, tu vas crever de faim.

— C'est vrai, mais je...

— Et moi, qui c'est qui a de la peine pour moi ? Ces ceusses qui vendent des citrons et des pizzas, ils apportent leurs problèmes dans la rue et ils les déballent devant le monde. Deux ans je me suis coltinée ce mécano-là, ce gros saoulard imbécile, pourquoi ? Parce qu'il me refilait soixante pesos par semaine. Mais c'était mon affaire à moi ! Je gardais ça à la maison. Personne n'avait à le savoir. Et je me suis gagné la vie comme ça jusqu'à ce qu'il revienne, le marin, et alors j'ai envoyé le gros cochon faire un tour.

— Quelle cynique tu es !

— Ah oui ? En parlant de cynique, tu es quoi, toi, à exploiter cette cavaleuse que tu as ? Figure-toi que tout l'immeuble est au courant. Mais je ne suis pas cynique, non. Moi, depuis que je suis petiote on m'a appris qu'un mari, c'est pas fait pour plaire, ni pour se pavaner à la maison. Il est là pour bosser et m'entretenir, point final. Celui qui me ramène pas la caillasse, j'en veux pas avec moi. Et mes enfants, je les élève pareil. Pas de flemmards et d'inutiles sous mon toit. Et encore moins des maquereaux comme toi.

— Moi, tu m'oublies. Et ton marin, il t'apporte quoi ?

— Mon marin, il est revenu des cadeaux plein les bras. De tout ! Des robes, des chaussures, des parfums, tout ! Il m'a ramené deux coupons de soie chinoise, il faut voir la beauté ! En Chine, il était.

— Comme Marco Polo.

— C'est qui, celui-là ?

— Un ami à moi.

— Ah bon. Eh bien je sais pas si ce Marco Polo a bon goût, mais mon Yeyo il l'a ! Tout ce qu'il rapporte, ça nous va impeccable, aux enfants et à moi. Même les chaussures avec la pointure qu'il faut ! Ça c'est un mari, mon petit, pas un crève-la-faim !

Et on a continué comme ça. Trois ou quatre verres plus tard, je ne sais pas pourquoi mais j'ai eu envie de la caresser. Enfin si, je sais. Ça faisait un bout de temps que je ne suivais plus trop, vu qu'elle s'était mise à parler de plats qu'elle faisait, de cuisine et de son appartement qui brille et brille tellement elle passe sa vie un chiffon à la main, obsessionnelle, alors que ma piaule, c'est une honte, une porcherie.

— Ici il manque la poigne d'une femme. Moi, je t'en ferais un bijou ! Tiens, là il faudrait des jolis petits rideaux...

Elle était lancée dans ces foutaises et moi je la matais en me posant des questions. Elle a quarante et un ans, d'accord, mais qu'est-ce qu'elle est bien. Et puis j'ai craqué : je me suis levé et j'ai commencé à lui caresser la tête en lui collant mon entrejambe dans la figure. Elle, elle m'a dégrafé le pantalon, elle a ouvert la braguette et elle a découvert peu à peu mes poils et ma pine qui se réveillait et dressait la tête comme si quelqu'un venait de l'appeler.

— Ah mais, Pedro Juan, quelle jolie bite tu as là ! C'est du roulé main, ça !

Elle l'a dit en minaudant, avec autant de gourmandise que s'il s'était agi d'un caramel. Et puis elle l'a prise dans sa bouche. Délicatement, avec la langue, les lèvres, les dents, tout. Dans sa bouche bien chaude et humide. Elle mordillait la pointe à petits coups, et tout ça d'un air rêveur, les paupières closes. Elle s'est activée dessus en prenant son pied jusqu'à ce qu'elle avale toute la purée. Jusqu'à la dernière goutte, qu'elle a léchée.

— Viens un peu au lit, papito.

— Pffuui, non, attends. Je fais un break.

Elle m'avait vidé les couilles et elle voulait continuer comme si j'étais un jeunot de quinze ans !

— Break rien du tout ! T'as une langue et des doigts, non ? Maintenant que tu m'as chauffée, tu ne vas pas me laisser en plan. Allez, viens !

Elle se déshabillait déjà et... Un corps incroyable ! Après quarante piges à manger du riz aux fayots, trois accouchements, et sans rien savoir des crèmes, ni des salles de gym, ni des saunas. Parfait, il était.

Alors bon... Je me suis versé un verre et puis j'ai passé un temps fou à me démener avec ma langue et mes doigts pendant qu'elle gémissait et soupirait en enchaînant les orgasmes. A un moment, j'avais relativement récupéré et donc je la lui ai mise, mais elle n'était pas très dure. Avec ma pine comme ça, à moitié débandée, je lui ai quand même envoyé un peu de pommade sur le clito. Elle a encore joui deux fois, en criant, et ça a été fini.

— Wouao ! Viens, on va prendre le frais.

Il était presque deux heures du matin, la terrasse était déserte, plongée dans le silence. J'avais réussi à la satisfaire : j'avais la langue fatiguée, d'accord, mais je me sentais plein d'énergie. Comme un bolide, j'ai sauté du lit et je suis parti dehors, à poil. Et là, dans la lumière bleutée de la pleine lune, il y avait deux types. En train de ranger leur bite dans le froc, à toute allure. Surpris, effrayés. Ils avaient assisté au spectacle par une persienne entrouverte, à se rincer l'œil et à se pogner sur notre dos. Ça m'a rendu fou de rage, la colère m'aveuglait et je leur suis tombé dessus à coups de poing. Recta. Je ne leur ai pas donné le temps de réagir, en plus ils mouraient de trouille, tout jeunes comme ils étaient, et ils ont reçu une sacrée danse. Jusqu'à ce que l'un d'eux fasse quelques pas en arrière, sorte un flingue et me le braque dessus.

Là, j'ai compris. Ils étaient en uniforme, les deux.

— Vous êtes flics ! Enculés, à se branler à ma fenêtre !

Le deuxième avait pris son arme, lui aussi, mais j'avais réveillé les voisins avec mes hurlements et ils ont commencé à arriver sur la terrasse. J'avais beau continuer à les insulter, nu comme un ver, c'est eux qui avaient le dernier mot, avec leurs revolvers. Soudain, le premier a sorti des menottes et il a essayé de me les passer. Autour de nous, personne ne comprenait ce qui arrivait.

— Tu te les mets au cul, tes menottes ! Ils étaient en train de se branler en nous matant, là, derrière la persienne ! Carmita, viens ici ! Carmita !

Je suis rentré chez moi me passer un bénard. Carmita

était partie. Dès qu'elle avait vu l'embrouille avec les flics, elle avait dégringolé les escaliers. La salope complète ! Me lâcher dans ce pétrin !

— C'est du scandale sur la voie publique que vous faites là, citoyen. En plus de l'atteinte à la pudeur, à sortir tout nu comme ça. Allez, suivez-nous et laissez-vous menotter.

Les voisins s'en sont mêlés :

— C'est pas une voie publique, ici, soyez pas menteurs ! Et d'ailleurs vous faisiez quoi sur ce toit, en pleine nuit ? A regarder par la fente des persiennes ? Ah, il y en a qui ont du toupet !

En une minute, plus de vingt voisins étaient là, à les accuser. Ils ont essayé de reprendre le contrôle en faisant les sérieux :

— Prenez vos papiers d'identité et suivez-nous, citoyen.

— Mes couilles ! Avec vous je vais nulle part. Tirez-vous d'ici ! Mais tirez-vous, bordel !

Les autres essayaient de me calmer. Finalement, les flics ont choisi de s'esquiver dans les escaliers : il y avait trop de monde en train de les montrer du doigt et de leur demander ce qu'ils fabriquaient sur la terrasse à une heure pareille. Ils sont partis en courant, presque, et en lançant des menaces :

— Nous allons revenir tout de suite. Ça ne va pas se terminer comme ça, non.

Dès qu'ils sont partis, tout s'est calmé. Les voisins sont allés se recoucher. Moi, j'ai attrapé ce qui restait de mes dix dollars et je suis descendu m'acheter une bière et de quoi manger. Tant d'exercice, ça donne faim. En fin de compte, ça s'était plutôt bien passé. J'avais pu leur envoyer quelques bons taquets avant qu'ils ne sortent leurs flingues. Pas mal du tout.

Les portes du Seigneur

A Salvador Rodríguez del Pino

On s'est envoyé plein de bières à une table dans l'entrée de l'hôtel Deauville, le chicano et moi. Au centre de La Havane, un dimanche soir, il ne fait pas bon être assis en compagnie d'un gros type rougeaud et très blanc. Un bonhomme comme ça, la soixantaine bien tassée, il doit être blindé, alors la meute renifle l'odeur des dollars et se pointe avec les crocs prêts à mordre. Là aussi, tout le monde est arrivé pour essayer de rafler quelque chose. Les gosses quémandent des pièces, les putes se collent, les macs proposent rhum, cigares, aphrodisiaques, en contrebande, à très bas prix. Chacun avec sa petite histoire à baratiner. Tous ravagés par la misère, en dedans et en dehors. Après l'étape du socialisme et du « ne mords pas la main qui te nourrit », on est passés à celle du sauve-qui-peut. Résultat : au cul la miséricorde et le reste. Nous, on se marrait bien. Le chicano me racontait des anecdotes sur sa jeunesse gay à Acapulco. Déjà dans le ventre de sa mère c'était une folle perdue, celui-là. Et c'est pour ça qu'il était amusant, à remonter toute l'histoire de sa famille avec ces fabuleuses tribulations de gens richissimes à travers la Révolution mexicaine, ces fantômes nocturnes d'aïeux écossais, ces tantes restées vieilles filles... Pas étonnant qu'ils puissent écrire aussi bien, les enfoirés de Mexicains : ils ont de la matière première à revendre, d'excellente qualité, et puis ils ont toujours été les vaincus.

A minuit, le chicano est allé aux toilettes de l'hôtel, trois putes sont entrées derrière lui et ont essayé de le violer, d'après ce que j'ai compris. Terrorisé, il est revenu à toutes jambes chercher ma protection. A ce moment, une bande de gamins noirs et blancs nous ont entourés en pleurnichant. Ils prenaient des airs de crève-la-faim, tendaient la main et répétaient : « Señor, donnez-nous un peu de quoi manger, pitié, donnez-nous un peu de quoi manger, s'il vous plaît.. »

J'ai essayé de les disperser :

— Hé, ça va bien, maintenant ! On n'a rien pour vous.

Alors l'un des gosses a pris la tête du groupe pour organiser élégamment leur retraite :

— Pardonnez-nous, señor, c'est la pauvreté qui nous rend fous. Ne faites pas attention à nous. Allez, allez, on dégage !

Ils sont tous partis en courant mais leur porte-parole est revenu aussitôt pour me dire avec un grand sourire :

— Vous avez vu comment je vous ai débarrassés de ces braques-là ? Pourquoi vous ne me donnez pas quelque chose à moi ? Rien que pour un hamburger, quoi !

— Non, mon garçon ! Rien du tout. Fous le camp.

J'ai remarqué que le chicano était plutôt nerveux.

— Qu'est-ce qui t'arrive, Enrique ?

— Rien. C'est juste qu'une de ces filles a essayé de me mettre la main à la braguette. C'est grave, ça, tu comprends ? Elle a voulu me violer. Mais moi je ne peux pas, alors je suis un peu troublé. Tirons-nous d'ici, qu'on trouve quelque part où dîner.

Comme on avait chacun huit ou neuf bières dans un ventre vide, elles faisaient leur effet. On était légèrement pompettes. Le chicano a payé et on est partis sur le Malecón. C'était noir de monde : avec la chaleur et l'humidité de juillet, tous les gens sortaient de leur trou pour prendre le frais et écouter de la musique. Le Malecón dans la pénombre, avec de la salsa à fond dans tous les sens, une mer d'huile et pas un souffle d'air. Rien que la fournaise, la foule, l'obscurité et l'océan qui puait les égouts.

Deux des cavaleuses qui l'avaient poursuivi aux toilettes nous ont rejoints. Elles se sont suspendues à son bras. Deux jolies métisses, très jeunes, toutes suantes. Peut-être un peu trop maigrelettes.

— Si tu ne veux pas coucher avec nous donne-nous un dollar pour un hot dog, au moins.

— Mais nooon ! Je n'ai rien, rien du tout ! S'il vous plaît, merci !

— Ah, mais tu es un pédé, toi, voilà ce que tu es ! Regarde-moi ce makoumé-là ! Va t'enfiler ton suce-pine, va ! Et toi, l'ami, mets-lui bien dans le cul, profond, hé, c'est ça qu'il aime !

Au diable. Je ne leur ai même pas répondu. Ça n'en valait pas la peine. On a continué à marcher. Les gens nous regardaient et on faisait pareil. Et tous à dégouliner de sueur.

— Depuis que je suis arrivé à Cuba je n'ai pas été sec une minute, m'a dit Enrique en riant et en s'essuyant avec un foulard rouge qu'il utilisait peut-être pour se protéger la gorge du froid là-bas, dans les montagnes glacées du Colorado.

Mon esprit est parti un instant avec les cow-boys de ces contrées, avec leurs manteaux en cuir.

— Il faut qu'on se trouve à dîner, Pedro Juan. Tu n'as pas faim ?

— Si. Il y a un kiosque au coin de la rue.

On y est arrivés. Il y avait beaucoup de tables sur le trottoir autour, toutes occupées, et encore plein de clients debout, et un bruit fou. D'où ils sortaient, tous ? On s'est faufilés jusqu'au comptoir dans la foule suante qui criait, dansait, riait et on a commandé deux parts de poulet-frites et deux bières. En fait, je voulais me saouler, ce soir-là, mais quand je suis dans cet état je peux m'envoyer les bières à la file, vingt, trente, ne plus compter et continuer sans être vraiment pété.

Un petit mulâtre tout gosse s'est jeté entre nous et nous a bousculés sans daigner demander pardon. Collé au comptoir, il a brandi un billet de dix dollars en criant quelque chose au vendeur. Un autre métis, presque noir celui-là et très jeune aussi, est arrivé par-derrière, l'a pris par l'épaule, l'a obligé à se retourner face à lui et là, avec une expression de haine féroce, il lui a donné deux coups de poignard dans la poitrine. A quelques centimètres de moi. Ça s'est passé si vite que je n'ai pas compris que cet éclair était une lame de poignard qui entrait et sortait deux fois du thorax du gamin, sans une goutte de sang.

Machinalement, j'ai donné une bourrade à Enrique pour le pousser de là et je me suis plaqué de mon mieux contre le comptoir. Moitié en courant, moitié en titubant, le type est parti avec l'autre derrière lui qui continuait à le frapper partout où il pouvait. Hurlements, bousculades. Un policier a tiré trois fois en l'air avec son calibre 45. C'était bizarre, ce flic en civil : il était très loin du kiosque éclairé, dans la pénombre et pourtant j'ai aperçu nettement son visage déformé par la peur. J'ai cherché Enrique des yeux : il était affalé sur le sol couvert de saletés et se débattait entre quatre gus qui le tenaient en lui fouillant les poches. Tout ce à quoi j'étais arrivé en le poussant de côté, c'était à le faire tomber. Je me suis hâté à son secours en criant pour effrayer les bêtes sauvages :

— Hé, c'est quoi, ce bordel ?

Ils se sont enfuis sans demander leur reste. J'ai aidé Enrique à se relever.

— Tirons-nous de là, mec !

On s'est dégagés tant bien que mal de cette cohue en folie, on a traversé le Malecón et on a marché sur le large trottoir qui court le long de la mer. Là, je me suis rendu compte que nous étions les seuls Blancs en vue. Dans le parc Maceo, un orchestre était en train de jouer la fameuse salsa : « Ça se voit à ton minois que t'es une bien fofolle, toi ! Ce soir l'aventure c'est pour mi mouin,

sûr que tu me remercieras demain, ma doudou mouin ! »
Et tout le monde à danser là-dessus comme des forcenés.

— Ils t'ont pris quelque chose, Enrique ? Vérifie.

Il s'est tâté. Il lui manquait soixante dollars qu'il avait
mis dans la poche de sa chemise, ses lunettes de soleil et
son permis de conduire. Il ne lui restait plus qu'un peu
de monnaie dans son pantalon. En tombant, il s'était fait
mal à l'épaule droite et s'était sali dans le dos et aux
fesses.

On s'est éloignés rapidos. Après le parc Maceo, il y a
tout un tronçon du Malecón exclusivement réservé aux
pédés et aux gouines. Cent mètres gay. *Free love*. Et si
on continue en direction du Vedado c'est encore un
autre monde. Les gays forment une frontière entre la tur-
bulence du Black Power et le calme relatif du Vedado.
Ça a l'air plus tranquille mais ce n'est qu'une apparence : l'agitation est partout, simplement elle est souter-
raine, ici. Il suffit de gratter à peine la surface et elle
vous explose à la figure avec la même brutalité. Nous
sommes tous des métis, en définitive.

On est arrivés à une pizzeria près de l'hôtel Saint
John, tout illuminée, bien propre, avec air conditionné.
Presque personne, là-dedans. Quelle paix ! C'est un res-
tau uniquement en dollars, pas cher mais inaccessible à
la plèbe qui poignarde son prochain pour un billet de
dix.

On a commandé des pizzas au jambon, des bières et
on a respiré un bon coup en souriant. Moi, j'adore m'im-
prégner de cet air sec, frais, parfumé. Ça te donne une
sensation de luxe, de confort, de bien-être. Dans un
endroit climatisé, tu ne prends dans tes poumons que des
neutrons efficaces : les protons restent en dehors, avec
la chaleur, l'humidité, les cris, la masse. Ici les gens sont
peu nombreux, bien habillés, bien grassouillets et bien
élevés.

A la table d'à côté, il y avait trois jeunes Mexicains
enrobés, avec des grosses chaînes et des gourmettes en
or, qui bavardaient ensemble d'un air satisfait. Enrique

leur a souri et leur a demandé dans son meilleur mexicain s'ils étaient de Guadalajara. Non, de Monterrey. Ils répandaient la parole de Dieu. Arrivés à Cuba le matin même, ils étaient déjà allés dans une maison de culte pour prêcher.

— Mais comment ? Vous aviez déjà des contacts, ou quoi ?

— Non, mon ami. Avant de partir, nous avons passé trois jours à jeûner et à prier pour trouver ici des frères qui ont besoin de la parole divine.

— Nous avons prié pour que nombreux soient ceux qui franchissent avec nous les portes du Seigneur. Ce matin, un garçon a voulu nous vendre quelque chose dans la rue. Nous avons refusé, nous lui avons dit : nous sommes là pour répandre la bonne parole. Alors un autre qui passait par là nous a invités à son église. Pas une vraie église, une simple maison où ils célèbrent la messe. Et là, devant nous, deux personnes ont brisé leurs colliers de santería, ils ont dit qu'ils avaient été égarés par le démon et qu'ils regrettaient d'avoir adoré des idoles. Là, tout de suite, ils sont tombés à genoux. C'était très émouvant, mon ami.

— Donc vous avez eu un résultat, leur a dit Enrique.

— Oui, mon ami, grâce à Dieu. Nous allons prêcher tous les jours. Pendant tout ce temps, nous allons nous rendre dans plein, plein de lieux de prières. Ils en ont besoin, ici. Le démon s'est déchaîné sur cette terre. Il y a un grand besoin de Dieu. Il nous faut leur montrer la voie.

Comme nous n'avions rien à répondre, la conversation s'est éteinte. Nous avons fini nos pizzas et puis Enrique a pris un taxi pour rentrer à son hôtel. Tout souriant. Il paraissait très content d'avoir passé une soirée aussi animée.

Moi, j'ai dû reprendre le Malecón en sens inverse. Il était déjà deux heures du matin. En retraversant la frontière gay, je me suis souvenu de la parabole des prédicateurs. Ils étaient tous à s'adonner au péché.

Frénétiquement. Une Noire et un nègre étaient en train de baiser sur le parapet, elle assise sur lui. Juché sur son cheval en bronze, Maceo les regardait faire d'en haut. Ils jouissaient et gémissaient, les yeux fermés. Je n'ai pas résisté à la tentation de les observer et de les écouter, à dix mètres d'eux. Le type la ressortait, se masturbait et branlait la fille avec sa pine. Je voyais tout ça et c'était trop : j'ai dégainé ma bite pour me caresser, moi aussi. Assis de l'autre côté, un mulâtre faisait pareil. Un peu plus loin, il y avait une femme appuyée contre le mur. A moitié bourrée, peut-être. Comme je ne voulais pas arriver seul à l'orgasme, je me suis approché d'elle et je lui ai montré ma pine bien raide dans la braguette. Elle n'avait rien manqué de ce qui se passait à quelques mètres à sa droite. Elle a tendu la main, me l'a prise et l'a serrée entre ses doigts, puis elle s'est retirée et m'a montré avec des gestes qu'elle avait le ventre vide, qu'elle voulait manger avant de me la reprendre et de s'agripper dessus. Elle me regardait dans les yeux. Elle était muette et crevait la dalle.

— Tu veux un hot dog ?

Elle a rugi dans sa gorge, « arrrgh, arrrgh », pour dire que oui, tout en hochant la tête sans arrêt.

J'ai inspecté mes poches. Dix pesos et deux dollars. Mon cul, oui. Je n'allais pas lui payer un hot dog d'un dollar pour qu'elle me fasse une branlette, celle-là. A sec, en plus, parce qu'elle n'allait pas accepter d'y mettre de la salive. J'ai secoué mon doigt en l'air pour lui répondre non et je suis retourné au couple noir. Ils continuaient à s'envoyer en l'air sans ouvrir les yeux. Je me suis approché suffisamment pour bien les entendre, je me suis installé sur le parapet face à la mer, le dos tourné à la ville, et je m'y suis mis. Aussitôt, j'ai balancé un bon jet de crème dans l'eau sombre et paisible. Les Caraïbes ont reçu mon sperme. Il y en avait beaucoup. Trop de jours passés sans femme, à laisser le temps s'écouler.

Le serpent, la pomme et moi

Cette femme-là m'a séduit comme le serpent a hypnotisé Adam pour le pousser à manger la pomme. Je m'emmerdais ferme, à l'époque, alors une fille qui me donnerait quelques caresses, ça tombait bien. J'avais un contrat avec une entreprise de forage pétrolier et je vivais vingt-cinq jours par mois dans un *trailer* garé aux environs d'un village près de La Havane. Je travaillais sur les récifs de la côte, à quelques mètres de la mer. Dix heures d'affilée à porter des tubes en fer, des carottes d'extraction, des vrilles, et ainsi de suite. Un boulot pénible, toujours dans la saleté, toujours couvert de graisse et de boue, dans une puanteur permanente de soufre. Crevé, j'étais. Le soir, j'avalais le rata de bananes qu'ils tambouillaient dans le coin et je m'effondrais comme un chien battu sur mon grabat jusqu'à cinq heures du matin le lendemain. Des fois, j'étais convaincu que cette vie abrutissante était encore préférable à l'appartement communautaire, aux embrouilles des Noirs et à la misère absolue. D'autres, j'avais envie de tout envoyer balader et de rentrer chez moi. L'éternel indécis, paumé jusqu'à la moelle. A osciller comme un balancier. Enfin, je préfère encore être pathétique que sordide.

Je n'avais ni le temps, ni la force de penser. Et ça, c'était bien. La précipitation et le n'importe quoi, ça m'a toujours fourré dans des impasses. Plein d'amours aussi folles qu'absurdes, par exemple. Sans cesse tourmenté, sans cesse à galoper, à se jeter dans tel endroit, à s'enfuir de tel autre. Tel celui qui cherche et ne trouve pas.

Mais je vieillis, aussi. Et je me découvre de moins en moins capable de cynisme. Je perds en énergie, en joie de vivre et en pouvoir d'ubiquité. Je n'ai plus la même capacité de manipulation que dans ma jeunesse, au temps où je voulais chaque fois tirer mon épingle du jeu, coûte que coûte.

Elle m'avait séduit du regard pendant un moment, cette femme. Une jolie brune, costaude. Dans les trente-cinq ans, soit dix de moins que moi. Infirmière au dispensaire de ce village. On s'est vus deux ou trois fois. J'avais dû aller me faire soigner une blessure qui s'était infectée et elle était là, avec ses yeux doux à la Libertad Lamarque et sa petite bouche à la Sarita Montiel. Un peu vulgos, je me disais, mais bien bâtie. Beau cul, beaux tétés, alors ça m'était bien égal qu'elle ait un cerveau ou de l'étoupe dans le crâne. Je me suis prêté au jeu. On a bavardé et elle a accepté mon invitation à sortir ensemble. Enfin, sortir, façon de parler :

— Les gens sont très mauvaise langue, ici. Mieux vaut que tu viennes chez moi, ce soir. J'habite toute seule. Les dominos, tu aimes ça ?

— Oui, mais...

— Mais quoi ?

— Je ne m'étais encore jamais fait inviter par une femme à jouer aux dominos.

On s'est retrouvés le soir même. Je m'étais soigneusement lavé pour me débarrasser de la puanteur de soufre et de vase. Elle vivait dans une cahute isolée, à moitié recouverte par les herbes et les buissons. Pas de quoi appeler ça un jardin, vraiment.

Tout s'est passé à une lenteur désespérante. La cabane était sombre, en bois brut, presque vide. Deux ou trois ampoules donnaient une lumière jaunâtre, opaque. Avec toutes les portes et fenêtres hermétiquement fermées, il faisait une chaleur suffocante, là-dedans. Pas une seule touche féminine, un rideau, quelques fleurs, un joli détail quelque part. Rien de rien, et pourtant je me suis laissé entraîner jusqu'à la pomme. Malgré tout ce qu'elle avait de morne et de lourd, cette femme m'a eu. Elle m'a conduit à la cuisine, on s'est assis à la table et on a commencé avec les dominos en buvant du rhum tiède, répugnant, qu'on ne trouve que dans les pires bouges. Elle a sorti un paquet de brunes et elle s'est mise à fumer.

Il m'a fallu une demi-heure pour arriver à échapper aux dominos. C'était une vraie torture. J'avais presque envie de l'envoyer paître et de me tirer de là. J'ai essayé de lui faire la conversation. En fait, je voulais quand même mordre dans cette pomme, mais il fallait encore s'accrocher. Elle s'est mise à parler de base-ball. Moi, je n'ai rien à dire à ce sujet, ni en pour, ni en contre. Et puis elle est passée au thème du karaté. Elle m'a montré ses mains rêches, calleuses.

— Je m'entraîne tous les jours. Je te casse une planche en deux d'un seul coup.

— Et tous ces cals, c'est pas gênant, pour ton travail ?

— Non. Au contraire.

— Comment ça ?

— Tu veux tout savoir, hé ?

— Je ne veux rien savoir du tout. Ça m'est égal.

Elle s'est levée, elle est partie dans la chambre et est revenue avec une enveloppe à la main. Des photos d'elle. En bikini. Très pudique, le bikini. Dans diverses positions mais toujours bien raide, avec le photographe toujours à la même place devant elle. On aurait dit des planches anatomiques pour un livre de médecine. Jamais vu quoi que ce soit d'aussi ridicule. Et elle pensait m'exciter avec une merde pareille ! Elle croyait peut-être que c'était très porno. J'ai senti la haine monter en moi.

— Et ça, c'est quoi ?

— C'est moi.

— Qui est-ce qui te les a faites ? Où c'était ?

— Pas tant de questions, mon beau. C'est pas bon, d'être trop curieux.

Elle s'est approchée de moi. Elle devait attendre que

je l'embrasse, ou que je lui prenne un tété, mais rien du tout. Je réagissais exactement comme si elle était un de ces types poilus comme des ours qui bossaient avec moi, toujours à suer et à puer la mort. Je me demandais comment me sortir galamment de cette panade sans avoir à l'envoyer péter. Je n'aime pas être grossier avec les dames.

— Pourquoi tu ne mets pas un peu de musique ?

— J'ai pas de radio.

— Elle est pas dans un état brillant, cette piaule.

— Non. Oui. C'est que... Bon, je vais te le dire... Voilà, j'ai passé beaucoup de temps à l'étranger. Je suis rentrée il n'y a pas longtemps.

— Aahh, la grande mystérieuse...

— Tu ne peux pas tout savoir. Ou si, tu sauras. Mais pas tout de suite.

— Tu es de la Sûreté de l'Etat.

Elle a eu un geste vaniteux qui signifiait « possible, oui ». Un doigt tendu vers la piaule où elle était allée prendre les photos, je lui ai dit :

— Ouais, et là tu gardes un revolver, et tu as été avec la brigade América à courir la jungle là-bas, au milieu des singes et des serpents.

— Hé ! Tu es qui, toi ? Tu me connais, con ? Qu'est-ce que tu en sais, de la brigade América ?

Elle était tout agitée, d'un coup. Moi, j'ai eu carrément les foies. Une karatéka et moi à peine si j'ai fait un peu de boxe... Jusqu'à aujourd'hui, je n'ai toujours pas compris ce qui m'a pris de lui sortir tout ça. De la télépathie ? Enfin, télépathie ou hasard, ou allez savoir quoi, il fallait que je la calme, là.

— T'énerve pas, ma grande. C'est rien du tout. Je plaisantais, rien d'autre. Pas besoin de se fâcher. Relax, Relax...

— Ne plaisante pas comme ça. Ne plaisante pas comme ça !

— Oui. Euh, écoute, il est très tard, demain ils me réveillent à cinq heures. Je vais y aller.

— Il n'est pas tard du tout. Même pas dix heures. Tu veux encore du rhum ?

— Non.

— On se revoit quand ? Demain, tu viens ?

— J'espère, oui. Dans la soirée.

— Passe au dispensaire pour me prévenir.

— Je ne peux pas te faire la surprise ?

— Non. Tu me préviens d'abord.

— Ah, ils t'ont bien formée, camarade. Toujours en alerte, hé ?

— Je t'ai déjà dit de ne pas plaisanter avec ça. Explique d'où tu me connais, à la fin !

— Non, non. Faut pas être trop curieuse. On se voit demain. Ciao.

J'ai réussi à m'esquiver, à retrouver la fraîcheur de la nuit. J'ai respiré à fond et j'ai compris une chose importante, soudain : elle ne sentait pas la femme, cette nana. C'est pour ça que mes testicules ne vibraient pas. Rien ne vibrait.

J'ai encore travaillé un an dans les forages mais je ne l'ai jamais revue. Je me forçais à trimer comme un âne et à ne pas penser. Je suis devenu un peu plus brutal. Des rides me sont venues. J'ai vieilli. J'avais la couenne toute tailladée par le soleil, les embruns et le soufre.

Tout ce bruit autour de nous

On s'est connus dans un omnibus. Assis l'un à côté de l'autre pendant une heure et demie, chacun à exhaler le sexe par tous les pores, comme si on se flairait. Anisia, dix-neuf ans, moi quarante-cinq. Une métisse fine et dense, bellement tournée, avec des yeux gais pleins d'étincelles. On s'est fait des avances. Le courant passait bien, entre nous. On s'est échangé nos téléphones et puis ciao, je suis arrivé. Toi, tu continues ? Moi, oui. Bon, on se voit. Je t'appelle.

Et maintenant elle est là. Chez moi. Après des tas de coups de fil, mais chaque fois j'étais dehors. Finalement on s'est parlé et elle est venue me voir dans mon pigeonnier. Elle arrive en nage, le souffle court : ces escaliers, neuf étages, il faut se les taper. Et là, à nouveau un appel téléphonique pour moi. La vieille du huitième me crie de descendre : invariablement, elle me taxe un peso. Je dois bien supporter ça. A ce rythme, je vais finir par pouvoir m'acheter la compagnie de téléphone tout entière. J'y vais. C'est Zulema. Elle est inquiète : le neveu est revenu de Suède au moment où elle jetait dehors son marin pendant une cuite. Pourquoi ils veulent tous me raconter leurs problèmes, bordel ?

Il y a huit ans, ce neveu-là s'est débrouillé pour trouver un travail à Varadero et échapper à son père communiste. Histoire de se chercher une Canadienne friquée qui se marierait avec lui. Donc il est parti avec cette vieille moche et riche, il a fait son chemin là-bas, il a appris parfaitement l'anglais, il a obtenu la nationalité.

Il a divorcé, un vrai bras de fer car la vieille ne voulait pas le lâcher. Il s'est recasé avec une fille moins blindée mais jeune et jolie. Et maintenant je ne sais pas comment ça s'est goupillé mais il vit en Suède. Et au bout de cinq ans il est revenu en visite ici. Très fier de lui parce qu'il pèse cent cinquante kilos, qu'il part chaque année en vacances dans un pays différent, qu'il a une coquette maison avec une hotte aspirante dans la cuisine et qu'il est ouvrier dans une usine d'avions de guerre et de missiles. Alors son retour l'a déprimé, évidemment. Toute la journée à la ganja à force de voir toute cette saleté et ces ruines et cette misère alors qu'il s'est habitué à ce que la vie soit belle, propre et facile.

Zulema me raconte ça d'un seul trait. Elle s'extasie sur le succès de son neveu-ouvrier, ses cent cinquante kilos, sa hotte aspirante.

— Ah, il s'en est bien tiré, Pedro Juan !

— Oui, oui. Et alors, il se rappelle encore l'espagnol ou il parle en suédois ?

— Je ne sais pas, quoi ! Ça n'a rien à voir, ça. Oh, cette bedaine qu'il a ! Il dit qu'il se bouffe un bifteck tous les jours. Quel bonheur, mon Dieu ! Qu'est-ce que ça peut fiche, qu'il cause espagnol ou chinois ! Il pourrait être muet, aussi bien ! Lui, au moins, il a le ventre rempli et sa maison à lui. Alors qu'ici il n'avait que la peau et les os.

— Ah.

— Moi, je suis très triste, parce qu'il a vécu longtemps longtemps avec moi. C'est mon neveu préféré. Il venait chez moi de Varadero, parce que les engueulades à la maison, fallait entendre ! Il a toujours été fou, celui-là. Tu aurais vu les grimaces qu'il faisait dans le dos de sa vieille Canadienne ! Moi je ne comprenais rien parce qu'ils se parlaient en anglais, mais derrière elle il s'en donnait à cœur joie, à faire le pitre, et l'autre vioque elle ne comprenait pas pourquoi je riais, je riais... La première fois qu'il me l'a amenée, il me l'a présentée en me disant : « Tata, ce machin-là est une vieille sorcière qui est pleine aux as, alors je m'en vais avec elle. » En espagnol, il parlait, donc elle ne percutait pas. Il est très malin, ce petit. Avant, il a été avec une Péruvienne, et une Mexicaine, et je ne sais qui encore. Plein. Mais toujours il me disait : « Elles sont encore plus crève-la-faim que moi, tata. Qu'elles aillent se faire voir, parce que moi, les aventures romantiques, je m'en tape : il m'en faut une avec du fric ! » Et donc il est resté à Varadero pendant trois ans, jusqu'à ce qu'il s'en trouve une qui vaille la peine, finalement. Il savait ce qu'il voulait, oh oui ! Il a du caractère, c'est pas un mange-merde.

— Bon, alors tu n'as plus qu'à attendre ton visa.

— Oui, si Dieu veut et s'il reste toujours nostalgique, tu vas voir qu'il va faire la demande pour que je vienne cette année. Tu n'imagines pas la force que ça a, ce que j'ai entre les jambes. Ça tire plus qu'un tracteur !

— Bon, faut que je te laisse. Je suis occupé.

— Toi, occupé ? Ah, déconne pas, hé, que plus feignant que toi y a pas ! Alors viens plus tard. J'ai une nouvelle pour toi : il m'a fallu le jeter, cet ivrogne de marin. L'enfoiré-là, bourré matin, midi et soir et monsieur se fume ses deux paquets par jour ! Rends-toi compte que pour le lait du petit, il n'a jamais un rond. D'accord, au lit il est fameux, il me plaît beaucoup et tout ça. Mais moi je peux pas arriver au magasin et dire : « Bon, donnez-moi les commissions et je paie pas parce que mon mari il est extra et on fait succulemment l'amour quatre fois par jour au moins, mais à part ça c'est un bon à rien et un saoulard. » Non. Vu que là, on va me répondre : « Eh ben continue à te le baiser tant que tu veux mais tu laisses ces courses ici ! » Pas vrai ? Alors il faut être ferme, dans la vie. Je te lui ai donné une danse ! Après, je te raconte. Je crois qu'il est parti en pleurant. Je ne sais pas. J'ai pas voulu le regarder. Viens ensuite, qu'on cause un peu, papito. Si tu veux, tu passes la nuit.

— Et lui, il va pas revenir ?

— Non. Je lui ai repris la clé. S'il revient, c'est que

c'est un impertinent et je le jette à nouveau, moi ! Viens ce soir.

— Bon, OK. Ne rappelle pas. Je passe plus tard. Ciao.

— Ciao, mon cœur.

En fait, je n'avais pas l'intention d'y aller tant qu'elle aurait encore sur elle l'odeur de tabac et d'alcool de son marin. Si on doit se nourrir des miettes laissées par les autres, qu'elles n'aient pas de salive dessus, au moins...

Je suis remonté et j'ai trouvé Anisia assise, en train de regarder une revue porno qu'elle avait trouvée dans mon tas de paperasses. Je me suis installé à côté d'elle :

— Dis, tu as fouillé dans mes papiers ou quoi ?

— J'ai rien touché ! Il dépassait, ce bouquin, alors je l'ai pris. Oh, papito, j'en ai l'eau à la bouche, moi. Tiens, regarde ça !

Elle a feuilleté la revue. A chaque page, des photos en couleurs de Noirs bien membrés en train d'enfiler des Norvégiennes blondes, énormes, pareilles à des odalisques de Rubens.

— Qu'est-ce qui te plaît plus là-dedans, les blondes ou les Noirs ?

— Les Noirs. C'est la folie, eux.

— Pourquoi ?

— Ah, ces pines grosses et longues qu'ils ont...

— Mais toi, tu dois être étroite ?

— Oui, mais j'aime quand ça fait mal. Une douleur comme ça, j'en veux toujours !

— Ah bon. Tu bois quelque chose ?

— Un peu, oui.

Je verse du rhum dans deux verres. A mon avis, personne n'a besoin de pornographie. Ce qu'il nous faut, c'est de l'amour authentique. Et un brin d'élévation, de religion et de philosophie, également. Mais tout cela exige du temps, du silence, de la réflexion. Et c'est pour ça que nous nous perdons : à cause de la hâte, à cause de tout ce bruit autour de nous. Il finit par nous envahir, le bruit, et alors nous agissons sous le coup des impulsions, sans réfléchir.

— Tu as déjà été amoureuse, Anisia ?

— Moi ? Non, jamais. Je ne veux pas me compliquer les choses. Faut que je me barre d'ici, Pedro Juan.

— Toi aussi ?

— Comment ça, moi aussi ? Qui d'autre est parti ?

— Non, rien. Et où tu t'en vas ?

— A Miami, tiens ! Où j'irais ? Là-bas, j'ai un oncle et je veux qu'il fasse la demande pour que je vienne.

— Tu as l'âge qu'il faut. Si tu commences à avoir des gosses ici, à te lier, ce sera plus difficile.

— Oui, mais il faut que je me prépare la route. Il y a pas longtemps, je suis allée consulter un voyant et il m'a dit de m'acheter un collier blanc d'Obatalá pour mettre ça en train.

— Et pourquoi tu ne l'as pas acheté ?

— Parce qu'il coûte cinquante pesos.

— Je vais te les donner, moi.

— Non, tu me donnes rien ! Moi, je suis manucure et coiffeuse, et j'ai des plans par-ci par-là, et il y a ce que mon mari me laisse, et ça suffit.

— Bon, mais je peux te faire un cadeau, non ?

— Offre-moi des fleurs, offre-moi un poème.

— Ça te plaît, ça ?

Elle prend une mine de petite fille coquine.

— Bien sûr ! Des fois je recopie un poème et je me l'offre à moi !

— Allez ! Tu n'as pas l'air si romantique que ça.

— Oh si ! Mon rêve, ce serait d'être la femme d'un poète et qu'il passe son temps à me combler de poèmes, de fleurs et de parfums.

— Ton mari n'est pas comme ça, si ?

— Tu parles ! Ce nègre-là, toujours couvert de graisse ! Mécano, il est. Plus rude et grossier qu'un tronc de yucca, il est !

— Laisse-le, alors.

— Non. C'est l'homme que j'ai dans la peau. Je suis jalouse de lui, une vraie chienne !

— Dans ce cas, apprends-lui à t'offrir des fleurs et des poèmes.

— On est comme on est. Tiens, le dernier que j'ai recopié, il dit à peu près ça. Je l'ai appris par cœur. Tu sais comment il commence ?

— Je ne vois pas... De qui c'est ?

— Je me rappelle plus trop. De Benedetti, je crois. Il dit : « N'accuse personne, ne te plains de rien ni de quiconque car fondamentalement tu as fait ce que tu voulais de ta vie. »

Ses airs de fillette diabolique me rendaient dingue. J'ai tendu la main, je lui ai déboutonné son chemisier. Elle n'avait pas de soutien-gorge et des gouttes de sueur couraient encore sur sa poitrine. Des nénés magnifiques : petits, sombres, fermes, avec les tétons arrondis. Des seins de fille pubère. Je les ai embrassés, sucés. Elle se laissait faire, très satisfaite. Je bandais dur. Elle a posé sa main dessus et elle a serré fort. On s'est excités. Elle me parlait de ses goûts sexuels avec les Noirs. Une seule fois, elle en avait laissé un la lui mettre dans le cul.

— Il y a pas longtemps, avec mon mari. Je la lui ai tartinée de miel et je lui ai dit : « Vas-y tout doux, ne deviens pas sauvage. » Résultat, j'en ai bavé comme une mule ! Je te jure, Pedro Juan, j'avais les yeux qui sortaient de la tête ! J'ai cru que j'allais mourir, j'arrivais plus à respirer. Mais dans le fond, avoir mal comme ça, j'adore. J'ai pas osé recommencer mais on le refera, un de ces jours. Il faut que je m'habitue, c'est tout. Sauf que lui, c'est pas une pine qu'il a, c'est un bras ! Ça fait beaucoup, mec, beaucoup !

— Avec combien d'hommes tu as été, Anisia ?

Elle a hésité un instant. Elle se demandait s'il fallait le dire ou pas. A la fin :

— Une fois j'ai compté et ça faisait cinquante-huit.

— Donc tu dois approcher les soixante-dix, là ?

— Plus ou moins. Peut-être un peu plus.

— Tu aimes ça, hein ?

— Quoi ?

— La pine. Tu es folle de pine, ma petite.

— Oui, folle, malade, tout ce que tu veux ! Mais l'autre jour c'est la première fois que j'en ai eu deux ensemble. Avant, c'était toujours l'une après l'autre.

— Ouais, l'une après l'autre. Une aujourd'hui, une demain, une hier. Et sans capote jamais.

— Ah, ça non ! La capote, c'est pas un truc pour moi. Moi, j'aime chair contre chair.

Tout en parlant, elle m'a ouvert la braguette, m'a sorti la queue et s'est mise à la branler lentement. Elle la regardait comme si c'était une sucrerie. Elle l'a fourrée dans sa bouche. Elle a sucé et remué la tête jusqu'à en faire sortir un torrent de crème. Elle a tout avalé. En continuant à sucer. Le sperme s'échappait de ses lèvres, elle le rattrapait avec la langue. Elle ne voulait pas en perdre une goutte. Moi, je suis très bruyant, dans l'orgasme. Quand je balance ma purée, je crie, je gémis, je mords... C'est que j'ai la calotte de la pine très sensible. Et ça, ça me fait perdre la boule. Enfin, là, je me mets à soupirer et à gueuler comme un dément et elle prend peur. Pour elle, je suis un vioque. Vingt-six ans de plus. C'est beaucoup. Ou non ? Elle retire ma queue de la bouche. Qui continue à gicler. Je gémis, fort, j'ai les yeux exorbités. C'est une extase étrange et douce à laquelle je m'abandonne et que je savoure. C'est toujours comme ça. Surtout quand on me la suce. Avec la pine dans un trou, c'est un peu plus contrôlable. La première fois, ça les effraie toutes, elles croient que je vais claquer d'un excès d'amour. Anisia, elle a la peur de sa vie. Finalement, j'arrive à me dominer. Encore un petit jet de sperme. Je m'essore bien la queue d'une main, depuis la base, en laissant tomber les dernières gouttes par terre.

— Tu as tout avalé ? Ça t'a plu ?

— Oui, oui. Ça y est, c'est passé ? Tu te sens bien ?

— T'inquiète. C'est toujours comme ça.

— Ah ! J'ai cru qu'il t'arrivait quelque chose, moi. J'ai bien failli partir en courant, dis !

Je me suis jeté sur une chaise, épuisé, hors d'haleine. J'avais vidé toute ma vie dans sa gorge. Et elle l'avait avalée. Il fallait que je récupère.

— Alors tu voulais t'en aller... Si j'avais eu une crise cardiaque ou un truc comme ça, tu m'abandonnais là...

— Un peu, oui ! Les complications, je peux pas me permettre. Tu vois pas que ce nègre-là l'apprenne ? Il me tue sur place.

— Bon, ça va, Anisia. Tout va bien. Tu veux un coup à boire ?

— Oh que non ! Faut que j'y aille.

— Ecoute, ne t'inquiète pas, puisque je te dis que c'est rien. C'est normal. Tiens, prends un verre, sers-toi.

— Inquiète, non, je le suis pas. Mais j'avais encore jamais vu ça chez un homme.

— Ça quoi ?

— Cette... réaction. Tu m'as fait peur. Faut que j'y aille. Je te rappellerai.

Elle s'est levée, elle m'a donné un baiser et elle est partie. Je ne l'ai jamais revue.

Le taureau par les cornes

Je me suis réveillé au lever du jour avec une migraine terrible. J'avais dormi affalé sur le parapet du Malecón, cuité. Combien de temps, aucune idée. Je me suis redressé, j'ai essayé de m'asseoir et de reprendre mes esprits. A ce moment, je me suis rendu compte que j'étais sans chaussures, sans chemise et que mes poches étaient vides. Ils m'avaient même piqué la clé de ma piaule. J'allais être obligé de casser la serrure. Ma tête menaçait d'exploser mais je me suis forcé à réfléchir avec un minimum de cohérence. J'étais resté à boire très tard avec une vieille d'au moins cinquante piges, grosse, massive, mais avec de beaux tétés et une paire de fesses appétissante. Pour tirer un coup, ça suffit amplement. C'est une de mes voisines. Elle passe sa vie à élever des poulets et des cochons puants sur la terrasse. Je ne connais même pas son nom. Tout le monde l'appelle Cusa. Elle n'arrête pas de me provoquer. Le matin, elle sort nourrir ses volatiles en chemise de nuit, dont le tissu blanc déjà très léger est tellement usé qu'il en devient carrément transparent, sans soutien-gorge avec ses grands tétons foncés et une culotte réduite à un fil qui se perd dans son vaste fessier. Elle jette un coup d'œil à ma fenêtre pour voir si je la mate ou non. Elle sait qu'un homme qui vit seul peut s'envoyer n'importe quoi. La première proie qui lui tombe sous les crocs.

C'est une battante, cette mémé. Elle a deux grands enfants à sa charge. C'est le genre à travailler, travailler dur, toujours sérieuse, toujours raisonnable, jamais à rigoler ni à boire un coup. Mais voilà : je lui plais. Même des femmes aussi rasoir qu'elle finissent par se laisser aller, des fois, à force de sécréter trop de jus. Alors, elles deviennent folles comme des vaches en rut et elles se trouvent quelqu'un qui leur permette de relâcher cet excès de liquide. C'est ce qui lui est arrivé, à Cusa. Moi, je ne lui avais pas trop prêté attention, jusqu'à l'instant où ma surproduction glandulaire a atteint le même niveau que le sien. Et là, au lieu de me l'enfiler sauvagement chez moi puis de la renvoyer à ses quartiers, j'ai voulu faire les choses dans les règles. De temps à autre, je me rappelle que j'ai toujours été un brave type bien élevé. Donc, je l'ai invitée à une promenade sur le Malecón. J'avais trois dollars en poche et je suis arrivé à l'impressionner en commençant par nous acheter deux canettes de bière, un vrai luxe, puis une bouteille de tord-boyaux. Au début, elle a hésité : elle aurait préféré baiser discrètement dans ma piaule plutôt que de s'afficher avec moi sur le front de mer. Non que j'aie mauvaise réputation, dans le quartier. Je ne suis pas connu comme camé à l'herbe ou aux amphètes, ni exhibitionniste, ni faiseur d'histoires avec la police. Rien. Bon, fumer un joint en passant, ou se faire une branlette, ou prendre une cuite, il n'y a pas de quoi nuire à sa renommée. Il faut savoir vivre et se tenir, c'est tout. Celui qui est sans cesse pété et qui n'arrête pas de montrer sa pine aux voisines, lui, par contre, il est foutu. Celui-là, oui, on peut être sûr qu'il va mal finir.

Donc, elle a fini par se décider à abandonner quelques heures son élevage sur les toits et à descendre se promener avec un homme. Mais chaque fois en insistant pour que ses gosses ne se rendent compte de rien. Ah, les gens sérieux, quelle horreur ! Autre problème, avec ces femmes si scrupuleuses : elles attendent toujours beaucoup trop de toi. Je me suis vite rendu compte qu'elle recherchait plus qu'une bonne baise de temps en temps : elle voulait me mettre le grappin dessus. Passer un de ses poulets à la marmite un dimanche, m'inviter à déjeuner et tenter sa chance. Que je baisse la garde, qu'elle arrive à m'entortiller et hop, je me retrouverais obligé à trimer et à m'occuper de sa ménagerie avec elle, toute la journée à se faire chier et à l'aider à élever ses gnomes, au passage. C'est pas une vie pour moi, ça. En plus, les vioques, elles ne me plaisent pas. Je suis déjà bien assez vieux tout seul. Mes quarante-cinq ans me pèsent comme quatre-vingts.

Cusa, il y a toujours moyen de lui donner un bon coup de rouleau et ensuite on continue chacun pour soi, elle de son côté, moi du mien. Finalement, ça fait un moment que j'ai arrêté d'écrire des poèmes candides où je déclarais aux femmes que je leur laissais le choix de revenir à moi le cœur libre ou de poursuivre leur chemin. Non, c'est terminé, ce plan. Voilà déjà des années que je n'attends plus rien. Rien du tout ; ni des nanas, ni des amis, ni de moi-même, ni de personne. Et puis s'il se présente de temps à autre une petite bouffe avec poulet grillé et pommes frites, je ne vais certainement pas dire non.

Bon, toujours est-il que cette fois, à force d'avoir l'estomac vide, je me suis laissé avoir par le tord-boyaux en question. Je ne sais pas vraiment comment ça s'est passé. Ce dont je suis sûr, c'est que ni j'ai baisé Cusa, ni j'ai cherché les histoires : s'il y avait eu du scandale, je m'en serais souvenu. En fait, je me suis retrouvé trop pété et la vieille a pris peur. Elle est partie en courant et m'a abandonné à moitié comateux sur le Malecón, cette fille de la grande putain.

Et bref, je me suis à peine relevé, je n'ai même pas eu le temps de retrouver deux idées de suite que la patrouille me tombe dessus :

— S'il vous plaît, citoyen ! Approchez.

Je me traîne jusqu'à leur voiture avec toutes les peines du monde. J'ai mal partout, comme si j'avais reçu une raclée, la tête prête à éclater. Des coups de marteau, là-dedans ! Ils m'ont refilé de la mort-aux-rats en guise de gnôle, ou quoi ? Il y avait un poison mortel dans cette saleté, c'est sûr. J'ai l'impression que je vais exploser.

— Vos papiers.

— Euh, non, tu vois, on dirait que je me suis fait dévaliser parce que je...

Le flic ne me laisse pas terminer. Il est déjà dehors, tandis que l'autre reste au volant. Je connais le scénario : « Les mains sur le toit de l'auto, jambes écartées, la tête entre les bras et pas un mot... » Il me fouille, sans rien trouver. Pas un rond. Il me dit de monter derrière sans plus rien me demander et on part au commissariat. J'attends deux heures sur un banc. A la fin, ils se décident à prendre ma déposition, je répète que j'ai été volé, j'insiste, j'insiste encore, mais ils ne veulent pas me lâcher. Je retourne sur mon banc. Pas plus mal que je sois dans cet état, tout près de m'évanouir : en d'autres occasions, dès que je me suis un peu animé, que j'ai invoqué mes droits fondamentaux et autres trucs, ils se sont brusquement rappelé qu'ils étaient policiers, ils sont devenus méchants et ils m'ont balancé dans une cellule à coups de pied au derche. Après, ils m'ont oublié pendant quelques jours et puis ils ont fini par me libérer avec tout un tas de menaces. Ce jour-là, je me suis montré plus diplomate, alors ils se sont contentés de me garder sur ce banc jusqu'au changement de quart, à six heures du soir. Sans aucune explication. Le nouvel inspecteur de garde est arrivé, il a examiné le tas de paperasses qui s'était accumulé là, et il m'a appelé du bureau :

— Pedro Juan ?

— Présent !

— Vous pouvez disposer.

Je suis parti au diable, donc. Après quelques pas, je me suis arrêté au coin de Zanja et Lealtad. Tout ce que j'avais dans le bide, c'était quatre roquets en train de se battre méchamment. Je n'en pouvais plus. Il fallait trouver quelque chose si je ne voulais pas tomber d'inanition. J'ai marché un peu, je me suis assis au bord du trottoir. J'essayais de réfléchir mais rien ne me venait. La cuite ne s'était pas dissipée. Et ça devait faire quarante-huit heures que je n'avais pas mangé quoi que ce soit. Seulement bu, et bu. Est-ce qu'il me restait des traces de sang dans mon alcool, au moins ? Les chants grégoriens du monastère de Silos me résonnaient dans la tête. A une époque, je les avais beaucoup écoutés et à force je les avais appris par cœur. Où ça, je ne m'en souvenais pas. Ça me revenait comme un refrain. Je me suis tapé le front pour sortir de ma stupeur, je me suis relevé et j'ai continué au hasard, sans savoir où j'allais. C'était peut-être le pilote automatique qui avait pris les commandes à mon insu et me poussait en avant.

Je me sentais vide, très vide. Comme s'il n'y avait plus de tripes en moi, ni de merde, ni de cœur, ni rien. Vide et léger, j'avançais tel un automate et je me disais, en toute lucidité : « Faut que tu prennes le taureau par les cornes, Pedro Juan. Te secouer et serrer les poings. Ensuite, tu te plantes devant ce taureau-là, tu l'attrapes par les cornes et tu ne vas pas le laisser te renverser, hein ? Oh non ! Tu le domines, tu l'envoies bouler et tu poursuis ta route, tranquille. Jusqu'à ce que le taureau suivant te fonce dessus et commence à te lancer des coups de corne, alors encore une fois il faudra que tu sois bien fort et que tu le mates. C'est comme ça : il y en a toujours un autre qui suit. Il y a toujours un taureau à mettre à genoux. »

Je remonte Zanja jusqu'à Reina et je continue tout droit, lentement, péniblement. Je suis en train de m'éloigner de chez moi, mais je ne m'en rends pas compte. Pourquoi je ne vais pas dans l'autre sens, vers le Malecón ? Pourquoi je ne me traîne pas jusqu'à ma tanière ? Aucune idée. Le pilote automatique a dû se dérégler. A l'angle de Reina et Belascoaín, l'église gothique a sa porte ouverte. J'entre, je m'assois, je regarde les vitraux et bien entendu les chants grégoriens reprennent avec une telle force que je n'arrive pas à comprendre que les gens autour de moi ne les entendent pas. Ils ont une résonance incroyable en moi, tout le monde devrait en avoir les oreilles pleines mais non, personne n'y prête attention. Il ne se passe rien de plus. Je flotte trop pour prier.

Je n'en ai ni l'envie, ni la force. Même remercier, impossible. Moi, je ne lui demande jamais rien, à Dieu. Je me contente de lui dire merci. J'ai toujours des tas de raisons pour ça, mais là non. Je suis transparent et vide comme l'air. Je ressors, je continue sur Carlos III, « Unter den Linden ». C'est une bonne heure, la tombée de la nuit. Le crépuscule et les arbres. L'heure des libations, comme disait la plus belle femme que j'aie connue dans ma vie. A ce moment, son mari était dans un bar quelconque, en pleines libations jusqu'à tard, ce qui me permettait de me livrer à de petites orgies de deux ou trois heures avec elle, et puis il rentrait et on finissait par lever la coupe tous les trois ensemble, tels de bons amis, malgré tout. Je pense qu'il devait avoir des doutes, mais ça c'est une autre histoire. Depuis cette aventure, en tout cas, le crépuscule m'a toujours donné le cafard.

« Libations rien du tout, Pedro Juan : faut te trouver à bouffer. » Et c'est en me disant ça que je me suis rendu compte de mon état. Un mendiant de merde. Un va-nu-pieds répugnant. Sale, pas rasé de deux jours, seulement couvert d'un pantalon, encore à moitié bourré et titubant. Demander la charité, m'acheter de quoi croûter. Ensuite je verrai bien comment me rentrer chez moi pour attraper cette putain de sa mère de Cusa par l'échine. « Pourquoi tu m'as abandonné là-bas, putasse ? » que j'allais lui demander. Mais sans parler : rien qu'avec des claques. J'aime bien flanquer quelques bonnes torgnoles aux femmes quand elles le méritent. Et Cusa, je vais me l'enfiler comme ça : en la baffant. Ça va tomber dru sur sa tronche, et pendant ce temps je la lui mets bien dure. Aaahh, quel pied ! Et la vieille, elle va me dire : « Arrête de taper mais vas-y profond ! Mets-la-moi jusqu'à la gorge, mon saligaud ! Assez de claques, merde ! » Et là, je commence à jouir, à gueuler et à gémir à chaque jet de foutre. Ah, quel pied je vais me prendre avec cette vieille fessue !

J'ai tendu la main et j'ai commencé à demander l'aumône aux passants. A peine des balbutiements. Quand tu fais le mendiant, impossible de parler distinctement, ni de penser, ni rien. Tu deviens un pauvre animal, un microbe qui quémande quelques pièces pour l'amour de Dieu. Une sous-merde. Ça a toujours été pareil depuis que le monde est monde. C'est tout un art de mendier et de se faire passer pour un abruti, un crétin fini, un saou-lard perdu. Il faut être un imbécile pour en arriver là. Parce que si tu es un brin au-dessus de ça, tu peux encore essayer n'importe quoi d'autre. Résultat : pour convaincre les gens, il te faut prendre une tête de niais. Mais là, même comme ça, personne ne me donne un rond ! J'ai descendu Carlos III très longtemps, à petits pas vacillants, avec une tronche de fou ou d'imbécile, les deux mains tendues devant tout le monde, en bre-douillant je ne sais quoi, et rien, rien ! L'horreur. Cette nuit-là, j'aurais pu mourir de faim. Tout le boulevard, pendant deux, trois heures, plus. Pour l'amour de Dieu. Et tous, ils regardent ailleurs. Ou ils réagissent comme si j'étais un fantôme. Jamais encore je n'avais mendié. Mais c'est une chose terrible à faire, au milieu de toute cette misère. Ils sont tous au bout du rouleau, alors ils détestent que quelqu'un vienne se plaindre devant eux. Il y en a eu plein qui m'ont dit : « Déconne pas, vieux, que celui qui devrait mendigoter, c'est moi ! »

Total, rien du tout. Mais en avançant j'ai retrouvé un peu mes esprits. Il fallait que je rentre chez moi. Pour-quoi je fuyais ma maison ? Parce que je ne voulais pas réapparaître dans cet état, démoli, pratiquement mort. Ils sont cancaniers, les voisins. Maintenant, je comprends que c'est pour ça, qu'il n'y avait pas d'autre raison. Alors, quand j'ai été assez lucide, je me suis dit : « Re-tourne chez toi, Pedro Juan, débrouille-toi pour y arri-ver ! Il fait nuit, ils ne te verront pas. » En somme, j'ai coupé le pilote automatique et j'ai repris les commandes.

Et là, je m'aperçois que je suis en bas de chez Zulema. Oh, celle-là elle va m'aider, oui ! J'ai traversé la rue et je me suis enfilé dans les escaliers. La dernière fois que je lui avais parlé, elle était toute triste parce que son neveu était reparti en Suède et qu'elle avait jeté dehors son ivrogne de marin. C'est une grande pute, Zulema, mais au moins j'allais pouvoir bouffer un morceau, me trouver une chemise et une paire de chaussures. Elle habite une chambre de quatre mètres sur quatre, une piaule aussi merdique que la mienne où nous avons eu de bonnes parties de cul pendant des nuits entières. Insatiable, elle est. Chez moi, c'était encore meilleur parce que entre deux rounds on avait la mer devant nous, alors que la seule fenêtre de son taudis donne sur le couloir qui accueille les engueulades des voisins et qui pue la crotte de chien. C'est tout ce qu'elle a. Son seul espoir, c'est que Carlos Manuel l'emmène à Miami. Lui, ça a été l'homme de sa vie pendant des années. Ils se sont mariés, ils ont eu un fils et puis Carlos Manuel a essayé de s'enfuir du pays. Les gardes frontières l'ont ramassé. Au procès, il aurait pu s'en tirer avec deux ou trois ans de taule mais c'est une grande gueule, il a lâché quelques injures à l'adresse du gouvernement et du communisme. Pas grand-chose, pratiquement rien par rapport au fond de sa pensée, en fait, mais l'effet a été mauvais. Son avocat n'a pas ouvert la bouche pour le défendre et ils lui ont collé dix ans. Dès qu'il est sorti, il a fait les démarches nécessaires et il s'est barré : il ne pouvait pas vivre à Cuba. La famille de Zulema ne l'a pas laissée partir. La mère est restée une année dans son lit, en état de choc. Et maintenant le type est retombé amoureux de Zulema, il veut qu'elle le rejoigne légalement, avec tous les papiers en règle. Elle, leur fils qui a déjà vingt ans et une fille qu'elle a eue avec l'un de ses maris.

J'arrive difficilement à gravir les trois étages, je frappe. Quand elle ouvre et qu'elle me voit, on croirait qu'elle a une apparition devant elle. Elle va me claquer la porte au nez mais je la retiens :

— Attends, Zulema ! Sur la tête de ta mère ! C'est moi et je vais mourir.

Elle continue à pousser sur le battant, sans un mot.

Muette, elle est. Seulement à essayer de refermer, l'air terrorisé.

Soudain, la porte s'ouvre à la volée et un mec immense apparaît. Un orang-outang, carrément. Un gros métis baraqué, avec des grandes moustaches noires qui lui mangent la bouche. Fou furieux.

— C'est quoi ce bordel, là ? Hein, c'est quoi ce bordel ? Qui c'est ce bougre puant, présentement ? Hein ?

— Je sais pas ! crie Zulema. Je le connais pas !

— Comment, tu ne me connais pas, Zulema ?

— Tu connais ou tu connais pas ? lui fait l'orang-outang.

— Mais non, doudou ! C'est un voleur, là ! Je l'ai jamais vu ! Je sais pas qui c'est !

— Dis donc, conasse, ne fais pas la s..

Le type ne me laisse pas terminer.

— Comment que tu appelles ma femme conasse, toi ? Tu dois être malade dans ta tête ou quoi ?

Il m'attrape et commence à me cribler de coups de poing comme un vulgaire punching-ball. Enfin, je ne peux pas décrire. Je ne peux pas, parce que rien que de me le rappeler je pars vomir. Ce n'était pas des poings de chair et de sang qu'il avait, mais de plomb. Deux boules d'acier. Il m'a brisé les os, il m'a jeté dans l'escalier et ils ont refermé la porte.

Les chants grégoriens ont repris. Ave Maria. Alléluia. Je suis resté inconscient pendant je ne sais combien de temps.

Je me suis réveillé aux urgences. J'avais la mâchoire cassée, et le bras gauche, et la clavicule, et plusieurs côtes. L'infirmière m'a dit qu'ils m'avaient rafistolé la rate aussi. En plus, le foie et les reins pratiquement fichus. Et là, rien à faire. Tous les médecins m'ont demandé si j'avais bu de l'alcool à brûler ou de l'acide sulfurique.

J'en sais rien. Ça aurait pu être pire. Je suis bloqué sur mon lit, avec deux ou trois tuyaux qui me balancent des mixtures dans les veines. Il y a une infirmière qui me plaît beaucoup, mais avec cette barbe grise que j'ai on dirait un vieux déchet, un mendiant de merde abandonné par Dieu dans ce coin du monde. Elle, elle s'occupe de moi comme une petite maman toute gentille. Elles adorent ça. Toutes les infirmières sont pareilles : elles traitent leur malade comme si c'était un retardé mental, un anormal ou un fils invalide. Ah, la rage que ça me met, ça ! Mais bon, je vais avoir le temps de réfléchir, ici. Un jour, Zulema m'a dit qu'elle avait eu une vie très pourrie. Et ça a l'air de continuer, visiblement. Voilà de quoi penser un peu : pourquoi une femme belle, plaisante, se met dans une existence pourrie et n'arrive plus à en sortir, même en sachant qu'elle s'enfonce chaque jour plus dans la mouise et le caca ? La misère déforme les gens.

Mais surtout, surtout, il faut que je me rétablisse et que j'attrape le taureau par les cornes. Et là, je vais lui flanquer un bon suif, à l'autre doudou. Je me l'attends dans l'escalier et je le démolis à la barre de fer. Et sa pine va plus jamais relever la tête, vu que je vais lui réduire les roustons en bouillie.

Le simplet de la fabrique

Après le départ des trotskistes, nous n'avions plus fait aucune allusion à ce sujet, Luisa et moi. Et puis un soir nous avons baisé pendant des heures et des heures. Des fois, c'est comme ça : toute une journée à niquer, ou toute une nuit, sans penser à rien d'autre. Luisa était rentrée de la fabrique à midi, nous avions été pris d'une gaieté effervescente et après, plus moyen de s'arrêter. Une baise en continu, dans toutes les positions, par tous les trous, sur le lit, sur la chaise, avec la langue, avec les doigts, de tout. Et une demi-bouteille de rhum ordinaire pour agrémenter la séance.

C'était bon, de s'envoyer en l'air comme ça. Luisa me racontait ses histoires pornos avec les hommes qu'elle avait eus avant, et moi les miennes. On se les murmurait à l'oreille, avec une foule de détails, les orgasmes venaient et on continuait, et ainsi de suite. Un psychologue aurait eu du pain sur la planche rien qu'à nous écouter pendant qu'on faisait l'amour, Luisa enfonçant ses talons dans mes fesses et levant bien les genoux pour que j'entre à fond en elle. « Plus loin, encore, oui, comme ça, oh que ça fait mal ! » me répétait-elle sans arrêt. Un vrai régal, pour les psychologues. Finalement, ils appartiennent toujours à la classe moyenne, ceux-là. Mais les bourgeois ne comprennent rien à rien. C'est pour ça qu'ils ont peur de tout, qu'ils veulent sans cesse savoir ce qui est bien et ce qui est mal, et comment on peut corriger ci, et comment on peut empêcher ça. Tout est anormal, pour eux. Ça doit être terrible, d'appartenir à la classe moyenne et de vouloir tout juger de l'extérieur, de loin, sans risquer son cul.

Donc, pendant une pause on s'est envoyé quelques verres de rhum et Luisa est devenue pensive, comme si elle n'était presque plus sur cette terre. Au pied du lit, il y avait un tas de brochures de propagande que les trotskistes avaient laissées en partant. Elle les a regardées en silence, d'un air méditatif, et puis elle m'a demandé :

— Est-ce qu'ils baisent comme nous, les trotskistes ?

— Aucune idée. Eh bien... oui. Pourquoi pas ?

— Vu qu'ils sont tellement révolutionnaires...

— Ça n'a rien à voir, ça.

— Avec eux c'est pas pareil, Pedro Juan. Ils ne consacrent pas beaucoup de temps à ça, eux. Disons le dimanche soir, par exemple. Mais c'est pas comme nous.

La femme trotskiste — c'était un couple canadien mais allez savoir, peut-être qu'ils n'étaient pas en couple et peut-être qu'ils n'étaient pas canadiens — avait donné à Luisa une brochure en espagnol avec un titre en grosses lettres : « La libération de la femme par la Révolution socialiste ! » Au-dessous, on voyait une jeune Soviétique habillée tout en noir avec une veste, des gants, une écharpe, une kalachnikov en travers de la poitrine et les yeux les plus beaux, les plus tristes du monde. Elle dégageait une subtile douceur, cette Russe mélancolique, sérieuse et sombre. Aucune agressivité. Ce devait être une fille des steppes tendre et câline. Dans un coin, il y avait la mention : « Soldate d'élite soviétique. » Luisa avait essayé de la lire mais comme elle n'y entravait rien la brochure était en train de partir par petits bouts dans les toilettes, chaque fois qu'on s'en servait.

Luisa n'arrêtait pas de me reprocher ma fainéantise. Elle ne faisait pas encore la cavaleuse, en ce temps-là, mais travaillait dans une fabrique de chaussures orthopédiques. Elle voulait que j'aille bosser à l'entrepôt.

— De là-bas dedans, tu peux te sortir une paire de souliers tous les jours.

— Déconne pas, Luisa ! S'ils me chopent, c'est moi qui vais au trou pendant que toi tu restes ici bien peinarde.

— Ah, sois pas pédé, dis ! Là-bas ils volent tous, tous. Depuis les chefs jusqu'à Juan le Simplet.

Je me suis laissé convaincre. J'ai été pris comme manutentionnaire. Les premiers jours, j'ai cru que j'allais calancher. Une paire de grolles, ça ne pèse rien, mais charrier des caisses de vingt-quatre paires huit heures de suite, c'est une autre histoire. Putain, un peu plus et je m'attrapais une hernie des os !

Le soir, Luisa me massait le dos. Elle a des vraies mains de boxeur : dures, énergiques. Elle me massait à la graisse de mouton chaude jusqu'à ce que mes muscles se mettent en phase.

Et donc je sortais une paire de chaussures chaque jour, Luisa les vendait et on vivait un peu mieux. Elle était aide-comptable dans les bureaux. Elle s'y connaît en affaires, Luisa. Elle sait où est son intérêt, je veux dire. Elle fait toujours ses comptes et ne s'engage jamais à l'aveuglette.

Dans cette fabrique, il y avait un idiot. Un Noir jeune, costaud, bien enveloppé, dont on disait qu'il était le neveu du gérant. Juan le Simplet, ils l'appelaient. Le matin, il balayait les locaux et l'après-midi il continuait à traîner sur place, effronté comme tout. C'est ce qu'il faut, quand on est demeuré.

Il allait toujours rôder autour des femmes dans les bureaux et elles, elles le provoquaient. Leur grande blague, c'était de lui dire qu'il en avait une aussi petite qu'un gamin, et toute molle.

Il s'en fichait, Simplet, mais elles continuaient à l'emmerder jusqu'à ce qu'il la sorte pour leur montrer. Ce n'était pas une pine qu'il avait mais un animal, noir, gros et sauvage, dans les trente centimètres de long. Il libérait le monstre déjà à moitié érigé et l'exhibait avec fierté, très content de l'effroi admiratif qu'il provoquait. Elles se mettaient à crier, à lui jeter des agrafeuses et des presse-papiers, mais en réalité ce n'était qu'un jeu : ça leur plaisait, de voir ce tube de chair noire et palpitante. Il devait y en avoir plein qui en rêvaient la nuit, pendant que leur mari leur mettait ce que Dieu leur avait donné, certainement moins imposant que ce morceau. C'est toujours comme ça, avec les retardés : moins ils en ont dans la caboche, plus ils en ont dans la culotte.

Jusque-là, très bien. Seulement le show du simplet était devenu une habitude. Tous les après-midi, ça recommençait avec les femmes des bureaux. Et chaque soir Luisa me tenait au courant, me racontait quelque chose de nouveau : qui l'avait provoqué, qui lui avait dit quoi... Et puis, un jour, trois des plus obsédées de la bande l'ont entraîné aux toilettes et ont essayé de le masturber. Comme sa pine était vraiment puante, elles n'ont pas osé la toucher avec les mains, mais l'une d'entre elles a eu l'idée de se servir d'un pot à confiture vide pour éviter le contact direct : depuis quand il ne s'était pas lavé, cet idiot, allez savoir ! Sa bite n'a pas pu entrer là-dedans, alors une des filles est allée en chercher un plus large. Cette fois, elle s'est casée difficilement dedans et elles ont commencé la branlette. Elles voulaient le voir jouir. Elles ont raconté à Luisa que le type a rempli tout le flacon et qu'il en est encore sorti. Moi, je n'ai pas voulu y croire. Après, elles ont mesuré les deux pots : le premier, de compote de fruits cubaine, avait quatre centimètres et demi de diamètre ; le second, d'origine russe, six. Avec sa manie des chiffres, Luisa a vérifié devant moi l'ouverture de récipients similaires.

A ce point, Juan le Simplet a compris qu'il était devenu la superstar des bureaux et il s'est encore enhardi. Il ne se contentait plus de sortir sa verge gigantesque et de la montrer à toutes les filles en se baladant comme un mannequin sur la passerelle : il s'est mis à parler tout bas, des murmures que personne n'arrivait à décoder, et à se branler un peu. Rien de plus. Luisa m'a raconté que tout en faisant ça il s'approchait de telle ou telle et que les nanas se mettaient à crier, mortes de rire : « M'inonde pas, Simplet, m'inonde pas ! » En réalité, elles étaient fascinées par ce phallus hypnotisant et ce qu'elles auraient voulu hurler, c'était : « Inonde-moi, Simplet, inonde-moi ! »

Un après-midi, je suis tombé en plein spectacle. J'étais monté dans les bureaux pour dire quelque chose à Luisa et je suis arrivé au mauvais moment : l'idiot était en train de se pavaner en allant de-ci, de-là pour bien se montrer tout en se masturbant. Il gémissait et se jetait d'un bureau à l'autre, avec les filles qui poussaient de petits cris. Quand elles m'ont vu, elles se sont arrêtées d'un coup. Même chose pour Luisa, qui rigolait à gorge déployée : dès que je suis entré, elle est devenue raide comme une morte.

— Oh, mais c'est quoi, ça ? Dis donc, Simplet, range-moi ce bâton-là ! Qu'est-ce qui se passe, ici ?

Mais le fou était sur une autre planète, il n'a pas entendu mes protestations. Je suis allé à lui pour lui donner une paire de baffes, de quoi le ramener à la réalité. Que ma femme s'amuse autant avec la pine d'un idiot, ça me mettait dans tous mes états. Je me suis avancé et je lui ai balancé deux bonnes claques avec tous les doigts. Et là, dans la seconde, ce dingue rouvre des yeux effrayés et commence à expulser des jets de sperme hallucinants qui m'atteignent. Je fais un bond en arrière mais ils ont une trajectoire d'au moins deux mètres, on dirait un tuyau d'arrosage. Jusqu'à aujourd'hui, je n'arrive pas à m'expliquer comment ce foutu nègre pouvait produire une telle quantité de jus et l'emmagasiner. Il s'est tourné de l'autre côté et a continué à se vider sur tous les bureaux. Je l'ai vu ! C'est pas des histoires ! Si on me l'avait raconté, je n'y aurais jamais cru. Cet imbécile-là devait avoir plus d'un litre de sperme dans le ventre, et épais en plus, très concentré. J'ai failli lui sauter dessus et le démolir à coups de pied, mais je me suis retenu. C'était un retardé, après tout. Devant des excès pareils, je perds mes moyens. Je ne sais plus quoi faire.

Ça n'a duré qu'une minute. Luisa est venue vers moi en courant, avec un papier à la main pour m'essuyer. Je l'ai envoyée bouler. Une bourrade, et qu'elle retourne dans le con de sa mère !

Je suis parti. Je ne suis jamais revenu à la fabrique. Luisa et moi, on est restés des jours entiers sans s'adresser la parole. Elle a continué à son travail quelques mois, jusqu'à ce qu'ils soient obligés de fermer par manque de matières premières et d'électricité. La crise ravageait tout le pays. On a passé un moment à crever la dalle, dans une merde terrible, et puis je me suis lassé de cette misère et j'ai pris une décision. Un soir, j'ai attrapé Luisa entre quatre yeux et je lui ai dit : « Oh, ça va peut-être suffire, de rester les bras croisés sans rien à boulotter. Allez, hop, va cavaler un peu sur le Malecón ! » Et ça s'est révélé un bon choix. Cette métisse-là, elle arrive à se faire jusqu'à trois cents dollars, certaines semaines. Et voilà. Au diable la mouise !

Laisser l'enfer derrière soi

Je suis sorti d'un tout petit cinéma qu'il y a rue Indus-tria, derrière le Capitole. Ils repassent toujours de vieux films. Ce jour-là, c'était *Le Pont de la rivière Kwaï*. Je suis resté un bon moment à siffler la fameuse marche. A marcher et à siffler. A la sortie de ce film, j'avais sept ans, moi. Depuis, quarante ans ont passé et je continue à siffler le même air. Il n'y a peut-être pas d'autre endroit au monde que Cuba pour être un et plusieurs à la fois. Mais c'est difficile. Chacun essaie de se cantonner à un espace restreint, palpable. Il y a de quoi vous donner le tournis quand on a conscience de l'immensité du monde. Ou de sa propre petitesse.

La nuit tombait. J'ai traversé le centre de La Havane comme quelqu'un qui chemine dans une zone sinistrée. Je me suis arrêté à l'épicerie à l'angle de Laguna et Per-severancia.

— Comment ça va, Lily ? Quoi de neuf ?

— De neuf ? Tiens, regarde ! Miséricorde, que Dieu le reçoive en Son Sein !

Ils étaient en train de sortir un mort de la maison d'à côté. Sur une civière, recouvert d'un drap blanc. Ils l'ont embarqué dans une ambulance. J'ai cru sentir une odeur de pourriture, déjà.

— C'est qui ?

Lily ne m'a même pas regardé. Elle avait les yeux fixés sur le véhicule dans la rue mal éclairée et se signait en répétant « Miséricorde ». Je suis resté un moment silencieux, accoudé au comptoir. Deux Noirs sont entrés. Lily avait une bouteille de rhum et ils se sont mis à boire. Le mort, c'était un marin de quarante-trois ans. Leur voisin depuis toujours. Six mois plus tôt, il était rentré de voyage avec une drôle de douleur à la langue. Cancer. Son état s'était aggravé rapidement. Il vomissait du sang, il sentait mauvais. Il est resté quelques jours dans le coma avant de mourir. Un type qui prenait bien la vie, qui voulait guérir au plus vite pour recommencer à naviguer... Trois enfants, il laissait. Et dire qu'il y a tellement de salopards qui traînent alors que ce gars-là, une grande âme, personne ne s'occupait mieux de ses enfants et de sa femme que lui dans tout le quartier, etc. J'ai écouté leurs cancans et je suis parti. J'ai entendu parler de plein de cas de cancer, ces derniers mois. Tout le monde crève de ça, on dirait. J'ai continué à siffler la marche de la rivière Kwaï et je me suis rappelé que je n'avais rien à bouffer chez moi. Il me restait sept pesos en poche. Un type qui vendait des pizzas est passé, je lui en ai acheté une. Enfin, pizza, c'est un bien grand mot : si un Italien voyait ce truc, il tomberait à la renverse. Insipide, froide et dure comme une jambe de mort. Je l'ai quand même avalée. Il me restait deux pesos. « Dieu y pourvoira », disait toujours une de mes belles-mères au temps où j'en avais, des belles-mères. D'accord. On a confiance en lui. Demain est un autre jour et il me viendra toujours une idée quelconque.

Finalement, c'est comme ça qu'on vit, par petits bouts qu'on emboîte les uns aux autres, à toutes les heures, jour après jour, à chaque étape, à empiler les gens d'ici ou là en soi. Et pour terminer on se retrouve avec une existence en forme de casse-tête chinois.

Je n'aime pas évoquer les étapes de ma vie parce que ça réveille la douleur. Mais c'est ainsi : on vit chapitre par chapitre. Et il faut l'accepter. Beaucoup de gens autour de moi n'ont cessé d'injecter du ressentiment et de la haine dans mon cœur. La conclusion était prévisible : s'engager dans le chaos et dégringoler sans s'arrêter jusqu'à l'enfer. Quand je me retrouverai à bouillir dans l'huile et le soufre, il n'y aura plus rien à essayer.

J'avais déjà le poil qui commençait à cramer et à puer le gaz sulfurique lorsque j'ai réussi à arrêter la chute. Je me suis mis à remonter la pente. Ça m'a coûté mon travail et je n'ai plus jamais été le même, mais bon, la vie est irréversible, et heureusement. Surtout, je n'ai pas continué à rouler vers l'enfer. Ce sont des épreuves que l'existence te tend et si tu ne sais pas, ou si tu ne peux pas les surmonter, tu restes en plan. Et des fois tu n'as même pas le temps de tirer ta révérence.

L'ascenseur est encore cassé, la cage d'escalier plongée dans le noir. Ils volent les ampoules, cassent tout, ajoutent des sous-étages clandestins pour entasser encore plus de gens et à n'importe quel moment l'immeuble peut s'effondrer. J'en ai plein le cul, de cette misère. Et les deux retardés ont à nouveau chié sur le palier entre le quatrième et le cinquième. Odeur de merde fraîche, à tomber par terre. Le comité de voisinage essaie de faire réparer la serrure de la porte d'entrée principale pour qu'elle reste fermée, surtout la nuit parce que là les gens entrent faire n'importe quoi dans les couloirs : baiser, fumer des joints, caguer, pisser. Mais pas moyen de la boucler, cette porte, ni d'arriver à ce que chaque voisin ait sa clé. Douces illusions. Jadis, c'était un élégant bâtiment de huit étages avec des façades de style bostonien donnant sur San Lázaro et sur le Malecón. Mais il n'est plus qu'un aristocrate ruiné, maintenant. Hanté de Noirs, de vieilles paumées, de quelques jeunes putains et d'autres décaties qui ont été poules de luxe en leur temps, de vieux ivrognes et de dizaines de provinciaux qui arrivent par vagues à la capitale et qui survivent à vingt par chambre, on ne sait comment.

Malgré ça, les doux rêveurs du comité voudraient fermer la porte et retrouver des escaliers propres et sûrs ! Alors que l'immeuble part en morceaux, littéralement. Ce n'est pas une image, non : il est face à la mer, donc le vent et le sel le rongent et il n'y a personne pour venir le réparer.

Enfin. Je ne sais pas pourquoi je raconte tout ça puisque je m'en fiche. J'aurais pu m'en aller sur un radeau de fortune, j'en ai eu souvent l'occasion avec des amis qui avaient construit des rafiots pour s'enfuir. Mais non. Moi, j'ai beaucoup navigué dans le golfe, je connais les Caraïbes et je ne fais pas confiance à ces embarcations. Des fois, ça nuit, de trop savoir. Heureux les ignorants. Les autres les trouvent très courageux parce qu'ils se lancent à la mer sur un pneu de camion, direction Miami. Mais il y a une différence entre être vaillant et être kamikaze.

La terrasse de tout en haut est tranquille. Pas plus mal, parce que c'est toujours la pagaille, ici. Il fait une chaleur terrible. Pas de brise, une mer d'huile. Une magnifique nuit de pleine lune en perspective. Du huitième, on voit tout. Je ne peux pas rester dans ma piaule : le toit est en fibrociment, c'est un vrai four. Il faudrait une averse pour rafraîchir un peu l'atmosphère. Je me mets tout nu et je sors sur la terrasse. Il reste de l'eau dans les citernes. Je me lave et je reste dehors à sécher. Sept piaules ouvrent sur cet espace, dont la mienne, mais il n'y a que moi qui vis seul. Les gens n'aiment pas la solitude. Moi si. Ça me permet de ne prendre de responsabilités envers personne. Ni envers moi-même. J'ai toujours été trop responsable. Ça suffit. Maintenant, une voisine vient me rejoindre de temps à autre et passe la nuit avec moi. Une négresse très mince et très ferme, de trente-deux ans. On se plaît, on a de bonnes parties de cul. Elle a la peau très noire, ses aisselles et son sexe sentent fort. Ça, ça m'excite tellement qu'on dirait qu'on est devenus fous quand on se saute dessus. Mais rien d'autre, rien de plus. Luisa a disparu depuis le soir où elle a raflé trois cents dollars d'un coup à un type. Cette mulâtresse croyait avoir décroché le gros lot et elle ne voulait pas partager. Ça fait deux mois que je ne la vois plus. A tous les coups, elle va réapparaître un jour en me servant un boniment et sans un rond dans le porte-monnaie.

On entend des tambours de partout. Ils résonnent au loin. On est le 7 septembre, la veille de la fête de la Caridad del Cobre, la protectrice de Cuba. A les écouter vibrer dans toute la ville, ça me rappelle ces films d'explorateurs au Congo : « Hé, on est entourés par les cannibales ! » Mais non : les Noirs fêtent la Vierge, c'est tout. Fiesta de nègres. Rien à craindre.

De là-haut, on voit toute la cité dans la nuit. De la centrale électrique de Tallapiedra monte une colonne de fumée noire, épaisse, qui ne bouge pas. Comme il n'y a pas de vent, elle reste là, tranquille. Une odeur envahit toute La Havane. Ammoniac, je dirais. Et à travers ce nuage de gaz et de particules la pleine lune couvre tout de son argent. Il n'y a presque pas de voitures, à part quelques-unes sur le Malecón. Silence, calme, on croirait qu'il ne se passe rien d'autre que ces roulements de tambour étouffés. Je l'aime, cette ville. L'océan miroite jusqu'à l'horizon. Au bout d'un moment, je ne supporte plus la fumée et l'odeur de gaz, alors je rentre et je referme la porte. Toujours aussi étouffant. Il faut encore attendre pour avoir un peu de fraîcheur. Je ne laisse ouverte que la petite fenêtre orientée au sud. De là aussi on distingue toute la ville argentée sous la pollution, obscure, silencieuse, en train de s'asphyxier. Comme si elle avait été bombardée et abandonnée par ses habitants. Elle tombe en ruine mais qu'elle est belle, cette foutue cité où j'ai tant aimé et tant haï ! Je me couche seul, peinard. Pas question de sexe. Il y en a trop eu, ces derniers jours. Il faut se reposer un peu. Et remercier Dieu, et lui demander force et santé. Rien de plus. Je n'ai besoin de rien d'autre. Eviter les démons et rester fort, c'est tout. En fin de compte, sans la foi, n'importe où est un enfer.

Maîtres et esclaves

Tout allait mal pour moi. Et ça faisait un moment. Et la colère ne se calmait pas. Je débordais de rage. J'avais perdu le cap. A la dérive. Naviguant furieusement sans aucune destination. Et ça, c'est affreux.

Des fois, j'avais un ou deux jours de bonne humeur, assez pour cacher mon état. J'avais profité de l'un de ces répits pour converser agréablement avec Margarita, une petite Noire effilée et nerveuse, mais avec des seins imposants, qui habitait plus bas, au deuxième étage. Elle m'avait plu au premier regard, mais bon : on ne peut pas s'amouracher de toutes les femmes qui vous plaisent. quand même.

Je l'ai invitée à boire une bière sur le Malecón. Ensuite, quelques rasades de rhum sur la terrasse, jus-qu'à ce qu'elle tombe finalement sur mon lit. On a baisé comme des déments. Ça m'a vraiment emballé et on a continué toute la nuit. Et ensuite pareil chaque fois mais rien à faire : je restais furieux, amer. Surtout les nuits de pleine lune. Je ne comprends pas pourquoi elle me plonge dans une telle rage, la pleine lune, mais c'est ainsi : elle me déstabilise et me transforme en chien enragé. Et j'ai beau lutter contre cette idée, elle se vérifie toujours. Ce n'est pas une histoire que je me raconte et donc il ne me reste plus qu'à l'accepter au lieu d'y résis-ter en vain.

Une bonne partie de ma furie est retombée sur Marga-rita. C'était toujours extraordinaire de baiser avec elle, mais le reste du temps je ne la supportais pas. J'étais fauché complet, je mangeais mal ou pas du tout et j'en étais arrivé à penser sérieusement devenir balayeur de rue. Le premier jour serait dur, d'accord, mais je m'habituerais vite et, merde, au moins j'aurais un petit salaire minable qui me tomberait tous les mois. Et elle qui n'arrêtait pas de chanter mes louanges, pendant ce temps-là... Voilà, j'étais une ruine ambulante et elle me répétait : « Tu es incroyable, tu me combles, je t'aime... » Une crétinerie pareille, c'était trop pour moi. Seulement je n'arrivais pas à me passer d'elle : elle me tenait avec la couleur et le toucher de sa peau, l'odeur de ses aisselles et de son sexe, la saveur de ses seins. Elle me plaisait, oui, mais elle n'arrêtait pas de débiter des stupidités et elle avait accroché à la porte de chez elle un écriteau qui disait : « Attention, enfants en liberté ! »

Des fois, j'avais l'impression que tout ça était une mauvaise farce. Elle, elle souriait sans cesse, comme pour signifier : « Je te fais jouir, alors tu paies ! » Ah, putain, l'esprit mercantile de cette époque ! Elle avait perdu son travail depuis trois ans déjà. C'était le genre d'inutiles qui se laissent crever de faim peu à peu sans savoir que faire. La seule thune que nous avions, je devais me battre comme un chat de gouttière pour la gratter.

En ce temps, il y avait une chanson d'un orchestre de salsa qui avait un succès fou :

> *Cherche-toi un couillon plein de ronds*
> *Et adieu les ennuis adieu les soucis*
> *Toi tu vas danser lui il va bosser*
> *Pas trop jeune mais pas trop ridé*
> *Cherche-toi un couillon plein de ronds.*

J'avais déjà connu la même situation avec une autre Noire très belle. Prof d'université, pleine d'élégance et de finesse. Nous étions restés des années à nous désirer en secret, sans que nos chemins se croisent jamais, et puis elle s'était retrouvée seule, complètement seule pendant près de deux ans, et là ça avait été la rencontre frontale. Le grand choc. Moi, je me marrais beaucoup parce qu'à mon contact elle donnait libre cours à sa luxure et se transformait en l'une des grandes péche-resses de l'histoire de l'humanité. Il lui suffisait de sentir le bout de ma pine approcher des bords de son vagin pour devenir dingue, pour envoyer bouler tout son conditionnement intellectualoïde et se muer en bac-chante porno. Doctoresse Jekyll et Mrs Hyde. Et ça sans même une goutte de rhum ni un seul joint de ganja. Elle n'avait besoin de rien, elle démarrait toute seule. A capella. Déjà très bavarde, elle n'arrêtait plus de parler quand elle commençait à enchaîner orgasme sur orgasme. La métisse de feu, c'était. Et moi, tout ce cinéma m'excitait énormément. Je ne vais pas me mettre à faire le saint maintenant, à prétendre que ses bizarre-ries me révulsaient. Non : la vérité, c'est que ça me met-tait dans tous mes états.

« Je veux être ton esclave, papito », commençait-elle. « Que tu m'attaches, que tu me fouettes. Tiens, là-bas j'ai une corde et une ceinture en cuir. Je veux que tu me battes et que tu me donnes à quatre hommes en même temps. Oh oui ! Je veux être une pute, je veux me faire mettre par tous ces bougres devant toi. Aaah, prends-moi, prends-moi ! Regarde ce cul d'enfer que j'ai. Il est pour toi, parce que tu aimes les culs, hein, pédé, tu aimes ? Et pour toi je vais être gouine aussi. Trouve-moi une belle Blanche et tu vas voir comment je la fais jouir pour toi. Je serai ton esclave, papi. Bats-moi, fouette-moi, je te dis ! Mords, mords-moi ! Je veux avoir la marque de tes dents ! Fourre-moi ton doigt dans le cul, allez ! »

Elle avait des revues pornos et elle aimait arriver à l'orgasme en regardant toutes ces superbes blondes aux yeux verts. Bon, moi je rigolais sans essayer de comprendre quoi que ce soit. On ne peut pas tout comprendre. Disons que la vie, on ne peut pas à la fois la vivre et l'analyser. Il faut choisir l'un ou l'autre.

Je l'ai laissée tomber, finalement. Non pas à cause de ses folies mais parce que je pressentais qu'elle avait le mauvais œil et qu'elle allait me porter la poisse. Voyant que son truc marchait à fond avec moi, l'esclave sexuelle s'est mise à demander, exiger : robes, chaussures, bons restaus, parfums... Elle a lâché la bride à son avidité, aussi. A l'époque, j'avais les moyens de la satisfaire. Jusqu'au jour où, alors que nous étions assis face à face, elle a commencé à me regarder fixement, en silence, avant d'ouvrir la bouche pour me dire quelque chose d'abominable : « Tu as tellement d'habits que tu ne pourras jamais tous les mettre dans ta vie, Pedrito... »

Lâche-moi, hé ! Oui, j'étais bien fringué, en ce temps-là, et j'avais le choix, mais ça ne m'empêchait pas de vouloir vivre très longtemps ! Pas à tortiller : elle avait l'œil, cette négresse. Je n'ai plus remis les pieds chez elle.

Une autre fois, il s'est produit le cas exactement inverse. Avec une Catalane, c'était. Elle, elle se voyait en maîtresse toute-puissante et moi en misérable insecte. Au lit, nous ne faisions qu'un mais sitôt que nous étions rhabillés, elle se convertissait en shérif. J'ai failli l'assassiner et puis je me suis maîtrisé, je l'ai plantée là et je suis parti. Les femmes peuvent rester là où elles sont ; c'est à moi d'aller voir ailleurs.

Enfin, je ne vais pas trop entrer dans ce thème parce que je ne suis pas encore prêt à saisir un bistouri et à annoncer à l'estimé public présent sur les lieux : « Et maintenant, je vous demande toute votre attention et je vous prie de vous boucher le nez. Je m'en vais m'ouvrir les tripes. Je vous avertis qu'il va en sortir une quantité de merde. Et que ça pue. Oui, pour ceux qui ne seraient pas au courant : la merde, ça coince ! »

Pour l'instant, je ne peux pas. Je l'ai dans la main, le bistouri, mais je n'ose pas encore l'enfoncer loin et aller fouiller en plein caca.

Elle est ainsi faite, cette foutue vie. Quand on a du caractère, on est intransigeant jusqu'au mépris. La rigueur et la discipline vous rendent implacable. Il n'y a que les faibles pour être soumis et dépendants. Ils ont besoin de quelqu'un de plus fort, auxquels ils sacrifieront tout en espérant quelques miettes en retour. Ils renoncent à leur dignité. Je sais bien que c'est une chose embarrassante à reconnaître à voix haute, mais c'est la vérité : certains commandent, d'autres obéissent.

Et moi, je ne peux obéir à personne. Pas même à moi. Ce qui me coûte cher. Je le paie au centuple, oui. Et alors la fureur et la rage s'accumulent, s'accumulent tellement qu'on est obligé de décompresser. Comment, nous le savons tous : avec l'alcool, le sexe, les drogues... Encore qu'il y en ait d'autres qui se bourrent de chocolat, ou qui deviennent boulimiques, ou je ne sais quoi. Ici, dans le quartier, c'est surtout la baise, un peu de picole et de marie-jeanne. On a aussi des mystiques, et c'est ceux qui s'en tirent le mieux. Mais ça, on laisse tomber. Les mystiques et les ésotériques, c'est à part. D'ailleurs, ils sont si rares qu'ils ne comptent pas.

Margarita a supporté ma colère très longtemps. Elle avait appris à encaisser, à survivre avec le minimum. Tout ce qu'elle voulait, c'est qu'on l'aime. Ça, elle n'arrêtait pas de me le demander. Tous les hommes du quartier la harcelaient. En douce, mais sans arrêt. Comme un sport, c'était : ils voulaient la soumettre avec leur phallus. Ce coin est plein de Noirs, de métis et de quelques Blancs qui n'ont pratiquement rien à faire ni à penser. Après, c'est un engrenage : s'ils parviennent à lui faire goûter leur queue et qu'elle l'apprécie, elle tombe dans le piège. Un truc rudimentaire, primitif, mais qui marche.

Rien d'original. L'héritière de Vargas Vila[1] me le

---

1. Poète et penseur d'origine colombienne. On retrouve ici plusieurs échos de José María Vargas Vila, dont le thème des fleurs offertes le soir (son poème *Las Rosas de la Tarde*, *Roses du Soir*), la femme « fleur de chair » et plus généralement la thématique du récit qui semble renvoyer à une des réflexions de l'illustre prédécesseur : « Toutes nos grandes réussites, nous les devons à nos Passions. Quant à nos défaites, elles surviennent toujours à cause de nos Idées, qui en sont aussi les victimes. » (*N.d.T.*)

disait avec un sourire : « Séduisez-les, corrompez-les, dégradez-les. Elles sont faibles, les femmes. » Moi, je n'y croyais pas mais elle me le répétait tout le temps, jusqu'au jour où elle m'a raconté que Vargas Vila détestait les femmes.

— C'était un misogyne, m'a-t-elle assuré.

— Pédé ? ai-je demandé.

— Bon, là, je n'en sais pas tant. Mais misogyne, c'est sûr.

Quoi qu'il en soit, voilà Margarita, voilà tous les mâles du quartier en train de la pourchasser. Et me voici moi, enragé, la bave aux lèvres, d'accord, mais au moins sans le désir de la séduire, ni de la corrompre, ni rien de ces conneries. Qu'elle vive sa vie et qu'elle me laisse en paix.

Des fois, je lui achète même des glaïeuls et des fleurs-papillons et je les lui offre à la nuit tombée. Tout ce que je demande, c'est qu'elle les accepte sans ouvrir la bouche, mais cette foutue négresse se met à les sentir d'un air extasié, se croit obligée de me remercier, de me dire qu'elles sont merveilleuses et qu'elle m'aime. Et ça, ça me met en rage. Pourquoi elle ne prend pas son bouquet et elle se la ferme, cette emmerdeuse ?

Et moi, alors ? Pourquoi je n'arrive pas à contrôler mon orgueil ? Pourquoi il se gonfle et m'emporte ? Je n'arrive à rien de bon lorsqu'il me déborde. Il me détruit.

Et puis j'ai découvert une chose : quand il y a un esclave dans les parages, je suis encore plus furieux. Sa présence me transforme en maître orgueilleux et colérique. Bourré de rage. Conclusion : il me faut rester loin des esclaves. Les abandonner à leur sort. La contagion est trop horrible.

Sauve qui peut

La nuit dernière, on a bu jusqu'à l'aube. Haydée me racontait ses histoires spirites, ses peurs, sa crainte d'aller plus loin. Jorge écoutait. C'est tout ce qu'il fait, Jorge : écouter et se taire. A quatre heures, on s'est couchés, à moitié bourrés. Il n'y a qu'une seule pièce, pas grande, avec une cuvette et une cuisinière à gaz. Elle a étendu une couverture au sol et je suis tombé dessus comme une pierre. Dans un demi-sommeil, je crois les avoir entendus baiser et soupirer. Ils n'arrêtent jamais, ces Noirs.

J'étais debout à neuf heures. Je me suis passé de l'eau sur la figure, j'ai attrapé mes vingt langoustes surgelées et je suis parti à la gare. Il y avait un train pour La Havane à midi. Je suis toujours pété quand je me déplace, ce qui est parfait : comme ça, la police ne me remarque pas.

Un enterrement passait dans une des rues de la ville. Tout le monde à pied, sans un bruit. Trop de gens dans un silence trop pesant. Avec ma caisse de langoustes, j'avais intérêt à me faire discret, mais j'ai quand même essayé de poser des questions. Personne ne savait rien.

Tout le monde est sale, mal habillé, le ventre creux et pas un seul n'ouvre la bouche. L'unique problème de chacun, c'est de trouver quelques pièces, de quoi bouffer. Survivre.

Après, j'ai passé tout l'après-midi à bringuebaler dans ce train, parti avec trois heures de retard et qui se traînait avec des arrêts toutes les cinq minutes. J'ai fini par arriver à La Havane à dix heures du soir. Toute une journée perdue dans cette saleté de wagon. Mais bon, j'étais tout content quand je suis entré chez moi. C'est bien, d'avoir le moral. Autrement, tu es bon pour les asticots. J'ai mis mes langoustes au congélo, j'ai avalé un verre d'eau sucrée et je me suis allongé sur mon lit. Crevé.

J'ai dormi d'un trait jusqu'au lendemain matin, à sept heures, quand on a frappé à la porte. Margarita venait me réveiller. Elle me sent de loin, celle-là. Comment elle pouvait savoir que j'étais rentré ? Elle m'a préparé du café et elle a enlevé sa robe, sous prétexte qu'il faisait chaud et qu'elle voulait nettoyer ma piaule de fond en comble. On aurait cru que c'était un palais, à l'entendre. Elle me provoquait en se baladant à poil, plutôt. On a baisé un peu. Je ne l'avais pas vue depuis trois jours. Elle me plaît, cette négresse. Surtout quand elle arrête de parler, vu qu'elle ne dit que des âneries et qu'elle devient lassante à force de jouer les gentilles filles. Ça fatigue, à la fin. De toute façon, il n'y a que l'attirance sexuelle, là, rien de plus. Ce qui me suffit. Mon cœur s'est tellement endurci qu'une femme ne peut m'inspirer qu'une érection, pas de sentiments.

Ces amours fugaces sont délectables parce qu'elles ne contiennent aucune attente, aucun espoir. Ni passé, ni avenir. L'espoir détruit beaucoup de choses, mais apprendre à l'esquiver est tout un art.

Elle a quand même tenu à faire le ménage et à préparer un déjeuner. Je n'ai pas marché, moi. Je ne veux plus jamais jouer à la dînette. Ça suffit. J'ai pris quatre langoustes et je suis sorti les vendre, tout en renvoyant Margarita dans ses quartiers. Ciao, à la revoyure.

Dans l'immeuble d'en face, il y a un provincial monté à la capitale qui a plein d'argent. Il loue sa voiture, une Plymouth 1954, un truc énorme, rouge, avec des ailes gigantesques. Tout est massif, là-dedans : un vrai tank en tôle vermillon, avec des vitres minuscules. Moi je la trouve sinistre, sa bagnole, mais les touristes disent que c'est de « l'authentique » et ils adorent la louer pour se

balader dans la Vıeılle Ville ou embarquer des cavaleuses et les amener à la plage. Quand je l'ai félicité sur
le bon état de sa pièce de musée, il s'est exclamé :

— Oh, mon ami, c'est une mine d'or, cette auto !
Une réserve à pornographie.

— Comment ça, pornographie ? Tu dérailles ?

— Ah, tu vois guère plus loin que le bout de ton nez,
mon compère. Y a plein d'étrangers qui veulent prendre
des photos avec les putes dedans, ou sur le capot, ou sur
le toit, tu me saisis ? Des folies, ils font, des folies ! Et
donc ils me demandent de les photographier ou de les
filmer à la vidéo. Et pour ça je te leur prends un supplé-
ment, à ces jobards ! Tu n'imagines pas l'argent qu'elle
me rapporte, cette caisse-là !

Je lui ai casé deux langoustes, à celui-là. A un dollar
pièce, sans barguigner. Bon plan. Moi, je les touche trois
pour un dollar chez les pêcheurs. Ce qui est trop couillon, c'est que je ne puisse pas en rapporter deux cents
d'un coup. J'ai poursuivi mon chemin, je suis arrivé à la
gargote d'Urbano et... oui ! Il en voulait dix. Bingo !
J'avais gagné ma journée. Je suis reparti les lui chercher,
j'ai encaissé et je suis allé me trouver un peu de rhum.
On ne peut pas trop travailler : la vie est courte.

Devant le magasin, il y avait une queue de première,
mais je me suis approché du guichet, j'ai regardé l'employé dans les yeux, je lui ai tendu ma bouteille, il l'a
remplie et je lui ai donné ses trente malheureux pesos.
Comme ça, à la barbe de tous ces gens qui attendaient.
Quand on a de la thune, on ne peut pas se coltiner une
file de deux heures avec le carnet de rationnement à la
main. Que dalle ! Moi je paie le double et la question est
résolue en une minute. Ça a protesté immédiatement,
bien sûr. Les petits vieux, avec leurs radotages : « Hé, y
en a marre, déjà ! Ici tout le monde est égal, ici ça
marche avec le carnet ! » Qu'un type arrive blindé et les
encule ouvertement, ils supportent pas. Je me suis
éloigné de quelques pas et je leur ai crié :

— Egal à qui, égal à quoi ? Bande de minables !
Allez vous faire mettre !

A ce moment, le vieux Martín s'approche de moi,
rond déchiré comme d'habitude.

— Laisse tomber, Pedro Juan ! Oublie-les, ces malheureux. Dis voir, faut qu'on monte à ta terrasse
ensemble. J'ai gardé de côté une petite boutanche pour
me la boire avec toi.

— Ah, très bien, Martín, très bien. Quand tu veux.

— Non, pas quand je veux ! Dis-moi quand, toi.

Ça fait des mois qu'il me bassine avec son idée fixe.
Il me fatigue carrément.

— Ecoute, Martín, je suis là-haut tous les soirs. Je
sors pas.

— Bien, bien... J'ai quelques historiettes à te conter
et après tu les écris.

— J'écris plus, Martín, c'est fini. Tu vois pas que je
suis toujours à m'éreinter dans la rue ?

— Comment, tu n'es pas journaliste, mon garçon ?

— J'étais, j'étais. Maintenant je suis plus rien du
tout, con.

— Qu'est-ce que c'est que ça ? Te paie pas ma
tronche, hein ? Je suis sérieux, moi.

— Arrête avec ça, Martín. Tu montes me voir quand
tu veux. Tu apportes ta petite boutanche, on causera
femmes et pelota.

— Oh, non, hé ! Je parle de choses sérieuses, moi.
Toute mon enfance et ma jeunesse j'ai été le voisin de
ce monsieur que tu connais bien et...

— De qui ?

— Tu sais bien, quoi !

— Pfff ! Laisse tomber, Martín. J'écris plus rien, je
t'ai dit. Allez, calmos !

Je lui ai tourné le dos et je suis rentré chez moi avec
ma bouteille. Je vais me faire cuire une langouste, avec
un bon coup de rhum par-dessus. Ça ne tient pas au
ventre mais c'est tout ce que j'ai, donc ça tiendra.

J'étais en train de penser à ça quand j'ai croisé Tony,

un ancien collègue. On s'est salués, on a bavardé un moment. Enfin, surtout lui. Il revenait de Matanzas, pour un reportage sur un ovni qui avait atterri là-bas quelques jours plus tôt. Eh oui, ça avait l'air plausible, cette histoire. D'autant que le témoin était un paysan tellement niais et analphabète qu'il n'aurait même pas imaginé raconter des mensonges. Donc, l'objet volant, de la taille d'une petite voiture et « tout pareil à une tortue d'eau douce, avec la carapace », s'était posé sans un bruit. Un gus en était sorti, il avait cueilli des herbes par-ci par-là, puis il était remonté dans son machin et il avait redécollé tout aussi silencieusement. Les traces étaient toujours là. Ils les avaient photographiées, d'ailleurs.

— Ça m'étonne pas, Tony. J'ai toujours pensé qu'il y avait plein d'autres planètes habitées. La seule chose qui me tracasse, c'est qu'ils ne veulent pas communiquer avec nous.

— Peut-être qu'ils nous trouvent encore trop primitifs.

— Voilà. Trop primitifs. Trop agressifs. Trop salauds !

— Euh, bon, Pedro Juan, pas de quoi te monter la tête comme ça...

— Ah oui ? Tu viens me gonfler avec tes fadaises et puis tu me dis de ne pas me monter la tête ?

— Bon, je te laisse.

— OK. A plus.

Manquait plus que ça. Des extraterrestres authentiques qui viennent déconner par ici ! J'ai grimpé mes escaliers, j'ai mis la langouste à bouillir et je suis resté là, en silence. Je prends un plaisir grandissant à ça : le silence et la solitude. Je ne pourrais pas expliquer comment ça se passe, vraiment. En fait, je ne suis moi-même que si tout se tait autour de moi. Il ne m'en faut pas plus.

Ma vie n'arrête pas de se disperser, comme un fleuve sorti de son lit qui se répand sur la terre. Alors je dois laisser plein de choses derrière moi pour me demander ce qui est réellement utile, réellement bon pour moi. C'est la seule façon de maîtriser la crue et de la faire revenir dans son cours. Et ainsi de suite. Un va-et-vient. Un pendule. Ça a toujours été pareil, si bien que je me suis habitué à ces inondations qui emportent tout sur leur passage et auxquelles viennent succéder le calme, la pondération, la solitude et le silence. L'apprentissage est long. Infiniment long. Il est même très possible qu'il ne s'achève jamais.

La langouste cuisait et j'avais attaqué la bouteille de rhum quand María a surgi. C'est une voisine, très âgée, qui a parfois des prémonitions, des visions. Moi, je l'aide à les interpréter. Elle est veuve depuis un an, elle qui n'avait cessé d'opprimer son mari et de se vanter devant moi de la crainte qu'elle lui inspirait.

— Je vais te raconter quelque chose qui m'est arrivé hier soir. Pour que tu me dises ce que tu en penses, parce que tu as un don, toi.

— Moi ? Non, María. Le don, c'est toi qui l'as. Si tu faisais des consultations, tu vivrais bien mieux.

— Je suis trop vieille pour commencer. Puisque je ne l'ai pas fait en temps voulu, c'est trop tard, maintenant.

— Bon. Qu'est-ce qui t'est arrivé ?

— Ecoute, mon petit. Donc j'étais en train de lire un journal et puis j'ai appuyé ma tête contre le mur et j'ai fermé les yeux pour me reposer un peu. Je ne dormais pas, hein, juste les yeux fermés. Et là Manuel m'apparaît et il me dit, très calme, sans haine ni méchanceté, il me dit : « Je vais te tuer. » Et il a disparu.

— Et toi, tu as fait quoi ?

— J'ai rouvert les yeux doucement. Je n'ai pas eu peur mais depuis ça ne m'est plus sorti de l'esprit. C'est que tout ce que je vois, ça finit par m'arriver, à moi ! Qu'est-ce que je dois faire, Pedro Juan ?

— On dirait que tu as peur, si.

— Non, non, non.

— Prépare un verre d'eau avec du parfum, María, et va voir une santera qui lui donne une messe en bonne et due forme. C'est une âme qui a besoin de s'élever. Il est mort dans un accident, ça a été très inattendu et maintenant il erre en peine. Si tu n'agis pas à temps pour lui rendre la lumière, il va t'emporter avec lui. Il te faut lui offrir une messe, ou deux, ou trois, autant que nécessaire jusqu'à ce qu'il comprenne que sa place est au cimetière, pas ici. Il doit s'en aller.

— Aaahh, mon fils, mais je ne crois à rien de tout ça, moi...

— Alors tu n'as rien vu.

— Si je l'ai vu ? Comment tu peux douter de moi ?

— Faudrait savoir, María : tu crois ou tu crois pas ? Si c'est non, alors il s'est rien passé et tu oublies. Si c'est oui, tu dois lui donner une messe spirituelle, l'aider à s'élever.

María est repartie, pas convaincue. Dès le début de la Révolution, elle avait été militante du Parti et cadre de l'armée. Toujours à commander et à surveiller. Les gens du quartier la traitaient avec beaucoup de prudence. « La capitaine », ils l'appelaient. Maintenant elle est seule, vieille, pauvre, sale. Elle n'a même pas l'énergie de se laver.

Le silence est revenu. Je me suis concentré sur mon rhum et la langouste en train de cuire, mais j'ai soudain entendu les talons hauts de la voisine d'à côté claquer dans le couloir. Une mulâtresse gironde, dans les vingt ans. Elle a du style, c'est une vraie beauté. Elle pourrait faire mannequin, cette pute. Elle habite un taudis aussi misérable que le mien et pourtant elle est inflexible : si tu casques pas, elle te regarde même pas. Des fois elle me salue, mais sans trop avoir confiance.

— Bonjour, voisin.

— Bonjour, voisine. Tu es restée tard sur le pont, je vois. Il est presque midi.

— Et qui t'a dit que je travaillais encore de nuit ? T'as un brin de toupet, toi.

— Ah oui ? Ton parfum m'arrive jusqu'ici.

— Bon, tu bisques. Continue à bisquer, mon biquet.

— Inhumaine !

— C'est le refrain d'une chanson, je te signale. Allez, à bientôt. Je vais faire dormir un peu mes yeux.

— Quand est-ce que tu vas te laisser approcher, mamita ? Tu me rends fou, tu sais ?

— Quand tu seras un 'ti papi avec plein de 'ti billets, voilà quand. Tant que tu es la main devant la main derrière comme ça, je te vois même pas à deux mètres. Me communique pas la mauvaiseté, mon pauvret.

— Bon, tu me maltraites. Continue à me maltraiter, mon cœur. Dors bien.

— Ciao, papito.

— Ciao, mamita.

Elle a refermé sa porte derrière elle et je suis revenu à mes marmites. Voilà, c'est comme ça. Tu as de la thune, tu y as droit. Tu n'en as pas, va te faire foutre. Pareil que dans les naufrages : sauve qui peut.

Elle me plaît, cette femme-là. Elle est arrivée de la cambrousse il y a un an avec les mains calleuses et de la terre rouge sous les ongles des pieds. Elle a dit qu'elle venait de Palma Clara. Dieu sait où ça se trouve, con !

Elle est très, très méfiante. Elle croit qu'on cherche tous à lui faire du mal. Mais elle m'a un peu raconté sa vie, une fois. A douze ans, elle a laissé tomber l'école pour aller à la cueillette du café : elle voulait avoir de l'argent à elle parce que le papa buvait et fumait tout ce qu'il gagnait. « A la maison, on était sept gosses avec de la farine de maïs et des ignames pour seul manger. Je sais pas comment on s'en est tous sortis costauds et en bonne santé », elle m'a dit. A seize ans, elle a décidé que le café, c'était un travail pour les crève-la-faim abrutis. Un soir, elle s'est lavée, elle a enfilé une robe propre et hop, sans prévenir personne, sur la route, direction La Havane. Pas la moindre idée de ce que ça pouvait être, La Havane. Elle avait entendu que c'était vivable, là-bas, parce qu'il y avait de l'argent. Alors elle est partie. Pendant qu'elle évoquait son histoire, il y avait une grande force dans son regard : « Je suis très jolie, papito.

Tu penses que je m'en rends pas compte ? Le café et la misère, qu'ils se les mettent au cul ! Palma Clara, j'y retourne plus jamais... Oh, Dieu me pardonne ! Quand ma mère va mourir, si, j'irai, parce que c'est une sainte, elle. »

Elle est arrivée à la capitale comme ça, sans rien. Les premiers jours, elle a vécu avec un camionneur qui l'avait prise sur la route, mais elle l'a jeté au bout d'une semaine : le type voulait une petite esclave à domicile qu'il puisse baiser quand il voulait et laisser bouclée à marner et à s'ennuyer. Elle l'a envoyé paître, elle est partie vivre chez une voisine et puis elle a commencé à cavaler le Malecón. Et en un an elle est devenue une autre femme, la petite pécore. Maintenant, même sa démarche a de l'élégance et elle s'exprime avec distinction. Bientôt, elle s'installera dans un appartement correct et tournera le dos à ces combles de merde où nous sommes. J'aime les gens de cette trempe, moi. Les faibles, ils ne savent que se lamenter et pleurnicher. Ils croient qu'après aujourd'hui tout est terminé.

Alors que c'est tout le contraire : aujourd'hui, c'est quand tout commence.

La Havane
26 mars-4 novembre 1995

Le goût de moi

Ma vie, c'était le restaurant Flo-
ridita, les bordels, la roulette dans
tous les hôtels, les machines à sous
qui déversaient des torrents de dol-
lars-argent, le théâtre Shangai où
pour un dollar vingt-cinq on pouvait assister à un spectacle érotique
d'une totale obscénité et, pendant
les entractes, voir les films les plus
pornos du monde. Et soudain j'ai
eu la révélation que cette ville
extraordinaire, dans laquelle tous
les vices étaient tolérés et tous les
trafics possibles, était le décor
authentique de ma comédie.

GRAHAM GREENE, à propos
de *Notre agent à La Havane*

L'homme n'est pas conçu pour
la défaite. On peut être détruit,
mais non défait.

ERNEST HEMINGWAY,
Le Vieil Homme et la mer

Basilio, compagnon de cellule

Assis sur son grabat, Basilio est en train de se curer les doigts de pied. Qui puent. Il n'arrête pas de renifler ses mains. Quand il en retire la saleté, il hume aussi. Ça lui plaît. Il fait ça tous les soirs, avant la douche. Enfin, à condition qu'il y ait de l'eau et qu'on y ait droit. Le temps passe vite, dès qu'on ne le surveille pas. On n'a pas de montre, ni de calendrier. On sait seulement que c'est dimanche lorsqu'on se repose et qu'on tourne en rond ici. Voici un an qu'on partage la même cellule. La nuit, parce que pendant la journée je bosse à l'atelier de matelas et lui à la ferme de la prison. Comme c'est une brutasse de la campagne, il aime ça, la terre.

Au début, j'ai été mal. En me retrouvant enfermé, j'ai eu une attaque de claustrophobie et j'ai perdu la tête. Une crise de furie. Je me suis mis à crier, la bave aux lèvres, j'ai frappé deux matons qui essayaient de me maîtriser et là ils m'ont donné une raclée, ils m'ont étendu sur le carreau. Quand je me suis réveillé, ça a été encore pire : ils m'avaient bouclé dans la « cage aux lions », un de ces cubes tout en barreaux dans lesquels on ne peut ni se redresser ni s'allonger entièrement. Il faut rester tassé sur soi-même en permanence. Elles se trouvent sur le toit du bâtiment, donc je suis resté plusieurs jours comme ça, sous le soleil. J'ignore combien. J'en suis sorti vidé, quasiment mort. Enfin, je ne m'attarde pas parce que je ne veux pas m'en souvenir en détail. Savoir qu'on est des bêtes et qu'on a la haine contre celui qui ose le dire, ça me flanque trop les boules.

— Arrête de te tripoter les panards, Basilio. Ça pue trop, mon ami.

— Oh, le môssieur est raffiné. Non mais tu te crois où, papi ?

— Tu m'appelles pas comme ça. Papi et mami, tu te le gardes pour les tapettes que tu t'enfiles à ta ferme. Moi, tu me respectes.

— Ah, fais pas ton dur, vieux.

— Je fais rien du tout. Je le suis, et plus que dur encore que ça, alors tu tiens ta langue avec moi. C'est clair ?

On n'est pas amis, non. En prison, ça n'existe pas. Il faut garder tout le monde à distance. Que personne n'approche, parce que celui dont tu te méfies le moins cherchera quand même à te la mettre dans le cul. En plus c'est un bavard, Basilio, et les moulins à paroles ne sont jamais fiables : des gens sans caractère, manipulables par n'importe qui. Moi, je ne parle pas. Le silence est d'or. Donc il ne sait pas grand-chose sur mon compte sinon que, coup de hasard, nous sommes du même quartier, El Palenque. Ça fait des années que je me suis tiré de ce foutoir de masures en tôles ondulées, en planches pourries et en bouts de nylon. C'est au bord du Quibú, une rivière qui empeste la merde depuis que Dieu l'a créée. Quand j'étais gosse, j'étais persuadé que toutes les rivières étaient faites de merde. La première fois que j'en ai vu une où c'était de l'eau qui coulait, je n'en ai pas cru mes yeux et j'ai demandé où ils mettaient la merde et la boue, pour qu'elle soit aussi propre...

Un jour de mouise, j'étais allé voir mes potes d'El Palenque et je m'étais décroché un petit boulot dans la boutique de Dinorah. Il fallait éplucher la canne à sucre et charrier les blocs de glace. Je me levais dans la nuit pour râper la canne et ensuite, à six heures du matin, j'allais chercher la glace avec un petit chariot et ensuite je cassais les blocs au maillet. Dinorah disait que ça donnait du « frappé » et je ne l'ai jamais oublié, ce joli petit mot. Deux heures plus tard, elle avait déjà moulu la canne et mettait en vente du vesou glacé. C'était une affaire qui marchait. Jusqu'à un certain soir.

La nuit était presque tombée. On avait envie l'un de l'autre, Dinorah et moi. C'était une mémé d'une cinquantaine d'années, avec de sacrés nibars et un bon cul, la chair encore ferme. Et qui savait vivre. Une bagarreuse à qui il ne fallait pas en conter. De toute façon, à El Palenque, c'est obligatoire : ou tu es dur, ou tu n'existes plus. Si tu commences à baisser la garde, tu as intérêt à dégager au plus vite.

J'aime ce genre, moi. Elles ont le dos robuste, la colonne vertébrale puissante, et ça me pousse à les prendre par-derrière. De fortes femmes qui se transforment en beignets de coco dégoulinants de sucre quand on les domine bien.

Quand un homme et une femme se plaisent, ils le sentent d'instinct, sans rien avoir à dire. Ce soir-là, j'avais caché une bouteille de rhum. Lorsqu'il n'y a plus eu de glace et qu'on s'est apprêtés à fermer, je la lui ai montrée :

— Tiens, Dinorah, envoie-t'en un bon coup.

— Et d'où tu as pris que je buvais, moi ?

— Ça se voit à ta figure. Allez, fais pas ta Vierge Marie.

Elle a rigolé. J'adorais le rire de cette femme : de grands éclats sonores, sans-gêne. Ochún et Yemayá en même temps. La joie de vivre, quoi. Elle a renversé quelques gouttes par terre, pour les saints, puis elle a pris une rasade et m'a passé la bouteille. On a bouclé l'échoppe et on est restés dedans, sales, couverts de transpiration, puants après toute une journée à trimer sous le soleil. Mais moi, j'aime bien. Le parfum, le maquillage, je déteste. Je ne veux pas essayer de comprendre pourquoi, je me débrouille pour que personne ne s'en rende compte, je ne sais même pas pour quelle raison je le dissimule mais c'est un fait : les femmes mignonnes et pomponnées et parfumées, ce n'est pas pour moi. Ni les cultivées, ni les distinguées.

Je les préfère mal lavées, suantes, avec les aisselles pas rasées et beaucoup de poils partout.

On n'avait pas besoin de parler. On a bu encore quelques coups, je suis allé fermer la porte de derrière et je suis revenu vers elle. Je l'ai embrassée en lui prenant les fesses dans mes mains. Elle n'attendait que ça. Elle a soupiré :

— Aïe, papito, jusqu'à quand tu allais me faire souffrir ?

J'ai baissé mon pantalon, je l'ai déshabillée. Après quelques tripotages, elle m'a pris la queue dans la bouche et elle a dit :

— Oh, quelle pine dégoûtante tu as ! Quelle odeur ! Mais comme elle est dure aussi, comme elle est vaillante !

Et elle l'a sucée magistralement.

A ce moment, j'ai eu envie de ce qui me plaît toujours le plus : la pénétrer par-derrière, debout, l'obliger à se pencher en avant pour bien la bourrer. Ça me rend dingue, ça. Mais quand elle s'est mise dans cette position, elle a écarté les fesses, qui ont dégagé des effluves de merde fraîche à tomber par terre. Elle s'était chié dessus. Je suis un porc, certes, mais pas à ce point. J'en ai débandé d'un coup et je me suis mis dans une colère terrible. En une seconde, j'ai été plein de haine :

— T'as cagué, là ! Tu pues du cul !

— Moi ?

— Putain, quelle porcasse de merde tu fais !

— Moins que toi, hé ! Ton bâton puant, je te l'ai bien sucé, ou quoi ?

— C'est pas pareil.

— Si c'est pareil !

— T'es qu'une porcasse pleine de merde !

— Et toi, tu es un petit raffiné, hein ? Jusqu'à ta pine qui est déprimée, là. Mais tu es né où ? Dans la merde du Quibú ! Alors arrête avec tes grands airs.

— En tout cas j'ai pas le cul merdeux, moi !

Le rhum nous était monté à la tête. On s'est injuriés

de plus belle. A tel point qu'elle a fini par me jeter dehors en criant qu'elle ne voulait plus jamais me revoir.

Je suis parti. Et depuis j'évite El Palenque, parce que c'est une santera, cette femme, et je ne tiens pas à ce qu'elle me jette un sort.

Je me suis alors lancé dans une activité moins crevante et plus rentable : gigolo. Avec les vieilles, avec les touristes, mais pas les pédés. Je n'ai pas l'estomac pour ça. Pas du tout. Ça me rend violent et je me retiens pour ne pas leur tomber dessus à coups de pied. Avec les vieilles, c'est autre chose. Il y en a d'intéressantes. Le travail est facile. Il suffit de se mettre une chemise à manches courtes, histoire de montrer les biscoteaux, de s'adosser contre un mur près d'un hôtel et le tour est joué. Les vioques friquées voyagent toutes seules et elles sont gourmandes comme des mouches sur le sucre. Certaines préfèrent les Noirs mais ils leur font peur : elles croient que ce sont tous des voleurs et des assassins. Et moi, j'en profite pour élargir ma clientèle : « Oh oui, ils ont le meurtre dans le sang, ils sont dangereux comme tout. Ils aiment frapper les femmes parce que ce sont des enfants du diable. Non, ne t'approche pas d'eux, franchement. Tu risques d'y laisser la peau. Avec ces queues énormes qu'ils ont, ils te démolissent du dedans, ils t'abandonnent ouverte en deux sur le lit et ils disparaissent avec toutes tes affaires. Je connais plein de femmes à qui c'est arrivé. » Et elles gobent, elles gobent tout. Elles me regardent avec des yeux horrifiés, elles avalent mon baratin mot pour mot puis elles me demandent mon téléphone pour leurs amies qui viendront bientôt en vacances ici. Totalement hors de la réalité. Elles croient que tout le monde a le téléphone, et une voiture, et un bon steak dans son assiette au déjeuner. Idiotes ou naïves, je ne sais pas. Mais à cette époque je m'amusais et je vivais bien, et c'est ça qui compte.

Des fois, c'était des débris tellement usés par le temps et les malheurs qu'il fallait alors être un artiste, un véritable artiste. Eteindre les lumières, tirer les rideaux, mettre de la musique, s'envoyer un verre de rhum, fermer les yeux, penser à une autre mousmée, bien se creuser la tête et puis en avant. La bière glacée, tout le monde est prêt à en boire. C'est pas drôle, finalement. Mais ces vieilles démolies et maltraitées, c'est de la bière chaude, c'est tout un travail. Ah, comme la vie peut être cruelle avec ces vieux machins, comme elle les passe à la moulinette et les transforme en hachis de troisième catégorie !

Enfin, il y en avait des bien, aussi. Dina Peralto, par exemple. Elle voulait que j'apprenne l'italien et que je parte vivre à Florence. Elle devenait comme une folle, avec moi. Elle avait deux millions de rides sur la figure, se déplaçait avec des dizaines de pots de crèmes différentes et se nourrissait exclusivement de carottes et de pain complet, alors que moi je m'envoyais deux bons faux filets à chaque repas. Elle me regardait m'empiffrer et payait l'addition. Comme elle ne connaissait rien de la vie, tout ce que je lui faisais était une fête pour elle. Aussi incroyable que ça puisse paraître, son vagin était rosé, étroit, souple, humide, adolescent, avec une odeur douce et appétissante, pour une raison assez sciante : son mari était mort depuis peu, à quatre-vingt-treize ans. Elle en avait soixante et onze, elle. Elle m'a raconté en détail tous les voyages qu'ils avaient faits à travers le monde, et comment ce monsieur avait toujours été si gentil, et qu'il lui répétait sans cesse : « Je me charge de tout. Ne t'occupe que de tes parties de bridge et de golf. » Elle m'appelait « le gigolo machiavélique ». Elle n'arrêtait pas de me dire ça, mais elle ne m'a jamais expliqué ce qu'elle entendait par là. On a passé un bon mois ensemble et puis ciao. Ce métier, ça marche comme ça et c'est parfait. Quelques jours, c'est tolérable, des vieilles de ce style. Mais plus d'un mois, il y a de quoi s'ouvrir les veines.

C'était une époque de vaches grasses. Bonne bouffe, beuveries quotidiennes, du fric en poche, les meilleurs cigares à fumer et plein de fiction dans la caboche.

Unique problème : les flics. Et un jour ça a mal tourné pour moi. On était douze ou treize gars à traîner dans la rue derrière l'hôtel Noiba. Le taxi de Chiquitico s'est arrêté devant nous. On travaillait avec lui : il prenait vingt tickets à celui qui remportait le concours. Une dame très élégante se trouvait à l'intérieur. Même un collier de perles, elle avait. On voyait que c'était une vieille qui ne se laissait pas berner, celle-là. Elle s'est mise à nous toiser lentement, pour ne pas se tromper dans son choix. Dans des cas pareils, c'est l'habitude de déballer le matériel, histoire que la cliente voie bien ce qu'elle va se ramener à la maison et qu'elle ne se plaigne pas après d'avoir eu une pine trop riquiqui ou trop grosse, trop flapie ou trop raide. Alors on a tous fait ça : on a sorti l'engin et on se l'est un peu secoué pour qu'il prenne du volume.

Mais voilà, la police guettait. Il y en avait quelques-uns qui baguenaudaient par là, en civil. Ils ont bouclé la rue et ils nous ont tous raflés.

Ils ont demandé cinq ans de taule. Pour exhibition-nisme, attentat à la pudeur et insultes à une touriste. Rien que ça. Par chance, j'avais quelques dollars sous la main et j'ai pu me trouver un avocat correct. J'ai pris deux ans, finalement.

Et me voici au trou. Devenu un brave petit mouton dans mon atelier à matelas, de sorte qu'à tout moment ils peuvent se décider à me relâcher pour bonne conduite. Le hic, c'est que je ne pourrai pas reprendre la même activité. Grimper les vieilles, c'est fini. Parce que s'ils me chopent encore, je deviens récidiviste. Résultat : ces dames vont perdre le meilleur souvenir qu'elles pourraient avoir de Cuba. Pas le choix. C'est la vie. Je suis trop vieux pour tirer dix années derrière les bar-reaux. Je verrai bien ce que je trouve. Ce truc des mate-las, ce n'est pas déplaisant : ça rapporte bien et on n'a pas besoin de s'échiner. En plus, je suis en train d'apprendre à faire les tatouages. Ça aussi, ça permet de gagner quelques ronds. Et je les réussis pas mal. La preuve : ils sont appréciés.

Pour le moment, donc, je suis enfermé ici, en compagnie de Basilio qui fait des boulettes avec la crasse de ses doigts de pied, ce sagouin, à attendre qu'on nous convoque pour la douche, si le camion-citerne est enfin arrivé, ou pour aller au réfectoire en puant la mort. On est tous couverts de gale et de poux. Presque tous, en fait, parce que moi, avec les quelques pesos que me rapportent mes tatouages, j'arrive toujours à avoir du savon. C'est ça, la prison : les jours passent et le moindre détail compte.

Basilio est une grande gueule, oui, mais au moins il me distrait. Il est taulard depuis toujours. C'est un voleur de chevaux. Il avait seize ans quand il s'est fait coincer la première fois : quatre années en maison de correction. Il en est sorti, il a recommencé et il s'en est pris deux de plus. Rebelote : trois ans. Là, il a écopé de six et il lui en reste encore deux. Il n'arrête pas de me pleurnicher qu'il n'a pas de femme, pas d'enfants, que les nanas l'ont toujours trahi, que la seule chance de sa vie, c'est sa mère. J'ai l'impression qu'il a un plomb fondu dans le crâne. Faucher des canassons, ce n'est pas un passe-temps vraiment normal. S'il les vendait, ou s'il les tuait pour la viande, je comprendrais, encore ; mais il les vole seulement pour les faire courir et parier dessus. Oui, il doit avoir le cerveau atteint.

— Avec un peu de chance ils vont me laisser sortir le mois prochain, quand j'arrive à quatre ans tout ronds.

— Et tu vas faire quoi, Basilio ? Tu arrêtes de déconner avec tes bourrins, non ?

— Oui. J'ai dit à ma mère que je veux m'acheter une charrette et un cheval, pour faire transporteur.

— Mais ça coûte des tonnes de pesos, tout ça. Et ta mère, elle ne doit même pas avoir trois ronds, à El Palenque.

— Ma mère est commerçante, l'ami. Elle a plein d'oseille.

— Ah oui ? Elle vend quoi ? De l'eau du Quibú ?

— Non, mon cher. Elle a un kiosque à vesou.

— Ah, ça rapporte, ça.

— Oui.

On est restés un moment en silence. Basilio continuait à curer ses pieds puants. Soudain, une idée m'a traversé la tête et je lui ai demandé presque machinalement :

— C'est la boutique de Dinorah ?

— Oui. Tu la connais ?

— Je suis passé quelquefois devant, oui.

— Eh bien, c'est ma vieille, l'ami. Quand tu seras dehors, il faut que tu ailles faire sa connaissance.

— C'est ça...

Pique-la pour de bon, vieux

Les deux types sont arrivés devant la porte. Ils ont frappé. Betty leur a ouvert, mais en laissant la grille fermée.

— Vous désirez ?

— C'est vous, Betty ?

— Oui.

— Nous sommes menuisiers. Luis nous a dit que vous aviez des réparations à faire.

— Oui, mais...

— On est venus jeter un coup d'œil. Si on se met d'accord, on pourrait commencer demain.

— Bien.

Elle a ouvert la grille. Ils sont entrés. Un grand Noir avec une cicatrice sur la figure, comme une balafre de coup de couteau qui lui allait de derrière l'oreille jusqu'à la bouche. Et un Blanc maigre, pas rasé, pas lavé, qui sentait mauvais. Ils avaient tous les deux les yeux rouges et exorbités, mais Betty est une femme honnête qui ne connaît rien de la vie.

Le Blanc a refermé la porte, la grille. Et là, l'autre a sorti une baïonnette de sous sa chemise. Un truc de l'armée, pointu, étincelant comme de l'argent. Ils ne lui ont pas donné une seconde. Ils lui sont tombés dessus, l'ont immobilisée avec une prise de judo. Un peu plus et ils lui enlevaient le bras droit. Ils lui ont arraché ses habits et l'ont jetée sur un petit canapé. Betty est très blanche, un peu grosse, molle. Elle a quarante et un ans, mais elle en fait dix de plus. Elle avait tellement peur qu'elle ne pouvait plus articuler un mot. Le Blanc l'a maintenue immobilisée pendant que le Noir prenait un bout de corde dans sa poche et lui liait les poignets dans le dos. Puis il a baissé le pantalon et il a voulu lui fourrer sa pine dans la bouche. Comme elle serrait les lèvres, il l'a frappée en plein visage.

— Allez, sale pute, ouvre et avale !

La résistance de la femme l'a excité. Il s'est mis à bander et il l'a tourmentée jusqu'à ce qu'elle desserre les dents et se la prenne jusqu'à la gorge. Il s'est mis à caresser le ventre de Betty avec la pointe de son arme, en laissant de toutes petites coupures sanguinolentes. Sa queue a encore durci et grossi. Betty a un peu vomi, ce qui lui a beaucoup plu. Avec le bout de sa bite, il lui a étalé son dégueulis sur la figure et les cheveux.

— Ecarte les jambes, vieille pute, écarte, tu vas prendre le pied de ta vie !

Il l'a montée et l'a pénétrée à sec. Elle a hurlé de douleur mais il lui a envoyé deux gifles pour la faire taire. Elle a supporté en silence. Soudain, elle a senti un liquide chaud, poisseux, lui couler sur le front. Le Blanc s'était masturbé et lui jouissait dessus. Un flot de sperme, partout, dans les cheveux, sur les joues. Quand le nègre a vu ça, il s'est échauffé encore plus et il lui a lâché sa purée dedans, en soufflant et en lui mordant méchamment les seins.

Betty a cru que son cœur allait s'arrêter. Mais non. Elle tremblait de peur et de douleur. Son vagin brûlait comme si on y avait enfoncé un pieu à coups de marteau. Le Noir s'est redressé, sans remonter son pantalon, l'énorme queue pendant devant lui. Il a appuyé la pointe de la baïonnette sur le sexe de Betty. Fort. Elle s'est remise à crier.

— Gueule pas, con, parce que je te le mets à fond dans le coco, moi. Ah ouais, j'ai trop envie de te le fourrer jusqu'au manche. Te percer cette bedaine que t'as là... Allez, dis-moi où est le fric.

— Non, non ! Je n'ai pas d'argent !

Le Blanc lui a enfoncé toute la main dans le vagin, avec une haine terrible. Il a serré le poing à l'intérieur et il a cogné durement sur ses ovaires.

— Dis-lui où est le fric, grosse salope ! Dis-lui, autrement je te tue !

Elle commençait à perdre beaucoup de sang. Ils l'avaient déchirée. Elle ne savait pas si c'était le Noir ou le Blanc qui continuait à lui torturer l'utérus et s'excitait à la vue du sang. Elle se tordait de souffrance.

— Dis-moi où il est, vieille pute, dis-moi !

— Il... dans la cuisine. Dans le pot du mixeur.

Le Noir est allé voir. Il est revenu avec un tas de billets de cinquante et de vingt pesos. Il a feuilleté la liasse. Pas mal. Il a mis le tout dans sa poche. Le sang coulait sur le canapé, maintenant. Son vagin se vidait et elle tremblait de tous ses membres.

— Pique-la bien et foutons le camp ! a soufflé le Blanc.

— Pas si vite, imbécile ! Tu oublies qu'il y a des bijoux, aussi. Allez, la grosse, tu me dis où ils sont. Crache vite sans ça je te coupe les tétés, moi.

Et il a recommencé à appuyer la pointe, sur les tétons, la gorge, la figure. Chaque fois, elle ouvrait une blessure, petite mais douloureuse.

— Non ! Je n'ai pas de bijoux ! Qui... Qui vous a raconté ça ? Je n'ai que cet argent ! C'est tout... ce que j'ai.

Elle parlait avec peine, tassée sur elle-même, frissonnante. Le sang sortait à gros bouillons de son ventre, inondait le canapé. Elle ne sentait plus la douleur, désormais. La terreur l'anesthésiait. Son cerveau se liquéfiait. Sans réfléchir, elle a balbutié quelques phrases incohérentes :

— Mon mari... S'il revient, il va vous tuer. Il est... Il est policier. Il est allé acheter des cigarettes. Il a un revolver. Il vous tue.

— Un flic ?

Le Noir hésitait.

— Oui ! Il vous trouve ici il vous tue ! Allez... vous-en !

Ils ont commencé à paniquer.

— Pique-la pour de bon, vieux, et on se tire ! a crié le Blanc.

— Non, crétin ! Il y a mes empreintes partout, maintenant.

Après avoir ramassé le chemisier de Betty, il est allé dans la cuisine pour essuyer le mixeur et le dossier d'une chaise. Quand il est revenu, il avait les jambes qui tremblaient de trouille.

— Pique-la pour de bon, vieux ! Cette pute nous connaît, maintenant !

Le nègre a posé la baïonnette sur sa gorge. Sa main n'était plus assurée :

— Ecoute, la grosse ! Tu vas rien dire, hein, parce que sinon je reviens ici et je te découpe en morceaux. Joue la folle, enfin, pense à ce que tu vas faire, mais tu oublies ma tête, compris ? Tu nous oublies, là.

— Pique-la, j'te dis, arrête tes sermons et saigne-la !

Le Noir tremblait.

— Non ! T'as qu'à la planter toi ! Tu veux m'faire endosser tous les morts ? Tiens, pique-la et basta !

Il lui tendait son arme.

— Non, non ! Vas-y, vas-y, grouille, on est dans la merde !

Le Noir a rangé sa lame. La main enveloppée du chemisier, il a ouvert la grille, la porte, et ils ont disparu.

Elle est restée effondrée à sa place. Dans l'immeuble mitoyen, un asile de vieux, un pensionnaire sénile n'arrêtait pas de crier « Rosa, Rosa, Rosa, Rosa... ». Betty l'entendait par la porte restée entrebâillée. Confusément, son esprit a dérivé vers la tragédie de ce vieux qui reprenait tous les après-midi cette litanie désespérée. Peu à peu, les cris se sont tus.

Quand elle a repris connaissance, la nuit était tombée. Elle était calme. Le sang séché collait son bas-ventre au canapé. Elle a essayé de se relever en réunissant le peu de forces qui lui restaient. Elle n'a pas pu. Ses mains étaient toujours attachées dans son dos. Elle s'est laissée glisser par terre, puis elle a lutté pour se mettre debout. Tout tournait autour d'elle. Appuyée au mur, elle a été à nouveau envahie par la panique et les frissons. Et s'ils revenaient ? Ils pouvaient avoir décidé d'en finir avec elle, de la poignarder pour l'empêcher de parler. Le silence était total. Surmontant la nausée et l'angoisse, elle s'est traînée dehors, elle s'est adossée péniblement à la porte du voisin et elle a frappé avec son pied. Elle n'avait pas de chaussures, elle était entièrement nue, épuisée. Elle a continué à donner du talon contre le battant. C'était un vieux qui habitait là, aussi seul qu'elle. Les minutes passaient. Il devait dormir. Finalement, il s'est approché, il a chuchoté : « Qui est-ce ? » Il a entrouvert la porte avec méfiance. Betty lui a raconté. Il était trois heures du matin. Elle en avait passé neuf sans connaissance et maintenant elle sentait qu'elle allait encore s'évanouir.

Il lui a détaché les poignets, l'a aidée à se rallonger sur le canapé, dans la mare de sang, et il lui a dit qu'il allait chercher un médecin. Il crevait de trouille, le vieux, mais il s'est dominé. Il est sorti de l'immeuble en jetant des regards inquiets partout, il s'est posté au carrefour et il a attendu un moment, jusqu'à ce qu'une voiture de police passe par là. Peu après, le tintamarre des sirènes a réveillé tout le quartier. Ils avaient des chiens avec eux. Ils ont transporté Betty à l'hôpital, où ils l'ont soignée et lui ont administré des transfusions sanguines. Elle a décrit ses deux agresseurs et un spécialiste a établi les portraits-robots. Une semaine plus tard, Betty est rentrée chez elle. Elle ne peut plus dormir la nuit. Elle est persuadée que les types vont revenir. A deux reprises, une femme s'est approchée d'elle dans la rue et lui a murmuré à l'oreille : « On t'avait dit de pas parler ! Maintenant ils vont te couper la langue... » Et elle s'est éloignée en hâte. Betty est de plus en plus angoissée. Et elle ne sait pas quoi faire.

L'apprenti

Il y avait un vent du sud terrible. Humide, étouffant, il soulevait plein de poussière et vous rendait encore plus sale. Luisito en avait assez de la chaleur asphyxiante de la maison, de la stupidité de sa mère, que rien n'intéressait à part l'église, Dieu et les péchés. Et son père qui préférait fuir ses sornettes en disparaissant là-haut, sur le toit où il élevait des pigeons et des poules. Là, la mère dormait et l'appartement restait donc enfin silencieux, mais Luisito avait du mal à respirer, il était un peu oppressé. Il est descendu, s'est dirigé vers le Malecón et s'est assis devant la mer. C'était la pleine lune dans un ciel bleu nuit. Au loin, en direction du nord, des éclairs striaient en continu une formation de nuages épais, sans que les roulements du tonnerre ne lui parviennent. Chaque fois qu'il s'installait sur la promenade au soir tombé, il commençait à se souvenir de ses frères et la mélancolie se mettait à agir.

Soudain, il sent une main le saisir par la nuque. On le relève de force, les coups pleuvent. Il n'y a personne autour. Luisito crie mais ils continuent à le frapper, au visage, dans le dos. Une méchante raclée.

— Assez, assez, laissez-moi ! Vous vous trompez, c'est pas moi, c'est pas moi !

— Si, c'est toi, fils de pute, saloperie de mauvais payeur !

Enfin ils le laissent tranquille, jeté à terre, la chemise déchirée. Felipito et El Papo. Deux crève-la-faim comme lui. Des amis d'enfance, du quartier.

— Hé, vous êtes mes potes, merde ! Qu'est-ce qui se passe, là ? Papo, toi, mon zig de toujours !

— Zig mon cul. Je suis le zig d'El Chivo, moi. Je peux pas m'associer à un minable comme toi.

— Allez, Papo, quoi ! Fais pas le gangster, t'es bien aussi minable que moi !

— J'l'ai été, oui. Mais maintenant j'ai de la thune jusque-là et je travaille avec El Chivo. Tu me dois le respect.

Felipito le tient par l'épaule, El Papo en profite pour lui envoyer un direct du droit dans le bas-ventre. Ça fait mal. Luisito se plie en deux, Felipito le redresse d'une bourrade.

— Ecoute, pas besoin de discours. Tu as une dette de sept dollars et quarante pesos avec El Chivo. Demain tu viens me trouver et tu me les donnes parce qu'il ne veut même pas te voir, lui.

— Bon. Si je peux pas demain, le jour d'après.

— Rêve pas. Tu me les refiles demain ou je t'ouvre la calebasse à la barre de fer. Ça sera pas tout gentil comme maintenant. Ça va saigner.

— D'accord, mon compère, je vais essayer de...

— Essayer rien du tout ! Tu les trouves, point final ! Ah, et puis El Chivo, il a dit que le crédit était terminé pour toi. Si tu as encore envie d'herbe ou de poudre, ça sera avec les biftons dans la main, donnant-donnant. Ciao, Luisito. Et fais gaffe, parce que t'es sur la pente fatale.

Ils l'ont planté là. Luisito avait mal partout. Il s'est tâté la figure et le crâne. Il n'y avait pas de sang mais il souffrait comme un chien. Il s'est laissé aller contre le mur. « C'est vrai, a-t-il pensé, ça fait trois ans que je dégringole. C'est ça, la vie : tu as de l'argent, tu as des amis, tu n'en as pas et ils te mettent le doigt dans le cul. »

Quelques larmes ont jailli. Il s'est dit qu'il n'avait pas de chance, et puis il s'est repris : « Allez, Luisito, ressaisis-toi et trouve ce fric, autrement demain ils vont te frapper à mort, ces saligauds ! T'es bien trop jeune pour mourir, oh ! C'est pas le moment ! »

Tout au loin sur la mer, les éclairs continuaient à jaillir entre les nuages. Il aurait tant voulu qu'une averse se mette à tomber pour le rafraîchir un peu. Comme on fait à un boxeur qui vient d'aller au tapis : une éponge avec de l'eau glacée. Mais non, même ça, il ne l'aurait pas. Le vent du sud se maintenait, brûlant et moite. Il est parti vers la Vieille Ville en pensant qu'il allait devoir se donner au vieux pédé pour quelques ronds cette nuit même, et qu'au passage il s'enverrait quelques rasades de bon rhum, histoire de se consoler.

L'océan était calme, d'un bleu très clair. Sous la pleine lune, tout devient beau. Sept ou huit types étaient en train de pêcher près du rivage, juchés sur des chambres à air. Ça rapporte bien, ça, mais rester toute la nuit le cul dans l'eau finit par vous ronger les os. Ce sont des ignorants, décida-t-il.

Il allait sans hâte sur le Malecón. La vue des types flottant sur leur bouée lui a rappelé le canot qu'il avait fabriqué avec son frère et cinq autres gus en août 94. C'était ici, exactement, qu'ils avaient pris la mer à deux heures du matin. Ils avaient même une boussole pour bien garder le cap au nord. Il était resté une demi-heure sur ce rafiot merdique qui n'arrivait pas à supporter tout leur poids. Et puis c'était son propre frère qui lui avait donné l'ordre de se jeter à l'eau et de regagner la terre à la nage parce qu'ils étaient en surnombre. Le baisé, dans l'histoire et comme toujours, ç'avait été lui. Le cadet des quatre frères, sans cesse perdant. Trois années s'étaient écoulées, depuis. Ils vivaient dans le Nevada, eux, pendant que Luisito restait dans la mouise. Et avec une guigne pas possible, en plus : chaque fois qu'il pensait avoir trouvé une bonne petite combine, elle foirait. A croire qu'on lui avait jeté un sort. Il a fermé les yeux, dégoûté par ce qu'il était en train d'imaginer. Enfiler ce vieux plein de graisse, ça n'a rien d'évident. Il faudra qu'il paie d'avance.

Il a remonté par Galiano jusqu'à Trocadero, puis il a pris à gauche. Au bout de quelques pâtés de maisons, il était arrivé chez l'autre. Heureusement, il n'y avait personne en vue : il n'allait pas attraper la honte, au moins. Il a frappé à sa porte. Aussitôt, le vioque a regardé par le judas en demandant qui c'était.

— C'est moi. Ouvre et arrête de flipper comme ça.

— Ah, mon petit, tu t'es décidé, enfin !

Il a ouvert, tout content. Gros, vieux, mou. Cent cinquante kilos de saindoux. Depuis la mort de ses parents, il vivait cloîtré chez lui, mort de peur. Son univers se bornait à son immense maison. Pathétique, ce type de soixante ans qui minaudait et pirouettait telle une vieille catin.

Luisito, qui connaissait bien les lieux, est allé droit à la cuisine, où il a pris une bouteille de rhum dans le placard. Il s'est servi un verre. Le bonhomme l'avait suivi :

— Mais qu'est-ce qui t'est arrivé, mon grand ? Enlève cette chemise, que je te nettoie. Tu as des bleus partout !

— Me touche pas, vieux pédé, autrement je te démolis ! Tiens, vas-y, suce-la-moi, dès que je bande je te la mets.

— Ah, c'est ça qui me plaît tant, chez toi. Cette brutalité que tu as...

Mais il n'y est pas arrivé. Il était révulsé, mécontent de lui, encore endolori par les coups. Il avait seulement envie d'écluser la bouteille, de se griller une cigarette et de casser la gueule au vieux. Oui, il était tellement furieux qu'il rêvait de le tuer de ses mains et de lui piquer tout son fric.

— Donne-moi dix dollars, je m'en vais.

— Mais tu n'as rien fait, dis ! Tu ne bandes même pas. En plus, je n'ai pas dix dollars, moi. Ni dix, ni un seul. Qu'est-ce que tu crois ? Ton argent, tu dois te le gagner.

Là, c'était le comble. Luisito lui a envoyé deux claques. Aussitôt, l'autre s'est mis à pousser de petits cris et il a baissé son pantalon. Son sexe était minuscule, presque comme celui d'un petit garçon, et caché par les replis de son énorme bedaine. Il a commencé à se le tripoter.

— Ah, ça, ça me plaît ! Vas-y, gifle-moi. Frappe-moi et enfile-moi !

Encore plus dégoûté et enragé, Luisito lui a asséné d'autres baffes. Il bandait plus ou moins, maintenant. Le vieux en a profité pour la prendre dans sa bouche tout en continuant à se masturber. Luisito s'est dégagé. Il est allé dans la salle de bains pour se laver la queue et il s'est reboutonné. Dans la cuisine, le vieux se branlait toujours en criant :

— Viens, mon chéri, viens !

Luisito s'est approché. Il a pris la bouteille de rhum. De sa main libre, l'autre a essayé de l'attirer vers lui, mais il l'a évité. Il a retraversé l'interminable appartement pour s'en aller. Dans le salon, il y avait un beau bibelot posé sur une table ancienne. Un carrosse tiré par quatre chevaux, en porcelaine. Ça devait valoir cher, ça. Luisito a glissé la bouteille dans la poche arrière de son pantalon avant d'attraper l'objet à deux mains. Hors d'haleine, tremblant de peur, le vieux l'a rejoint à la porte mais il ne s'est pas risqué à protester, même prudemment.

— Reviens quand tu veux, reviens, s'est-il contenté de murmurer.

Il a refermé. Il est allé prendre un cigare dans un bel étui en cuir repoussé. Il s'est jeté dans un fauteuil, épuisé. Il avait du mal à retrouver sa respiration. Les mains mal assurées, il l'a allumé et s'est mis à aspirer voluptueusement la fumée dans le silence de la nuit, encore sous le choc de la frayeur. Au bout d'un moment, il a attrapé un papier et un crayon et, sans réfléchir, pour retrouver le calme, il a commencé à écrire :

Lame rusée la sensation
Griffe le fol ortolan
Qui se plaint en phrase ou en déraison.

Morbide comme pas possible

Ce soir-là, je n'avais rien à faire. Enfin, c'était pareil tous les jours. Rien, jamais. Avec à peine cinq pesos en poche, je me suis assis par terre, dans l'encoignure de ma porte. Des semaines sans avoir de quoi boire un verre, ni que dalle. A attendre. Quoi ? Rien. A attendre, point. Ici, tout le monde ne fait que ça. Jour après jour. Personne ne sait ce qu'il attend, et les jours passent, et le cerveau s'encroûte. Ce qui est bien. Les méninges engourdies, ça empêche de réfléchir. Moi, des fois je pense trop et le désespoir me vient. Il y a eu un temps où j'ai étudié, où j'étais discipliné, où j'avais des objectifs pour le lendemain et pour l'année suivante, où je me suis battu dans la vie. Après, tout est parti à vau-l'eau et j'ai échoué dans cette porcherie. Les uns ont la gale, d'autres des poux ou des morpions. Il n'y a ni argent, ni nourriture, ni travail, et pourtant il en arrive tous les jours plus, des gens. Je ne sais pas d'où ils sortent, ces va-nu-pieds. Ils vivent comme des cafards. A dix ou douze par pièce.

C'est pour ça qu'il vaut mieux ne pas trop réfléchir, et s'amuser. Le rhum, les femmes, l'herbe, une petite bouffe de temps à autre. Le reste, c'est de la merde. Et la merde, mieux vaut pas la remuer. Rapport à l'odeur.

Donc j'en étais plus ou moins là, maigre, squelettique même, le ventre vide, à me dire que j'allais m'acheter un cigarillo à deux pesos pour fumer et oublier, quand Monino s'est pointé :

— Quoi de neuf, l'ami ?

— Que couic.

— Hé, je suis en fonds, moi. Viens, on va se boire un ou deux verres.

Je suis redescendu avec lui. Je sais à quoi il s'occupe, Monino : il trafique de la ganja et de la poudre pour El Chivo. La coke, c'est pour les gens du Vedado ou de Nuevo Vedado. Les artistes, les musiciens, les enfants des cadres et des gros bonnets. Le beau linge, quoi. A six ou sept dollars le sachet, qui d'autre pourrait se le permettre ? Un joint d'herbe, par contre, ça se trouve à dix pesos. Si tu en vends deux ou trois, tu as récupéré ta mise et tu fumes le tien gratos. Ah, putain, qu'est-ce qu'il faut pas inventer pour survivre !

On est allés dans une cafétéria de Galiano, Monino a acheté une bouteille, puis on s'est assis sur le Malecón et on a commencé à boire. Je me suis pris mon cigarillo. Rhum et tabac sur le front de mer, peinard, avec l'océan dans le dos et la brise : le pied. Dans la lumière orangée du couchant, un trois-mâts immense flottait pas loin. D'un blanc immaculé. Un yacht de luxe. *Le Ponant*, il s'appelait. Il attendait le pilote pour entrer au port. Il devait y avoir une bonne cinquantaine de richards, là-dessus. Finalement ça vaut le coup, d'avoir du fric. Plus que le minimum : de quoi se payer une croisière sur un bateau pareil à travers les Caraïbes, avec le meilleur bourbon dans son verre, des amandes grillées et une petite nana bien gaulée... Ah, ça c'est la vie ! Et puis on ne se rend même pas compte qu'à terre les gens vivent tels les cafards. Non. De ce genre de yacht, on ne voit que des palmiers, des crépuscules dorés, de belles plages et des fonds marins bleu turquoise. Tu t'embarques plein aux as et tu oublies toutes les saloperies que tu as faites, et tous ceux que tu as démolis autour de toi pour garder les poches remplies. C'est comme ça. L'argent attire l'argent, la misère encore plus de misère.

J'avais faim, d'accord, mais avec le rhum on n'y pense plus. Quand la bouteille a été vide, on était juste faits. Un peu partis, mais rien de plus. C'est un ami,

Monino. Il m'a beaucoup aidé. Moi, j'ai cherché à le persuader de monter un atelier de réparation de matelas. J'ai appris ce boulot en prison. Après deux ans à faire ça, je m'y connais. C'est un bon plan et pourtant il n'y a pas moyen de le convaincre. Il ne veut pas entendre parler de bosser, Monino. L'herbe et la coke, rien d'autre :

— Laisse tomber, vieux. Marner à s'en péter l'échine, c'est pas pour moi. Viens, on va planer un peu. J'ai deux joints sur moi.

— Deux ? Ah, t'es mon frère, con ! Allez, on remonte chez moi.

La nuit était tombée. On est rentrés sans croiser personne mais là-haut, sur la terrasse, il y avait Jorgito en train de se branler en matant un couple par une fenêtre ouverte. Ils étaient à baiser dans la semi-obscurité, on ne voyait pas grand-chose mais comme Jorgito écarquillait les yeux pour les deviner, on a regardé, nous aussi. Non, il faisait trop sombre.

— Allez, arrête de te pogner parce qu'on va s'installer ici, nous autres, ai-je dit à Jorgito.

On a allumé le premier joint, en aspirant lentement, à fond. Bonne herbe. A la fin, j'étais bien mais Monino a tenu à fumer le deuxième et là j'ai trop chargé. Sans rien dans le ventre, maigre comme j'étais et avec tout le rhum, le tabac et la ganja, il y avait de quoi y passer. J'ai commencé à piquer du nez. Monino m'a un peu secoué :

— Hé, tu vas rester ici ou quoi ? Remue-toi, va te coucher chez toi.

— Non. Pas tout de suite. J'ai la gerbe.

— Bon, moi j'y vais. On se reparle demain. Si tu tiens vraiment à ton histoire de matelas, je te prête la thune. On en discute demain.

J'ai sombré dans un demi-sommeil. Je me suis réveillé au bout de quelques minutes, ou de quelques heures, je ne sais pas. Je bandais comme un âne. Ça faisait des jours que je n'avais pas eu de femme. Et puis dès que je me repose cinq minutes, j'ai la trique. Il suffit que le cerveau s'assoupisse pour que ça démarre au quart de tour. J'étais seul sur la terrasse. Je suis allé à la fenêtre où Jorgito avait joué les voyeurs. Ils l'avaient fermée. Encore pété, je suis rentré sous les combles. Tout l'étage était silencieux, calme. Il était tard, donc. Et là, j'ai vu Esther, assise par terre à la porte de sa piaule.

Elle a une cinquantaine d'années ou plus, Esther. Grosse, mais grosse ! Avec un cul et des tétés gigantesques. Une Noire toujours contente et gueularde, qui a dix ou douze gosses, de toutes les couleurs et de tous les âges possibles. Jamais je n'avais pensé à m'enfiler ce vieux machin. Ça ne me dit rien, les grosses. Je ne crois pas que ça dise à qui que ce soit, d'ailleurs. Pareil que de baiser une tortue. Moi, j'ai toujours aimé les filles maigres, vives, fermes et bien cochonnes. Mais bon, je bandais, j'étais parti et la vieille aussi, elle avait envie. Elle s'était échauffée avec du rhum. Le verre était à côté d'elle, sur le sol. Et elle suait à flots.

— Alors, 'ti Blanc, dis-moi un peu ce que tu fabriques debout à cette heure-là, tout perché sur le toit comme ça ?

— Rien. Je suis monté me boire quelques verres avec un copain et j'ai dormi un brin.

— C'est deux heures du matin, là, mon doudou. Voilà pourquoi vous avez toujours des histoires avec la police, vous autres. Qui c'est qui va te croire, dis ?

— Pff... Déconne pas, la vieille.

— Ta grand-mère qui l'est, vieille ! Qu'est-ce que tu fais couillon à me dire vieille à moi ? Tiens, bois un coup, ça va te déchavirer.

J'ai pris quelques rasades avec elle et c'est reparti. Je bandais plus que jamais. Je me suis mis à me la caresser à travers le falzar. J'aime bien les exciter comme ça, les nanas. Elles ont beau faire les fières, elles adorent avoir un type surchauffé devant elles.

Elle n'attendait que ça, la vioque :

— T'es pété, hein, papito !

Elle a posé une main sur ma queue et elle a serré :

— Crénom, dans quel état il est, ton zoizeau ! Il veut manger.

Sans perdre un instant, elle l'a sortie et elle se l'est engouffrée dans la bouche. C'était une experte, évidemment. On est entrés chez elle. Pendant une heure, je me suis activé sur cette masse de chair tiède, suante. Dégoulinants de transpiration, tous les deux. Ça m'a plu, je dois dire. Elle, elle a eu cinq cents orgasmes. Elle me répétait :

— Ah, ça fait plaisir moi, vyé-Blanc, jouir comme une chienne !

J'ai fini par éjaculer et je suis resté sur son lit, somnolent. Je lui ai dit :

— Balance-moi dessus ces tétés que tu as ! Aahh, c'est bon, d'être là-dessous !

Et elle riait, elle m'envoyait ses deux énormes boules dans la figure, elle frottait son gros ventre trempé sur moi et je prenais mon pied, comme un porc. Jusqu'à ce que je m'endorme. Vidé.

Insoutenable, la nuit

Clotilde est restée toute la soirée à l'entrée de l'immeuble, sans rien vendre. Devant elle, par terre, il y avait deux paquets de cigarettes, quelques cigarillos, trois sachets intacts de boisson instantanée à la framboise, quatre brosses à dents encore sous cellophane et deux bottes d'oignons blancs. Tout ça meilleur marché que dans les shoppings.

La nuit venait. Quand elle ne vendait rien, elle déprimait, Clotilde. Enfin, plus que d'habitude, parce que ça faisait des années qu'elle broyait du noir. A partir d'avril 1980, exactement, quand son mari était allé voir ce qui se passait au port de Mariel, avec tous ces bateaux qui allaient et venaient par vagues. Sur un coup de tête, il avait oublié ce qu'il allait laisser derrière lui : il avait embarqué sur l'un d'eux et six heures plus tard il était à Miami. Clotilde ne l'a plus jamais vu ni entendu. Sauf qu'on lui a dit qu'il s'en est bien sorti. Il vit dans le New Jersey, paraît-il.

Elle n'a plus vécu que pour leur fils, qui avait alors cinq ans, et pour attendre des nouvelles du mari. Mais le centre de La Havane, ce n'est pas un endroit idéal pour élever un gosse. Il s'est enfui de l'école, il a trouvé des petits boulots par-ci par-là, ou pas de boulot du tout. Et puis un jour il est arrivé avec une mallette en bois pleine d'accessoires de prestidigitateur : dés creux, entonnoirs truqués, bouteilles à attrapes, un haut-de-forme à double fond... L'extérieur était décoré d'étoiles argentées avec, au milieu et en grandes lettres : « Le Magicien Cherry. »

Il s'est mis à s'entraîner tous les jours. Il voulait se mettre dans un cirque. Il était leste, très habile, mais il n'a pas eu le temps de réaliser son rêve. Un soir, au début du mois d'août 94, une formidable manif de protestation est passée en bas de l'immeuble, sur le Malecón. Il y a eu deux jours de troubles et ensuite tout le monde a commencé à fabriquer des canots de fortune et à s'en aller. Le petit est parti une nuit, à dix-neuf ans. Il disait tout le temps à ses amis : « Mon père, il a une affaire fantastique là-bas. Ça va être la bonne vie, pour moi. »

Il n'a pas dit au revoir. Il a tout préparé en secret, comme à son habitude. Clotilde l'a appris par quelqu'un qui l'avait vu sauter sur le rafiot et s'éloigner en mer. Elle n'a plus eu de nouvelles. Elle ne sait même pas s'il est arrivé à bon port ou si les requins l'ont boulotté pour leur petit déjeuner. Elle continue à compter : trois années ont passé, donc il aura vingt-deux ans en juin.

Des fois, elle voudrait se suicider. Elle a pensé prendre des cachets, ou s'esquinter à l'alcool, ou se pendre. Elle n'ose pas. Elle a peur. Mais elle sait que ça finira par arriver. Il y aura bien un jour où elle aura le courage. Tout le reste, elle a essayé. Elle est allée à l'église, elle a prié, elle a cherché un travail... Mais il n'y en a pas, surtout pour une vieille maigre comme un clou, mal attifée, crasseuse et avec une haleine qui sent le foie pourri.

Elle se pinte tous les jours. Manger, ça ne l'intéresse pas. Il n'y a que la picole. Il fait nuit maintenant, alors elle se décide à plier bagage, elle remonte les escaliers qui empestent l'urine et la merde séchée, elle entre dans sa tanière et s'envoie une bonne rasade de rhum trafiqué, au goulot.

Tout est sombre, silencieux. Dans un coin, il y a toujours la maudite mallette du magicien Cherry. Clotilde pleure. Elle a tant de peine. Et de rage. Et de haine. Elle pleure encore.

L'immeuble fait l'angle du Malecón et de Campanario.

L'érosion du vent, de l'air marin, du temps et de la négligence l'a transformé en ruine. Il y a de grands trous dans les murs de brique, des fuites dans le toit. Il suffirait de quelques jours de pluie et d'une forte bourrasque du nord pour qu'il s'écroule. Pourtant, un monde fou vit là-dedans. Combien, impossible à dire. Ils vont et viennent dans les couloirs à peine éclairés par les quelques ampoules restantes. C'est un caveau dans lequel se cachent ces gens, tous des clandestins qui grouillent dans l'ombre comme des cafards. A n'importe quel moment la police peut débarquer, les expulser et les renvoyer dans leurs provinces d'origine, à l'est du pays. Ou les placer dans les centres d'hébergement de la périphérie. Là-bas, c'est deux hangars avec des lits de sangles, un pour les hommes, l'autre pour les femmes. Et ils feraient quoi, dans ces camps ? Qu'est-ce qu'ils pourraient vendre ? Rester ici est encore préférable, même s'ils savent tous qu'une de ces nuits la bâtisse peut leur tomber dessus et les ensevelir.

Le voisin de Clotilde est un vieux qui vit seul et qui aime le rhum, lui aussi. Ils se saoulent ensemble, des fois. C'est un nègre hirsute qui a oublié quand il a pris son dernier bain. Clotilde va frapper chez lui et ils boivent de concert. C'est elle qui parle, qui lui répète sans cesse son histoire. Il ne dit rien, lui. Il ne lui a jamais rien raconté mais voilà, il est abandonné de tous, affamé, puant, alors il l'écoute en silence et il picole. Elle ne sait même pas comment il s'appelle. Et puis, cette nuit, le Noir ouvre enfin la bouche :

— J'ai passé des années à attendre Robespierre, moi. J'attends plus rien, présentement. Tout est derrière.

— Qui c'est, Robespierre ? Ton fils ?

— Ah... Tiens, bois et arrête de dire des conneries.

— La vie m'a bousillée, moi.

— C'est comme ça. La vie te bousille ou bien c'est toi qui la démolis.

— Pour moi y a pas de remède, le vieux.

— C'est ton orgueil qu'elle a bousillé, la vie. Alors chie sur ton orgueil et n'attends plus rien.

— Et je fais quoi ? Je me mets à fouiller dans les poubelles, comme toi ? C'est ça ? Je vais ramasser la merde dans les poubelles ?

— Et pourquoi pas ? On ne peut pas être orgueilleux. Ça tue, l'orgueil.

— T'es qu'un vieux porc. Et noir, en plus.

— Et toi une vieille porcasse. Et blanche, en plus. C'est pour ça que tu sais rien.

— Ah bon ? Parce que les nègres ils savent plus, peut-être ?

— Et comment. On sait plus, oui. Sur tout.

— Oh, va au diable !

Clotilde reprend la bouteille. Il reste un fond d'alcool. Elle s'en va mais comme elle ne veut pas retourner s'enfermer dans sa prison elle s'assoit par terre dans le couloir, en face d'une énorme brèche du mur par laquelle on voit dehors. La mer obscure, la nuit silencieuse. Il y a très peu de trafic sur le Malecón. Elle entend les vagues se briser sur les rochers et disperser leurs embruns corrosifs sur la ville. Elle boit sans penser à rien. Avec le temps, elle a appris à se saouler comme ça. La tête complètement vide.

Rats d'égout

J'avais un boulot répugnant mais je ne m'en plaignais pas. Je parcourais le centre de La Havane une clé anglaise à la main, à nettoyer les conduites de gaz.

Ce matin-là, j'étais descendu dans une cave puante, comme tous les sous-sols de ce quartier, avec des bouts de bois pourris et des infiltrations d'eau nauséabonde. Un vieux débris, qui s'était présenté comme le « responsable de l'immeuble », m'accompagnait. Comme ce n'était pas éclairé et que nous n'avions pas de pile ni l'un ni l'autre, il s'est mis à gratter allumette sur allumette.

— Il vous faut aller chercher une ampoule parce que si vous continuez comme ça vous allez nous faire sauter.

— Mais non, mais non. C'est pas un problème.

— Comment ça, pas un problème ? C'est quand même mon travail, je sais de quoi je parle !

— Mais non, mon garçon. Le problème, c'est de me décrasser ces canalisations.

— Vous dites que de grosses conneries. Moi je me casse.

On était tout au fond du sous-sol. J'ai tourné les talons et je suis parti à tâtons vers la sortie. Dans le noir, j'ai marché sur des planches décomposées et c'est de là que le rat est sorti. Se croyant en danger, il m'a bondi dessus comme l'éclair. J'ai senti ses griffes se planter dans ma peau tandis qu'il me mordait partout, dans le ventre, à la gorge, dans le cou. Il m'a déchiré la joue et il a disparu.

Je n'ai pas eu le temps de réagir. Je n'avais jamais

senti quelque chose d'aussi gerbant sur moi. Les morsures et les coups de griffes m'élançaient. Et j'ai pris peur. J'ai couru à la porte, affolé. Le vieux, qui n'avait rien vu, est resté en arrière.

J'ai enfin pu me dégager du cloaque. J'ai gravi les escaliers quatre à quatre pour arriver à la lumière du jour. Le rat m'avait aussi ouvert le bras gauche, qui saignait et me faisait de plus en plus mal. Il m'avait couvert de boue puante, en plus.

La journée était foutue. Je suis allé au dispensaire. C'était bourré de vieilles et de vieux en train d'attendre sur des bancs, l'air accablé. J'ai mis de l'ambiance en leur expliquant qu'il était exclu que je fasse la queue. Moi, c'était une urgence. Du coup, les vieux sont passés de la mélancolie à l'agressivité. Pas question, ils ont dit. Eux aussi, c'était urgent. « Chacun son tour ! » ils ont crié. Il n'y avait qu'une seule infirmière, mal embouchée. Elle m'a fait mauvaise impression : elle avait un beau corps, mince, juvénile, avec un supercul, mais son visage était un vrai désastre. Une tronche de mec piquetée par la variole, le nez en forme de cruche, des points noirs purulents, la peau grasse, les cheveux clairsemés, sales et emmêlés. J'ai eu un haut-le-cœur devant cette tête de gnome sur un corps aussi parfait. Elle a soigné mes plaies, m'a fait une piqûre antitétanique. Elle bâclait le travail, rechignant, se plaignant de ne pas avoir eu le temps de prendre son petit déjeuner. Je lui ai demandé :

— Et contre la rage ?

— Non, on n'a rien.

— Et s'il l'a, ce rat ? S'il me l'a refilée ?

— Apportez-le ici, qu'on fasse le test. Mais de toute manière il n'y a plus de vaccins.

Elle m'a tourné le dos, impatientée, et elle a crié vers la porte :

— Suivant !

Putain de merde. Je suis sorti, j'ai fait deux pas dans le couloir et puis je me suis ravisé. Je suis retourné devant l'infirmerie, j'ai passé la tête par l'embrasure :

— Il y a un hôpital qui en a ?

— Qui en a quoi ?

— Du vaccin contre la rage, demoiselle.

— J'ai dit qu'il n'y en avait pas.

Une vieille m'a repoussé pour entrer, en maugréant dans sa barbe contre les malappris qui ne font même pas la queue. L'infirmière s'est encore plus fâchée :

— Vous attendez dehors qu'on vous appelle, citoyenne. Un peu de tenue ou bien je ferme tout de suite et je disparais d'ici !

Et elle nous a claqué la porte au nez.

Je n'aimais pas du tout ça. Il devait bien exister un hosto où ils auraient du vaccin antirabique en réserve. A la sortie du dispensaire, je me suis arrêté. Que faire, maintenant ? Et là, un type vient se planter devant moi et m'apostrophe :

— A combien tu la lâches ?

— Quoi donc ?

— Hé bé, la clé anglaise, mon frère !

J'avais complètement oublié que je l'avais toujours dans la main. Il m'a fallu quelques secondes pour décider que je n'allais pas continuer à descendre dans toutes les caves les plus dégueulasses de La Havane pour récurer la merde dans les conduites de gaz.

— Cent pesos, l'ami.

— C'est cher, con !

— Non, pas du tout. C'est un outil de première, fabrication d'origine. Ça fait des années qu'on n'en trouve plus, même en priant les saints.

— Laisse-la-moi pour quatre-vingts.

— Non, l'ami. Cent pesos, point final. Je ne suis pas pressé de la vendre, moi.

Le bonhomme a sorti l'argent. Il m'a payé et il est parti avec son achat. Juste à ce moment, l'infirmière à la gueule de naze est sortie. En me voyant compter les billets, elle s'est déridée d'un coup :

— Oh, mais t'es blindé, toi !

Je l'ai bien regardée. Elle avait vraiment une tronche impossible mais je devais trouver une solution, moi :

— Une pizza, ça te dit ?

— Et comment, papito ! et comment !

On est allés à un kiosque pas loin et on s'est envoyés de la pizza et des jus d'abricots. Quand je me suis levé pour payer, elle a braqué son regard sur ma liasse et soudain la voie s'est illuminée devant moi. C'est toujours comme ça, dans mon cas. Pas besoin de réfléchir : Changó et Babalú Ayé veillent, et ils m'ouvrent des chemins que je n'avais même pas soupçonnés.

— Un coup de rhum, ça te ferait plaisir, mignonnette ?

— Non, je suis encore de service, papito.

— Hé, tout ça, c'est à dépenser avec toi, tu vois ?

— Attends un peu, grand homme. Et ton vaccin antirabique ? Si tu te le prends, tu peux plus boire de rhum, là.

— Moi non, mais toi si. Alors, comment ça se présente ?

— Le directeur du dispensaire, il en a planqué quelques-uns, en cas d'urgence.

— Comment ça se fait ?

— Ah, j'en sais rien. Bon, je t'arrange le truc ?

— Un peu !

On est retournés là-bas, elle a trouvé une dose et me l'a injectée. Quarante pesos. Les vieux mélancoliques-agressifs tiraient une tête... Elle leur a dit qu'elle devait s'absenter, qu'elle ne s'occuperait de personne avant une heure de l'après-midi. On les a laissés là.

Et maintenant je fais quoi, avec Face de Mort ? Bordel, je vais la payer cher, cette piqûre ! On s'est retrouvés dans la rue.

— De toute façon y a pas de rhum, par ici. Viens, doudou, on va chez Pompilio.

Le type en avait une citerne pleine. A trente pesos la bouteille.

— Donne-m'en une, lui ai-je dit.

— Prends-en deux, papito. On a tout le temps.

Je me suis exécuté.

— Allez, on se rentre chez moi, que je m'enlève l'uniforme.

Elle habitait tout près. Un immeuble prêt à s'effondrer au coin de Campanario et du Malecón. A l'entrée, une vieille assise par terre vendait des cigarettes, des brosses à dents et autres babioles.

— Un paquet entier, Clotilde.

— Quoi, tout un paquet ? Ma fille, ça va bien pour toi, aujourd'hui ! Pourvu que la chance te dure.

C'est moi qui ai payé, mais je n'aime pas les cigarettes.

— Vous avez des cigarillos ?

— Non. Pas aujourd'hui.

On est montés au second. Les murs de sa piaule était étayés avec des madriers. Tout le bâtiment était renforcé comme ça : il suffisait d'enlever un étançon pour que la baraque vous dégringole sur la tête. Les cafards grouillaient dans les coins rongés par l'humidité. On est entrés chez elle. Elle a recraché la première gorgée de rhum par terre, en offrande aux saints, puis elle s'en est envoyé une bonne rasade.

— Assieds-toi.

Il n'y avait pas de chaise. Je me suis posé sur un petit lit étroit tout déglingué.

— Ce matin je me suis levée du pied gauche. Pas du tout envie de bosser. Tu es arrivé à point, toi !

Je n'ai pas répondu. J'avais envie de boire suffisamment pour en arriver à surmonter le dégoût que Face de Mort m'inspirait. Mais non, il ne fallait pas tomber dans cette tentation. Elle a encore pris un coup à la bouteille en allumant la radio. Il y avait de la salsa. Quand elle a ouvert la fenêtre, la lumière du front de mer est entrée dans la pièce humide, malsaine. Odeur d'iode, brise marine et douce clarté de l'océan.

— C'est pour toi, papi, toi qui es arrivé comme un ange...

Dans une danse sensuelle, elle a commencé à se déshabiller. Un strip-tease lascif. Elle a accroché sa blouse sur un cintre et l'a suspendu à un étai. La figure dissimulée derrière le vêtement, elle a continué à danser.

— Aaaah, bijou, regarde dans quel état tu me mets !

Et je lui ai montré ma pine, tendue comme une barre. Huit pouces d'acier. Epaisse, gonflée de sang, un peu tordue sur la gauche.

— Oh, ce que j'aime la voir comme ça ! Mais garde ton pantalon, papi. Laisse-la sortie de la braguette. Tu voudrais un petit joint ?

— Tu as de l'herbe ?

— Et de la bonne, oui. Elle vient de Baracoa. Je la vends à vingt pesos chaque. Mais pour toi, tout ce que tu veux. Tu fumes autant que ça te dit.

Elle a ouvert un tiroir de la table de nuit et en a sorti un paquet imposant. Il y en avait un kilo, au bas mot. Alors là oui ! Le bonheur !

Ça a été une fiesta à tout casser. Elle était folle de la bite. Elle m'a raconté qu'elle carburait au rhum et à la ganja depuis qu'elle avait douze ans. Elle venait de l'Est, un village des coteaux. Deux années à la capitale, dans cette tanière déprimante. Mais elle n'était pas au dispensaire depuis très longtemps :

— Et je vais pas y rester plus. Les petits bizness, ça rapporte mieux.

— Quel genre ?

— Ce qui se trouve, doudou. Je peux vendre aussi bien de la pénicilline que de la marie-jeanne ou une bouteille de rhum, n'importe quoi. Ou bien je fais une branlette à un petit vieux sur le Malecón, du pareil au même.

On a continué à baiser. Elle n'arrêtait pas d'écluser. J'étais à mon aise, maintenant. Au début, je ne pouvais pas regarder sa tronche, ou bien je fermais les yeux, mais après deux joints, ce visage de boxeur variolé a fini par me plaire.

Le jour déclinait quand on a dû arrêter. On mourait de faim. Déjà bien pétée, elle avait attaqué la deuxième bouteille. Je me suis accoudé à la fenêtre et j'ai laissé mes yeux glisser sur la mer. J'avais complètement oublié les blessures que le rat m'avait infligées. Elles avaient l'air de guérir, d'ailleurs.

— Bon, viens, on descend bouffer un peu.

— Oui, mais on remonte après, papito. J'ai la moule en feu, moi, mais je veux continuer non stop jusqu'à demain matin.

— Ça va. Habille-toi et on y va.

Juste à ce moment, on a frappé à la porte. Un vieux maigrichon, sale, mal nourri, pas rasé. Ils ont chuchoté un moment à l'entrée, puis elle est revenue vers moi :

— Descends et attends-moi deux minutes, papito. T'en va surtout pas.

— Qu'est-ce qui se passe ?

— Ce vieux-là, il vient tout le temps me voir. Il m'apporte du détergent, de la lessive, du savon... Enfin il m'aide, quoi... Ce sera pas long, va.

— Non. Je me casse, moi.

— Ça sera pas long, je te dis ! Il arrive même pas à bander, alors...

— Ah non ! Ça ne me plaît pas.

— Eh bien, t'as intérêt à t'y faire parce qu'il y en a trois ou quatre comme lui et c'est grâce à eux que je vis. Le salaire d'infirmière, en une semaine il est parti en fumée !

Je l'ai regardée en face. Le contraste me séduisait, c'est sûr. Moitié homme, moitié femme. Bon, je suis descendu et je me suis assis un moment sur le Malecón. J'étais crevé, vidé de mon jus, j'avais encore plus faim avec toute cette herbe. Et pendant ce temps-là cette pute était en train de branler un vieux cacochyme ! Elle m'attirait, la salope, et pourtant elle était encore pire que le rat qui m'avait sauté dessus dans la cave... J'en étais là de mes méditations quand je l'ai entendue m'appeler de sa fenêtre :

— Viens, papito, remonte vite ! Vite !

Elle avait une voix de saoularde, mais de saoularde terrorisée. J'ai bondi dans l'escalier.

Le vieux était affalé par terre, sur le dos, à poil.

— Il est mort ?

— Ah ! là, là ! je sais pas, moi !

— Qu'est-ce que tu lui as fait, à ce croulant de merde ?

— Mais rien, rien ! Je l'ai chauffé juste un peu ! Lui, il aime me sucer le cul, ce genre-là. Tout allait bien et puis bam, il tombe dans les pommes. Il s'est même cassé la gueule du lit.

J'ai essayé de le relever pour le rallonger sur la banquette. Je me suis ravisé :

— Hé, t'es pas infirmière, toi ?

— Si ! Enfin, non. Rien qu'aide-soignante, en fait.

— C'est pareil. Regarde voir son pouls. Vérifie s'il respire.

Elle s'est penchée. Elle a cherché les battements sur son poignet, dans le cou.

— Il s'est arrêté, son palpitant. Plus rien du tout. Aïe, pauvre de moi, il est mort !

Et elle s'est mise à pleurer comme si c'était son grand-père.

— Ferme-la et arrête de chialer ! Qu'est-ce que c'est que ces lamentations pour une vieille merde pareille !

— Oh, c'est que ça me fait peine.

— Peine mon cul ! Qu'il aille au diable. En plus, il a crevé en train de te sucer, qu'est-ce qu'il voulait de mieux ?

— Aaah... Bon, on fait quoi, maintenant ?

— On le rhabille, on le sort dans le couloir et on dégage.

En lui passant ses habits, nous avons découvert quatre-vingts pesos dans les poches. On l'a abandonné sur le sol, dans un coin. On est descendus et on est allés bouffer.

— Hé, papito, c'est que tu en as dans la calebasse, toi ! Un vieux qui calanche, allez, dehors ! Que ça soit un autre qui se le trouve !

Fous et mendiants

Ils ont décidé de rafler tous les fous et les mendiants du centre-ville. Quelque chose d'important se préparait : une célébration historique, ou l'arrivée des touristes de l'automne, ou je ne sais quoi. Important, pour moi, ça ne veut plus rien dire. Il y a eu un temps où je pouvais classer tout ce que je voyais. Important ou pas important. Bon ou mauvais. Fini, ça : c'est du pareil au même, maintenant.

Donc on en était là : à la chasse aux maboules et aux mendigots. Et ils m'ont choisi avec quelques autres pour la mener. Après le job des conduites de gaz, je m'étais retrouvé un moment sans rien faire. Enfin, pas si long-temps parce que cette salope de Face de Mort n'a jamais voulu m'entretenir, la fille de la grande putain qu'elle est ! Dès qu'elle a vu que j'étais fauché, elle m'a mis dehors et elle est passée à autre chose.

C'est là que je me suis mis éboueur. Je commençais à minuit, jusqu'à huit heures du matin. Il y avait des primes de danger, de travail de nuit et de pénibilité. En clair, ça veut dire que dans ce boulot on peut se faire bousiller. Bon, au total on arrivait à se faire dans les trois cents pesos. Autant qu'un ingénieur. Et en plus un méga petit déjeuner à la fin du service. Le problème, c'est que je devais me branler à mort, vu qu'aucune femme ne voulait m'approcher. Je les dégoûtais. Il paraît que je puais la merde et le pourri. Moi, je n'y crois pas : je me prenais un bain tous les jours, quand même ! C'était une puanteur psychologique, à mon avis. Chaque fois qu'elles apprenaient comment je gagnais ma thune, elles commençaient à beugler que je sentais l'ordure et le caca. Et que j'avais les ongles dégueulasses, et les trous des oreilles pleins de saleté... Aussi sec, elles me jetaient. Alors à la branlette, Pedro Juan ! Ce n'est pas que j'aie de plus gros besoins que d'autres, moi. Je suis normal. Mais trois ou quatre jours sans baise suffisent pour que je perde la boule et que je me tue à force de m'astiquer le polichinelle.

Toujours est-il que les chefs ont désigné quatre d'entre nous, dont moi. Ils nous ont donné une combinaison grise, des tennis en toile et une casquette avec l'insigne de la Salubrité publique. D'habitude, nous, les éboueurs, on est en guenilles : un falzar taillé en short, torse nu et des godasses informes. Entre la transpiration, la crasse et les ordures qui giclent, pas la peine de plus.

C'était un travail facile. On devait avancer lentement dans les rues, raconter quelque bobard aux fous ou aux mendiants et les faire monter sans violence dans le camion, en évitant surtout le scandale. Un grand camion blanc, hermétiquement fermé, aux flancs ornés du logo d'un distributeur d'électro-ménager. On nous a prévenus que ça durerait seulement deux ou trois semaines et qu'il ne fallait en parler à personne : « Ce n'est pas du tout un secret, non, mais la discrétion s'impose. En fin de compte, ils vont tous recevoir un petit barda avec du savon, de la lessive et autres produits. C'est pour leur bien. » Dixit un des chefs.

Enfin c'était moins dégoûtant que les ordures, donc on y gagnait. Il y avait quand même un côté mystérieux, parce qu'ils ne nous ont jamais permis de monter dans le camion et on n'a pas pu apprendre où ils les emmenaient. En grimpant là-dedans, ils étaient reçus par des types tout en blanc, comme des infirmiers, dans un silence impressionnant. Ils ne mouftaient pas, les dingues. Peut-être qu'ils les piquaient, je n'en sais rien. Mieux vaut ne pas trop poser de questions. Ainsi que disait mon père : « Celui qui parle trop perd sa langue. »

Résultat : moi, je la ferme. En plus, c'est quand on se laisse trop maltraiter qu'on finit comme ça, maboule ou clochard. Ils ont accepté de se faire écrabouiller ? Alors qu'ils aillent péter ! Allez, hop, dans le camion ! Et va savoir si on les reverra un jour dans la rue...

Je n'ai pas compté exactement mais on en a ramassé plusieurs centaines. Et il y avait peut-être un autre camion qui menait la même opération. On a fait ça pendant trois semaines, sans qu'il se passe rien d'exceptionnel. C'est la dernière nuit qui a été la plus compliquée. Au petit matin, on est allés ramasser un vieux clodo qui était affalé sur le perron d'un hôpital, endormi. Quand je l'ai relevé pour qu'on se le prenne à deux, on a vu qu'il était couché dans une mare de sang. Il vomissait un liquide noir, puant, tout en s'accrochant à un sac de mangues qui pesait plutôt lourd mais qu'il ne voulait pas lâcher. Il était pourri de l'intérieur, le vioque. On l'a laissé retomber par terre.

— Qu'est ce qu'on fait de cette merde, d'après toi ? ai-je demandé à Cheo, le gars qui bossait avec moi.

— Si on le laisse ici, on devra revenir le chercher, de toute façon.

— Oui, mais il va saloper tout le camion et il va crever, au bout du compte. On n'a qu'à le traîner jusqu'au poste de garde.

On l'a relevé à nouveau. Il n'a pas lâché son sac une demi-seconde. Au poste, il n'y avait qu'une vieille Noire en train de somnoler à côté de son seau et de son balai. Quand elle nous a vus avec ce bonhomme qui mettait du sang partout, elle est devenue folle furieuse.

— C'est quoi, ça ? Non, non et non ! Pas ici !

— Comment ça, pas ici ? Et où, alors ?

— Non, j'ai dit ! Y a qu'à le laisser là-bas dehors.

— Vous travaillez ici, non ? Allez chercher un médecin. Viens, Cheo, on s'en va.

On avait déjà tourné les talons quand un policier a surgi d'un coin sombre :

— Un moment, vous ! C'est pas possible, ça. Où allez-vous ?

— Ecoutez, ce type était en train de vomir tout son sang sur le perron, alors on l'a ramassé et on l'a amené ici.

— A une heure pareille ? A quatre heures et demie du matin ? Vos papiers, tous les deux. Vous faites quoi. ici ?

— Rien du tout.

— Vous ne travaillez pas ?

— Non, euh, si... On ramasse les ordures.

— Dans cette tenue ? En uniforme ? Vous êtes des éboueurs de Suisse ? Ou yankees ? Ou quoi ?

Je n'ai pas su quoi répondre. Quant à Cheo, cet abruti, il était muet. Le vieux s'est mis à dégueuler de plus belle sur ses mangues. En voyant qu'elle allait devoir nettoyer tout cette saleté, la négresse est devenue hystérique. Le clodo a rejeté toute la merde qu'il avait encore à l'intérieur, puis il s'est mis à frissonner et il a fini par claquer en dégageant une odeur encore pire qu'une benne à ordures. Même moi j'en ai eu la nausée, ce qui n'est pas peu dire.

Au milieu de ce bordel, deux Noirs immenses sont arrivés en taxi. Le premier, un métis très clair, avec une énorme chaîne en or passée autour du cou, trop beau pour être un homme, aussi parfait qu'un acteur de cinéma, pleurait de douleur. Il avançait avec le pantalon aux chevilles, un bâton qui lui sortait du cul et du sang qui lui coulait de là. L'autre l'aidait à marcher. On voyait qu'il avait les foies mais il le soutenait quand même. Le flic s'est approché d'eux, intrigué.

— Ça, c'est celui qui est mon mari qui me l'a fourré et maintenant je peux plus le sortir et... Misère, j'vais tourner de l'œil, missié policier... Aaaïe ! Empêchez-le de s'en aller, mon mari là, qu'il me laisse pas toute seule...

Et il est tombé évanoui. Le négro baraqué, totalement aux abois maintenant, lui criait :

— Ho, makoumé, de quel mari tu parles, ho ? L'écoute pas, missié police ! Moi j'suis un mec pour de vrai. Ce pédé-là, je l'connais même pas.

Le temps que le flic s'escrime à détacher les menottes de son ceinturon, l'autre était déjà parti en courant. Il s'est précipité derrière. Le chauffeur est sorti du taxi pour venir fouiller les poches de la tapette toujours effondrée par terre et se payer la course.

Pendant ce temps, la vieille avait traîné dans un coin le sac de mangues imprégné de sang et de vomi putride. Elle choisissait les moins dégueulasses et les mangeait. Cheo et moi, on s'est esquivés. On aurait eu bien besoin d'un coup de gnôle, mais à cette heure-là tous les bars avaient fermé. Tout en pressant le pas à côté de moi, il répétait :

— J'te le dis, moi : ramasser les ordures, c'est plus facile. Ça c'est trop trop pour moi.

Et en effet. Le lendemain, on était de nouveau dans les poubelles. Je crois qu'on travaille par goût, finalement. Depuis, je vois toujours plus de brindezingues et de mendiants de par les rues. On dirait qu'ils se reproduisent comme les lapins. Ils traînent partout, en haillons, saouls comme des barriques, à parler tout seuls. Et chaque jour Cheo me ressort la même chose :

— Dis, et s'ils nous sortent encore des ordures pour retourner ramasser les fous et les clodos ? Tu y vas, toi ? Moi, c'est non. Trop compliqué pour moi, l'ami...

Le retour du marin

Après deux années de silence et d'oubli, le marin a envoyé à Carmita un télégramme daté de Maracaibo, dans lequel il lui annonçait qu'il était sur la route du retour et lui envoyait plein de baisers. Carmita, elle, était perplexe :

— Je ne me souvenais même plus de lui. Il est fou ou quoi ?

Une semaine après, nouveau câble : « Retardé encore quelques jours à Puerto Cabello. Me tarde te revoir. T'embrasse mille fois. »

Cette fois, Carmita est sortie avec la feuille à la main et l'a montrée à tous les voisins de l'étage, toute contente. Et une semaine après elle avait déjà mieux assimilé la nouvelle :

— Oh, qu'est-ce que j'ai envie de le revoir ! C'est l'homme de ma vie !

Aussitôt, elle a entamé les préparatifs de son accueil. Tout d'abord, elle s'est rendue à la direction de la Marine marchande et, se faisant passer pour son épouse légitime, elle a réussi à lui faire parvenir un radiogramme : « Bien reçu tes messages. Je t'attends avec impatience. Plein de bisous. »

Le soir même, elle s'est mise à chercher des crosses à Miguelito, un type qui l'entretenait depuis un an, elle et ses enfants. Il était gros, vulgaire, avec d'énormes bacchantes et des rouflaquettes démodées, velu comme un ours, perpétuellement en nage. Il sentait mauvais, aussi. Il passait trois ou quatre fois par semaine chez Carmita, à n'importe quelle heure. Aussitôt, elle était obligée d'envoyer les gosses dehors, de boucler la porte et de le satisfaire. Coûte que coûte. Si elle avait ses règles, elle lui donnait son anus. Chaque fois, Miguelito lui laissait quarante ou cinquante pesos, quelques morceaux de viande, un peu de riz, des conserves. Il n'abusait pas, en réalité. Il se contentait de peu, et pourtant il était indispensable. Dès qu'il disparaissait quelques jours, Carmita courait le trouver à son atelier. Comme il était tourneur, il gagnait assez bien sa vie, de quoi nourrir sa femme et leurs trois enfants plus Carmita et les deux siens. Le seul problème, c'était qu'elle ne pouvait pas le pifer. Des fois, elle s'asseyait au bord du lit, elle se signait et elle disait à la statue de saint posée sur une petite table à côté :

— Saint Lazare, je t'en prie, aide-moi dans cette épreuve.

Alors il l'enlaçait de ses deux bras de gorille, l'attirait brusquement à lui et se contentait d'un :

— Arrête tes bêtises et viens un peu par là !

Quand ça se déroulait ainsi, il restait toujours un moment sur le dos, à s'échauffer en bandant comme un âne tandis qu'il la regardait virevolter dans la pièce, se déhabiller peu à peu sans se décider à le rejoindre. Ce rituel l'excitait encore plus. De toute façon, « l'épreuve » en question durait à peine cinq minutes parce qu'elle s'y entendait pour remuer du bassin et lui pressurer la pine entre les parois de son vagin jusqu'à ce qu'il ne puisse plus y tenir. Alors il jouissait presque tout de suite puis, comblé, somnolent, il lui disait toujours la même chose :

— Quelle sauvage tu es ! Tu m'as essoré jusqu'à la dernière goutte. C'est un gant que tu as entre les jambes !

Et terminé. Après avoir repris des forces avec un café et un cigare, il repartait aussitôt.

Deux jours étaient passés depuis l'arrivée du second télégramme quand Carmen, saisissant n'importe quel prétexte, s'est mise à houspiller Miguelito. Elle a renversé le café dans la cuisine, l'a traité de ladre et de despote et pour finir l'a éjecté comme un malpropre :

— T'avise surtout pas de me chercher une seule fois ! C'est exclu ! Si j'ai besoin de toi, je t'appellerai au boulot. Et maintenant, ouste, disparais de ma vue. Que je ne te revoie pas !

Miguel n'était pas du genre à faire des discours. Ni même à tenter deux mots. En plus, il savait qu'elle se lançait à ses trousses dès qu'elle avait besoin de vingt pesos. Donc, il n'a rien répondu, il a haussé les épaules et il a pris la porte.

Carmen a annoncé à ses deux enfants le retour imminent de Luisito. Les petits ne se souvenaient pas de lui.

— Ne lui donnez surtout pas l'impression de tomber comme un cheveu sur la soupe ! Quand il arrive, vous le saluez, vous l'embrassez et vous disparaissez dehors. Je ne veux pas que vous restiez ici, à gêner.

Sans plus tarder, elle s'est lancée dans un astiquage à fond de la chambre, quatre mètres sur cinq, et de la mezzanine. En bas, il y a une toute petite pièce avec une cuisinière, un évier, une armoire et une douche. En haut, il y a deux lits, l'un pour Carmen et l'autre pour les gosses, qui dorment ensemble. Au mur, un bout de miroir et dans un coin, pendues à des cintres accrochés à une corde, quelques vieilles robes fanées. Elle a tout nettoyé sans laisser un grain de poussière. Elle, il lui arrive de ne pas se laver pendant des jours. Même quand elle empeste la transpiration, elle se dérobe devant l'eau et le savon. Mais la propreté de la maison, par contre, c'est une obsession.

Pour dissimuler quelques mèches grises aux tempes, elle s'est passée une teinture d'un noir de jais. Elle a quarante-quatre ans, Carmita, mais on lui en donne dix de moins, facile. Après s'être soigneusement rasé les jambes et les aisselles, elle a laqué de rose clair ses ongles des pieds et des mains, une couleur qui va très bien avec sa peau dorée. Puis elle a mis en fuite les voisines trop curieuses en prétextant une migraine et elle a envoyé ses enfants se faire voir ailleurs :

— Vous ne rentrez que pour dormir, rien d'autre. Le reste du temps, je ne vous veux pas ici. Vous êtes des hommes maintenant, et les bougres, c'est dans la rue qu'ils sont !

A onze et dix ans, respectivement, ce sont déjà des vagabonds expérimentés. Comme leur mère a toujours été très occupée avec ses amants, ils ont pris l'habitude d'errer dehors, sans but. « Fichez-moi le camp d'ici et ne venez pas m'embêter » : c'est ce qu'elle leur dit tous les matins pratiquement depuis qu'ils sont en âge de marcher.

Tout était prêt. Elle s'est assise et elle a attendu en écoutant de la musique symphonique sur Radio Enciclopedia et en lisant de vieux livres de Corín Tellado, publiés près d'un demi-siècle plus tôt dans une collection de romans à l'eau de rose. Luisito est arrivé deux jours plus tard. Elle était toute fraîche, détendue, souriante, et elle fleurait bon l'eau de Cologne.

Il a donc fait son apparition au petit matin, chargé de six énormes malles qui pesaient des tonnes. Il avait relâché dans tous les ports du Japon, de la Chine et du Viêt-nam puis, de retour par le canal de Panamá, son navire avait desservi l'Argentine, le Brésil, le Venezuela et la Colombie. Deux ans et quatre mois, en tout. Il rapportait de la soie chinoise, des éventails vietnamiens, de grands éléphants en terre cuite, de l'herbe colombienne dissimulée dans des flacons de shampooing, des montres japonaises et tout un assortiment de pacotille achetée à Hong Kong. Plus mille cinq cents dollars : une fois à terre, il avait touché dix mille pesos de solde en retard.

Les Rois mages enfin débarqués, la fête a commencé sur-le-champ. A force d'abstinence, tout le jus de Luisito lui était monté au cerveau et menaçait de provoquer des courts-circuits là-dedans. Carmita a déployé tous ses talents sexuels : elle était décidée à décrocher la médaille d'or et à battre le record mondial, au passage.

Elle ne se contenterait pas de moins. Au bout de quarante-huit heures, elle avait les yeux battus, les traits tirés, cinq kilos en moins, et le cou rempli de suçons et de traces violacées qu'elle exhibait orgueilleusement afin de prouver aux voisines que son mâle la dévorait littéralement et qu'elle était encore capable de rendre fou n'importe quel homme.

Pendant les rares moments où il l'autorisait à quitter le lit, elle piochait à son insu dans le contenu des malles avant d'aller vendre sa rapine de par l'immeuble. Foulards, chemisiers brodés, chaussures, peignes, encens, capsules de ginseng, bouddhas, éléphants, lunettes de soleil, gadgets en plastique, tout partait à prix cassés.

La fiesta n'arrêtait pas : rhum, bière, cigares, bonne bouffe, luxure effrénée. Dans un bordel pourri d'Osaka, Luisito s'était fait monter une perle sur le gland et cette nouveauté les ravissait tous les deux. Ils se frottaient l'un contre l'autre avec la perle entre eux, jusqu'à l'extase.

Le troisième jour, il a échappé un instant à l'étreinte de Carmita pour aller rendre visite à sa marraine en santería. Après lui avoir offert un paquet d'encens, une statue de bouddha, un mouchoir en dentelle et cinq dollars, il lui a demandé de téléphoner à ses frères, à Santiago.

Quarante-huit heures plus tard, les quatre frangins se pointaient à La Havane. Poilus, très foncés, rigolards comme tout, ils avaient commencé à se cuiter dans le train et ils étaient prêts à chercher la bagarre à n'importe qui afin de démontrer qu'ils étaient les plus forts et les plus virils. Une bande de jeunes coqs, bref. Luisito, c'est l'aîné. Il a trente-trois ans, le cadet vingt-sept. Ils se sont incrustés, finissant par camper tous chez Carmita, et dès lors la bringue a pris une autre tournure. Bons vivants, noceurs et toujours affamés, les quatre gaillards ont écumé les magasins avec le grand frère. Ils ont échangé leurs guenilles contre des habits neufs et voyants, des parfums, et même une grosse chaîne en or pour chacun. Ils avaient atteint le paradis et ils s'y pavanaient en maîtres des lieux. Musique nuit et jour, rhum, bons plats : la bamboche dans le style carnaval de Santiago, c'est-à-dire à fond la caisse et sans penser au lendemain. Les hommes à la fiesta et les femmes à la cuisine, à les servir jusqu'à ce qu'on les convoque au plumard. Carmita tombait de fatigue devant son fourneau pendant que les cinq frères démontraient toute leur puissance de mâles en buvant et en bouffant sans limites. Ils se sont aussi trouvé quatre grognasses dans le quartier, qu'ils baisaient à tour de rôle dans la douche, derrière le rideau.

Carmita a tenu trois jours, quatre. Le cinquième, dans un moment de lucidité, elle est allée cacher chez une voisine les quelques babioles qui restaient encore dans les malles. Pendant que Luisito dormait, elle a fouillé ses poches et elle s'est rendu compte qu'il n'avait plus que trois cents dollars et sept cents pesos. Là, elle s'est indignée. Comment ce saoulard de merde et ses quatre connards de frères avaient réussi à claquer tout ce fric en si peu de temps ? Elle en a pleuré de rage. Elle s'est retenue pour ne pas le réveiller à coups de poing. Une somme qui aurait permis de vivre correctement pendant deux ans, dilapidée en cinq jours ! Il ne lui a fallu qu'une minute de réflexion pour prendre sa décision. Elle a raflé les billets restants, les a cachés sous le matelas, puis elle a secoué Luisito par un pied :

— Oh, mauvais bougre, remue-toi, ça suffit maintenant ! Va soigner ta gueule de bois dans la case du diable !

Il était deux heures du matin et le scandale a résonné dans tout l'étage. Les voisins l'attendaient d'un instant à l'autre, parce qu'ils savaient que Carmita allait finir par exploser.

— Qu'est-ce qui te prend, femme ? Laisse-moi dormir !

Il est tellement macho, Luisito, qu'il ne peut pas concevoir qu'une femelle élève la moindre objection. Pour lui, c'était une bringue normale, dans la tradition.

Et elle devait se poursuivre jusqu'à épuisement complet de l'argent. On a toujours fait comme ça, non ? Enfin, les frères se sont réveillés et ils ont aussitôt compris que Carmita les mettait tous à la porte :

— Oh, Luisito, elle est tête en bas, celle-là ! Colle-lui donc quelques roustes pour montrer que c'est toi l'homme ici !

Carmita brandissait déjà une machette :

— Celui qui lève la main sur moi, je la lui coupe !

Une lame qui siffle dans l'air, manipulée par une femme aussi furieuse que décidée, a de quoi tempérer le gaillard le plus couillu.

— Elle est zinzin complet, mon ami ! Viens on fout le camp avant d'avoir du malheur !

— Malhonnête ingrate qu'elle est ! On lui fait bamboche chez elle et voilà comment elle dit merci !

Luisito a tenté de reprendre le contrôle :

— Sortez un moment dans le couloir, là, que je vais parler à cette femme.

— Tu es le premier à déguerpir d'ici, saoulard de merde !

— Mais mon amour, comment tu vas jeter par-dessus bord toute notre histoire, là ? Moi, je veux te marier et je...

— Tout le monde dehors ! Du balai ! Prends tes frères avec toi et ne remets plus jamais les pieds ici !

En dernier recours, Luisito a voulu jouer la carte de la séduction : il a sorti sa belle pine bien épaisse, ses grosses bourses d'étalon et il les a posés dans sa paume.

— Tout ça c'est à toi, Carmen. Tu vas pas te perdre ça ? Si tu veux, je les renvoie à la maison et on reste toi et moi, comme avant.

— Non, non, rien du tout ! Y a pas d'arrangement ! Range-moi cette queue sinon je te la tranche et je te châtre, moi ! Tu n'es qu'un dévergondé et un malappris, et eux des voyous ! Je veux plus vous voir.

— Mais Carmita, après tous ces jours merveilleux qu'on a eus ensemble... Te laisse pas emporter par un moment de folie. Je veux avoir un enfant de toi, mon amour.

— Un enfant ? Pourquoi ça ? Pour qu'il devienne despote et saoulard comme toi ?

— Ma doudou, j'ai passé deux ans, deux ans rien qu'à penser à toi sur le pont de ce bateau. Me traite pas comme ça !

— A penser à moi ? Ah, va endormir une autre avec tes salades ! En deux ans tu n'as pas envoyé une seule lettre ni quatre pesos et maintenant tu viens t'engraisser ici. Dehors, j'ai dit !

— Ma folie, je t'aime tant !

Ils ont continué comme ça un moment, sans que Carmita lâche sa machette ni se laisse fléchir par les cajoleries. Finalement, le marin s'est avoué vaincu. Il s'est rhabillé et il est parti dans le couloir en pleurant. Les frères se sont fâchés :

— Hé, que ça se sache pas, Luisito ! Un bougre, il pleure pas. T'es bougre ou t'es pédé ?

— C'est qu'une inutile cette femme-là ! Sois content ! Allez, on s'en retourne à Santiago et on continue à bambocher !

Carmita leur a jeté une valise vide à la figure :

— Disparaissez parce que moi j'appelle la milice et je vous accuse et je vous fais fourrer en prison ! Dehors !

Elle leur a claqué la porte au nez. Luisito a ramassé la valise et ils ont déguerpi.

Le lendemain, Carmita a fait les étages en proposant un éléphant en fausse porcelaine. Un gros truc, de dix-sept pouces de haut. Elle en demandait cinq dollars. Une voisine le lui a acheté trois. En empochant les billets, elle a dit d'un air satisfait :

— Voilà, terminé. C'est tout ce qui restait du marin.

Puis elle est descendue, elle est allée au téléphone du coin de la rue et elle a appelé Miguelito.

Le goût de moi

1

Très tôt le matin, la luxure et le péché m'apparaissent sous la forme d'une métisse aux beaux seins ronds, avec les tétons bien durs et tendus. Moulés sous un tricot en coton élastique jaune, si court qu'on lui voit le ventre et le nombril. Taille fine, cul plein et ferme dans une jupe rouge en nylon très ajustée. Encore à moitié endormie, comme une petite chatte qui se lèche et s'admire, elle sort de chez elle en faisant sonner ses claquettes en caoutchouc. Les cheveux noirs et drus sont tout emmêlés, son visage a encore la douceur rêveuse du sommeil. Elle me jette un coup d'œil et poursuit son chemin. Ici, plein de femmes — la majorité, je pense — sont des filles d'Ochún, la Vierge de la Caridad del Cobre. Elles sont jolies, appétissantes, aimantes et fidèles tant que ça leur dit, puis infidèles jusqu'à la cruauté. Sensuelles, jouisseuses. Avec le temps, on apprend à les reconnaître des autres.

Devant le puits, il y a un grand Noir musclé qui essaie de tirer de l'eau. Comme il en reste très peu, il a du mal à récolter de quoi remplir un seau. Un puits en plein milieu de la ville, au croisement de San Lázaro et Perseverancia : personne ne s'explique sa présence ici. Ça remonte peut-être au temps de la colonisation, qui sait ? Ils ont mis une plaque en fer dessus, comme sur les bouches d'égout. Plus personne ne se souvient de la dernière fois où il y a eu de l'eau courante, dans ce quartier.

Les gens vont aussi en prendre la nuit, dans les canalisations qui émergent des trottoirs éventrés, au pied d'un mur. Mystérieusement, il peut se mettre à couler un filet de flotte vers les trois ou quatre heures du matin, dans ces tuyaux...

La métisse me lance un regard plus direct. Les paupières lourdes, la chevelure ébouriffée par l'oreiller et par une nuit de sexe. L'écho du plaisir, de la frénésie et du rhum s'attarde sur ses traits ensommeillés. Elle est à côté du puits maintenant, elle tente d'aider son mari, mais il est mal luné et il l'envoie bouler. Elle se hausse, très digne, et lui lance d'un ton sarcastique, assez fort pour qu'on l'entende à la ronde :

— Bon, papito, alors je t'attends.

Et elle repart devant chez elle en se tortillant des hanches et du cul, les yeux fixés sur moi, maintenant. Le mari s'en rend compte et lui crie :

— Rentre à la maison et tiens-toi tranquille !

Elle fait comme si elle n'avait pas entendu, poursuivant son chemin. Et les claquettes qui résonnent à ses pieds, et la démarche délectable, et le désir déguisé sous l'air endormi... Elle passe la porte et disparaît.

Je n'ai rien à faire. Non, plus que ça : je n'ai pas la moindre idée de ce que je pourrais fabriquer aujourd'hui, demain, dans un mois, dans un an, dans un siècle. C'est sans doute ce qu'il y a de mieux si je ne veux pas prendre l'angoisse et me croire fichu. Survivre, tu ne vois pas ce qu'il faut pour, mais ce n'est pas important : tu es comme un cerf-volant emporté par le vent et tu te sens bien. Le problème, c'est que très souvent il n'y a même pas un souffle d'air.

Il faut que je me trouve un peu de ronds. Après une année à faire l'éboueur, j'ai laissé tomber. Trop dur. Et la nuit, en plus. Ça payait bien mais au total c'était plus de fatigue qu'autre chose. Avec n'importe quel plan, je me gagne la même chose en une seule journée. En plus, avec cette putain d'odeur, toutes les femmes me fuyaient. Elles partaient avec la gerbe.

Maintenant, j'utilise un parfum qu'une santera m'a concocté. C'est fait avec de la violette, du miel et trois essences différentes : du tabac, « Pour moi », et « Je suis plus fort que toi ». Je m'asperge de ça le matin, avant de sortir. Total, les femmes se collent à moi et toutes les portes s'ouvrent.

A l'instant où je m'adosse au mur en attendant de voir ce qui va se passer avec la métisse, le boucher du coin de la rue m'appelle. J'y vais et il me dit tout bas :

— J'ai de la viande de bœuf, Pedro Juan. Il faut que je m'en débarrasse aujourd'hui même.

— Tu veux quoi ?

— Je te la laisse à un dollar et demi la livre.

— Il y en a combien ?

— Quarante kilos.

— Oh, c'est beaucoup, con !

— Bon, à toi de voir. Réfléchis.

— Allez, je te les bouge, mon compère.

Il me faut aller à El Vedado. Ici, au centre-ville, les gens vivent d'amour et d'eau fraîche. Personne n'a un dollar en poche, alors on s'est habitués à se contenter d'un peu de flotte sucrée, de rhum, de tabac et de musique. C'est comme ça : tant qu'on est vivant, on doit continuer tant bien que mal. Lutter pour l'existence parce que la mort, elle, est assurée.

A ce moment, la métisse apparaît à un balcon. Elle me cherche des yeux. On se regarde. Mais il faut que j'y aille, moi : la thune d'abord et la rigolade ensuite, parce que si elle veut sortir ce soir et que je n'ai pas un rond pour l'inviter elle ne se privera pas de me dire : « Ah, tu es bien minable, casse-toi, va ! Même avec des pincettes je te touche pas vu que la mouise, c'est contagieux ! »

Le bulletin d'information sort d'une radio quelque part. Le présentateur se gargarise des mêmes mots : « triomphe », « les résultats », « l'enthousiasme de notre peuple », « dans la joie collective »... Je ne sais pas de quoi il parle.

D'un signe de la main, je fais comprendre à la fille

qu'on va se revoir. Elle répond par un sourire satisfait. Le type s'escrime toujours sur son seau. Et puis j'ai une idée, brusquement, et je dis au boucher :

— Je vais parler à quelques clients, mon ami, mais donne-moi cinq livres d'avance, qu'on puisse causer concret.

— Tu as de quoi les payer, là ?

— Mais non, vieux, tu sais bien que je suis fauché.

— Et alors ?

— Avec moi, il n'y a pas d'histoires, l'ami. Est-ce que j'ai déjà joué un tour de salaud, moi ?

— Je te connais, tu es le gars à la coule, oui, mais les bons comptes...

— Avance-les-moi, mon compère. Je vais pas disparaître avec !

— Aahh, Pedro Juan...

— Allez, allez. Tu vas voir que je t'en écoule tout un tas aujourd'hui. Je vais te libérer de cette bidoche, moi !

Il m'a donné cinq livres. De la bonne viande, pas trop filandreuse. Mais c'est vachement risqué : ces derniers temps, ils ont aggravé la peine. Maintenant, on risque dix années au trou. Pour rien. Pour cinquante cents la livre, puisque je vais la vendre à deux dollars.

Par chance, j'ai trouvé aussitôt acquéreur. Il y a des gus qui sont toujours pleins aux as. J'arrive avec de la bouffe et ils m'achètent ce que j'ai, qu'il s'agisse de poulets, de bœuf, de fromage, d'œufs, de langoustes... De tout. Ah, ils se soignent, les enfoirés !

En quatre voyages peinards, j'ai écoulé vingt livres. Dix dollars pour moi, sans m'esquinter comme avec le camion à ordures. Ça marchait bien. Changó et Oggún m'ouvraient la voie. Mais n'empêche, je restais obsédé par cette métisse. On a fait les comptes avec le boucher, qui m'a dit qu'il y en aurait encore un peu pour demain, et je suis allé me mettre à l'autre coin de la rue, là où il y a le kiosque à sandwichs. On ne peut pas rester à mater pendant des heures au même endroit.

Comme à son habitude, la marchande est assise sur

une caisse, adossée contre la porte de son échoppe vide, et se cure le nez. Elle a une cinquantaine d'années, elle est grosse, avec les cuisses couvertes de cellulite et de varices sombres, mais elle s'en fiche : elle est chaque fois en short, avec des hauts très courts qui lui laissent de bons morceaux de bedaine et de tétés à l'air. Les yeux fixés sur moi, elle me salue d'un haussement de sourcils et continue à se fourrer les doigts dans les narines. Elle savoure les crottes qu'elle en ressort puis on parle un peu, toujours de la même chose : de son fils qui est en taule et qui vient de voir sa peine rallongée à vingt ans après avoir fait du grabuge. Heureusement que la fille est une débrouillarde, elle, et qu'elle ramène de la thune. En ce moment, elle est avec un Italien. Un vieux moche et bedonnant, mais qui lâche les billets de banque comme s'ils lui brûlaient les mains. Il la sort, il la gâte. Il paraît qu'il veut l'épouser bientôt et qu'il va l'emmener. Quant à la plus petite, elle a dix ans et elle est presque blanche, « avec de beaux cheveux et tout ce qui faut. Celle-là, elle est brillante à l'école, elle veut devenir journaliste à la télé ».

Puis elle reprend son rabâchage à propos du fils taulard : « C'est un entêté depuis que je l'ai mis au monde. Encore tout petit, ils me l'ont enfermé parce qu'il avait ouvert la calebasse à un autre gamin, là-bas, sur ce trottoir. Et depuis on dirait qu'il y a pris goût, à la prison. Figure-toi qu'il n'écoute rien, ce fils d'Oggún. »

La métisse réapparaît alors au balcon. Elle me regarde, mais moi je fais comme si je ne l'avais pas vue. Aussitôt, elle descend et s'en va en chaloupant sur ses claquettes. Elle passe devant moi, bien droite, en envoyant les seins en avant et le cul en arrière. Ave Maria, c'est quelque chose, ça ! Rien que de la mater avec cette démarche qu'elle a et ma pine s'affole. Elle grossit, s'allonge, prend du volume... Aaah !

Elle disparaît au coin. Moi, je pars derrière elle et je l'aborde :

— Jusqu'où tu m'emmènes comme ça, mamita ?

— Moi ? Je vais mon chemin, moi. Le tien, je sais pas.

— On va tous les deux pareil.

— Ah oui ?

— Dis, ton mari, il est aussi méchant qu'il s'en donne l'air ?

— C'est un vaniteux, mais ne crois pas : des fois, il prend sa crise.

— Je veux pas d'histoires, moi.

— Quoi, tu as peur de lui ? Il a encore mangé personne, hé !

— Non. C'est de moi que j'ai peur.

— Ah ! Tu es un vantard tout pareil que lui.

— Bon, pense ce que tu veux mais il est drôlement jaloux de toi.

— Mais non. C'est du cinéma. Je dois lui servir cette petite comédie parce qu'il m'entretient, tu comprends, et il adore faire le mari.

— C'est ton mari, ou pas ?

— Oui, mais pas à ce point-là ! Les nègres, ils aiment bien se donner en spectacle comme ça devant les gens.

— Il est complexé ou quoi ?

— Bien sûr. Pour jouer son petit macho de cette façon...

— Bon, ça va. C'est pas lui qui m'intéresse. Qu'est-ce que tu proposes, toi ?

— Propose quoi ?

— Toi et moi, mon sucre. Qu'est-ce qu'on fait ?

— Je sais pas, moi.

— Regarde dans quel état tu me mets. Rien que de marcher à côté de toi.

Ma queue est bien visible sous le pantalon, presque bandée. Elle baisse les yeux dessus et elle éclate de rire :

— Ah, t'es un zinzin, toi ! Et encore t'as rien vu, con ! Tu vois, tu touches et ta crème elle part toute seule.

— Tu m'obsèdes la tête que c'est pas imaginable. Tu me plais, titi.

— Mais tu ne m'as même pas parlé ! Je peux te plaire comme ça, de loin ?

— Tu sais bien que oui. Fais pas ton innocente. Ah, qu'est-ce que j'ai envie de te la mettre !

— Oh, comme c'est gentil !

— Et moi, je te plais ?

— Chaque jour, il y a cinquante hommes qui peuvent me plaire, oui. Mais de là à ce que tu sais, il y a de la route ! Ça ne se passe pas comme tu crois.

— Joue pas les effarouchées.

— Je joue rien du tout. C'est simplement que vous, messieurs les Blancs-Blancs, vous vous croyez toujours arrivés. Je débarque, je mets : c'est comme ça que vous voyez les choses.

— Bon, d'accord, ça suffit ! D'abord, tu m'aguiches et ensuite tu recules.

— Ah, tu vois ?

— C'est que je suis un homme, moi. J'ai pas le temps pour ces bêtises.

— Et qu'est-ce que j'en sais, moi ? C'est toi qui es venu me chercher.

— C'est quoi, ce que tu veux ? De l'argent ?

— Non. Tu te crois drôle, là ? Pourquoi, j'ai l'air d'une pute, moi ?

— N'importe qui a besoin de gagner un peu. Comment, ça dépend de la situation.

— Et moi, j'ai mon mari, tu comprends ? Il a un don pour ça, ce négro : les billets, ils lui tombent tout seuls dans la poche.

— Bon, on a déjà trop causé. Faut que je file, moi.

— Tu perds quelque chose.

— Quoi ? Tu as un endroit où aller ?

— Là-bas, c'est chez ma marraine. Allez, on se sépare. J'entre la première, après tu me suis. Reste là, pour l'instant.

On a fait comme elle a dit. Il ne s'est rien passé. Elle m'a présenté comme un ami, je me suis assis et elle est partie dans une autre pièce avec la vieille. Elle m'a apporté presque tout de suite une tasse de café, qu'elle m'a tendue avec son sourire de petite salope, et elle a disparu à nouveau. Dix minutes après, elle revient avec la marraine et elles s'installent. Dans une poche en plastique, elles ont plusieurs maillots en lycra neuf, de femme, genre body.

— Il veut quatre dollars chaque et il y en a sept, lui annonce la vioque.

— Demain je les lui aurai tous vendus, moi. A cinq dols.

— Il a dit qu'il t'en laissait pas beaucoup, ce coup-ci, mais qu'il en a deux cents en réserve.

— C'est un bon plan !

— Possible, oui.

Elles les examinent un par un.

— Aïe, marraine, mais il n'y a que des rouges et des bleus ! Il sait bien que ceux qui partent le mieux, c'est les blancs, les jaunes et les orange.

— Ah, ma fille, c'est à toi de voir, ça.

On dit au revoir et on s'en va. Je sors avec elle.

— Dis donc, vyé-Blanc, lâche-moi un peu, là. Me complique pas l'existence avec ce nègre de mari que j'ai.

— Oh, où on va, comme ça ? Tu te peignes ou tu te cherches les poux ? Pourquoi tu as voulu que je t'accompagne chez ta marraine ?

— Pour qu'elle te voie, papito.

— Tu m'en diras tant ! Et alors ?

— Oh, comme il est curieux !

— Bon, je me tire. Je perds mon temps avec toi.

— Ecoute, demain matin, vers les dix heures, je vais à Ultramar pour vendre ces bodys-là. Je serai par là-bas, devant l'entrée de l'hôtel.

— A cette heure, je peux pas.

— Tu es coincé ?

— Oui. Moi aussi, j'ai un petit bizness à régler dans la matinée.

— Oh, papi, me fais pas ça ! Tu viens et on cause un petit moment, d'accord ?

— Bon, je vais voir.

— Si tu viens, je te raconte ce qu'elle a dit, ma marraine. Enfin, pas elle, les saints. Ce sont eux qui savent. A propos de toi et moi.

— C'est bon, ce qu'elle a vu ?

— Retrouve-moi demain. Là, je dois courir.

— D'accord. Comme disait toujours mon père : « Continue derrière elle, requin, parce qu'elle est blessée. »

— Je suis pas plus blessée que tu es requin, alors fais pas ton dur, hein ?

Et on en est restés là. Jusqu'au lendemain. Il n'y avait rien qui pressait.

2

Je me réveille avec la gueule de bois à cause du rhum que j'ai bu la nuit. Il doit être neuf ou dix heures. Je regarde par ma fenêtre. En bas, sur le Malecón, une touriste prend en photo les immeubles croulants. Son mari fait pareil avec un caméscope. Ils adorent ça, ce spectacle de ruines. De loin, c'est une image délicieuse.

Je sors sur la terrasse. Il y a de l'eau dans un bidon. Je me lave la figure et je me rince la bouche tout en regardant Isabelita du coin de l'œil. Elle est assise dans un coin, à l'ombre. Elle a déjà lavé toute une lessiveuse de linge. Elle fume un cigarillo et se repose.

— Quelle heure il est, Isa ?

— Qu'est-ce que j'en sais ?

— Tu t'es levée tôt, dis.

— Oui, il faisait encore nuit. Mais j'ai terminé.

— Quand j'aurai des habits comme un vrai monsieur, c'est à toi que je les donnerai à laver.

— Pour toi ce sera gratuit.

— Quoi donc ?

— Ah, ah, ah... Tout ce que tu veux.

— Tu as déjà pris un café ?

— Il m'en reste un peu. Viens.

Elle est grande, mince, avec une peau claire couleur cannelle et de longs cheveux noirs bouclés. Nous sommes voisins depuis des années, on se plaît mutuellement, alors je ne sais pas pourquoi on ne s'est jamais frottés l'un à l'autre, histoire de produire quelques étincelles. Elle habite avec son ex-mari. Ils sont tout le temps à s'engueuler, mais pas moyen de faire bouger le nègre pour qu'il se décide à aller gratter un peu et à ramener de la thune. Il dit qu'il n'a nulle part où aller et qu'il s'en contrefout.

Il y a six piaules à cet étage, avec un seul chiotte puant. L'eau, il faut la monter au seau. Les gens arrivent, repartent : des fois, il y a jusqu'à quarante personnes entassées ici, puis certains retournent dans leur village et ça redevient plus supportable. C'est comme la marée qui va, qui vient.

Isabel a trop maigri. Elle ne mange pas à sa faim, comme tout le monde, mais elle reste joyeuse et gentille. Elle gagne quelques pesos avec ses lessives, n'écoute pas son ventre vide et supporte ce type qui ne sait pas quoi faire de sa vie. Tout en finissant d'élever sa fille, qui a onze ans. Les jours passent comme ça, avec un cigarillo, une rasade de rhum, un peu de café et de-ci, de-là un homme qui lui plaît. Quelquefois, elle arrive à avoir tout ça en même temps. Et de la musique. Beaucoup de musique. Ça, c'est indispensable. Le reste, il suffit de ne pas trop y penser.

Elle me voit songeur devant ma tasse.

— Qu'est-ce qui t'arrive, Pedro Juan ? Tu as des soucis ou bien c'est que tu as trop travaillé de la pine cette nuit et que tu es mort, maintenant ?

— Non. La pine, ça fait des jours que je m'en sers pas. C'est le calme plat.

— Parce que tu le veux bien, papito. Tu n'as qu'à dire et tes désirs sont des ordres.

— Déconne pas, Isabel. Non, je suis embêté. J'ai pas de boulot et la rue est mauvaise, en ce moment.

— Remonte sur ton camion à ordures.

— Ça va pas !

— Ecoute, prends pas la vie au tragique parce que tu vas fondre les plombs ! Il te faut y aller en douceur.

— Oui, c'est vrai. En plus, trop réfléchir, ça ne résout rien. Je vais faire un tour, tiens.

— Et plus tard, ce soir ou quand tu veux, tu m'appelles pour qu'on fasse une offrande à sainte Claire et une autre à la Vierge du Chemin. Tu te les mets chez toi mais je vais te les préparer.

— Tu es bonne avec moi, Isa.

— Ah, si tu savais...

— D'accord, d'accord. Laisse tomber les violons, parce que tu es très putain et moi je ne veux plus de complications dans ma vie. Une pute romantique, c'est tout ce qui me manquait !

— Et qu'est-ce que tu peux y faire ? Avec ta tronche de cynique, fils de Changó, c'est des putes qu'il te faut, alors joue pas l'honnête ! Ou bien tu vas te reconvertir gigolo pour baiser les femmes dans les coins ?

— Ah, pas tant de discours ! J'y vais. A plus.

Je suis allé à Ultramar sans me presser. En route, j'ai pris un sandwich aux croquettes et un soda coupé d'eau dans un kiosque étatisé. Ils parlent d'une épidémie de conjonctivite, d'hépatite, de je ne sais quoi encore, alors ils ont fermé les débits privés. L'été est atroce. Soleil de feu et humidité permanente. Les microbes nagent dans le bonheur et se reproduisent à couilles rabattues. Tout le monde a la diarrhée, des amibes, des parasites. Ah, les tropiques ! Quelle beauté quand on vient une semaine pour admirer les crépuscules dans un coin tranquille et protégé, sans trop se mêler !

Elle ne m'a pas bobardé. Elle est là, devant l'hôtel, à vendre ses maillots. Magnifique, bien au-dessus des autres. Ça, c'est une femme. Elle a une robe noire moulante, épaules nues, les cheveux peignés et libres, des chaussures à semelles compensées très hautes, à la mode. Les jambes fermes, nerveuses, parfaites. Un corps de déesse, presque nu. Tout est souligné là-dessous : les tétons, le nombril, la tendre courbe de son ventre qui descend jusqu'à son sexe. On croit sentir l'odeur de ses aisselles, ce parfum érotique et entêtant qu'ont les négresses.

Quelle splendeur, putain ! Il y a d'autres femmes qui vendent à la sauvette. Tout, des dollars, des chewing-gums, n'importe quoi. Sans cesse en mouvement, sans cesse aux aguets. Elles surveillent les policiers qui laissent faire et se tiennent à distance, mais avec le regard implacable de celui qui se sait le plus fort. Toutes, elles sont prêtes à ranger dans leur sac ce qu'elles exhibent à bout de bras et à s'envoler aussi vite qu'une âme emportée par le diable. Elles sont tendues, prêtes à bondir. Ça n'a rien de la rigolade.

Je reste un moment derrière elle, à la sentir. Il fait très chaud, elle dégage une très légère odeur de transpiration. Aussitôt, ma queue se gonfle. Toute seule. Il me suffit de la humer pour être dans tous mes états. Je lui chuchote dans l'oreille :

— Je t'achète tous ceux qui te restent.

Elle se retourne, surprise. En me voyant, elle éclate de rire.

— Je savais que tu viendrais, dévergondé que tu es !
— Tu en as vendu ?
— Mais non ! Je viens d'arriver. Et regarde, il y en a quatre autres qui ont les mêmes !

Dans ma tête résonnent des bribes d'un boléro de ma jeunesse. Je les lui chante tout bas, presque contre son cou :

> *Si tu niais ma présence*
> *Dans ta vie*
> *Je n'aurais qu'à t'enlacer*
> *Et tu serais en émoi.*
> *Je t'ai tant donné que par force*

Tu gardes à jamais
Le goût de moi.

— Oh, comme c'est joli, papito. Tu es content, alors ?

— Dès que je te vois, je suis heureux.

— Aaaah, laisse ces fadaises à d'autres !

— Tu ne me crois pas ? Tant pis.

On est restés un instant sans parler. Elle avec un body à la main. Quand un homme passe, elle lui dit entre ses dents :

— Tiens, regarde ce beau maillot pour ta fiancée. Prends-le, que c'est le dernier !

Et si c'est une femme :

— Il est à toi. Tu as vu comme il est bien, comment il va t'aller ! Décide tout de suite, il n'y en a plus !

J'ai obervé son manège quelques minutes, de loin, puis je suis revenu près d'elle :

— Tu ne m'as pas demandé de venir ici ? Qu'est-ce que tu avais à me dire ?

— Ah, ah, ah ! Non, comme ça non. Il y a un moment pour chaque chose.

Il me reste sept dollars en poche.

— Tu veux une bière ?

— Quoi, si tôt, et avec le ventre vide ?

— Viens par là. Je te paie un jus de fruit.

— Bon, allez.

On a traversé la rue Reina. Il y a un kiosque sur le trottoir. Un jus et un hot dog pour elle, une bière pour moi.

— Alors, raconte un peu.

— Oh non, mon garçon ! Ma marraine, elle dit que nous autres, les filles d'Ochún, on ne peut pas se laisser emporter par le désir parce que après on s'en repentira. Mais bon, oublie ça. Si on prend la religion au pied de la lettre, y a plus moyen de vivre.

— Tu as bien raison. Et donc, le désir, tu l'as ?

330

— Bien sûr que oui ! Sinon, je serais pas là en train de te parler.

Les types qui passent la dévorent des yeux. Tout en bavardant avec moi, elle reste tournée vers le kiosque. Tellement provocante, dans cette tenue... Trop, même. Un étranger, jeune, grand, gras, très blanc, est en train d'acheter un soda. Elle le fouille du regard.

— Dis donc, sois un peu avec moi, que je te cause, là.

— Aïe, fais pas le mari, vyé-Blanc ! Vis ta vie et laisse vivre les autres.

Elle sourit au touriste, qui en fait autant. Elle m'a déjà oublié. Rien qu'à l'idée des dollars, ses yeux étincellent. Elle s'approche de lui :

— Tu aurais une cigarette ?

— Je ne fume pas, non. Mais si tu veux, je t'en achète.

C'est un Espagnol. Avec l'accent de là-bas.

— Ah, oui, merci ! J'ai une de ces envies de m'en faire une !

Je repars une main devant, une main derrière. Qu'elle se gagne sa croûte. Avec un peu de chance, elle se colle à l'Espingouin quelques jours. C'est une solution.

Je redescends Galiano en fredonnant le boléro pour moi :

... ma vie je la donne sans compter
je suis si pauvre, qu'est-ce que je t'offrirais d'autre ?

Je retourne à la boucherie. Avec la viande, je peux au moins me trouver quelques biftons de plus.

— Quoi, c'est à cette heure que tu viens, l'ami ? Pourquoi pas plus tôt ?

— Comment ? Quelle heure il est ?

— Midi et quart.

— Tu as déjà tout liquidé, c'est ça ?

— Dès le matin, oui. J'aurais pu te refiler dix ou quinze livres.

— Pas de bol.

— Reste en contact. Ils risquent bien de m'en rapporter encore.

— Quand ?

— Ah, ça... Tu sais bien que ça tombe quand ça veut. Disparais pas, c'est tout.

Je remonte à mon perchoir. Accroupie près d'une bouche d'évacuation, Isabel est en train de laver des casseroles et des assiettes. Chez elle, la radio beugle de la salsa :

Elle profite que je sois à zéro
Personne sait combien va durer ce manque de pot..

Je m'adosse au mur pour mieux la mater. A cette heure-là, la terrasse est déserte. Elle a un joli cul. Plutôt petit mais ferme et bien formé. Je m'approche par-derrière et je lui caresse les cheveux. Elle lève les yeux vers moi :

— Hein ? Oh, tu es vite revenu...

L'autre métisse m'a laissé en feu. Je me sens moitié triste, moitié trahi. Je me penche sur elle et je l'embrasse sur la joue.

— Hééé, quelle mouche t'a piqué ? Une qui t'aura chauffé et maintenant tu viens te défouler avec moi ?

— Non, non ! D'où tu sors ça ?

— Ça fait des années que je te cherche et brusquement tu veux m'attraper ici, devant tout le monde ?

— Il n'y a personne !

— Que tu crois, que tu crois.

— Bon, et toi, ça te gêne ?

Elle se relève, laissant toute sa vaisselle dispersée sur le sol. Elle me prend par le cou et m'embrasse. Elle m'enfonce la langue jusque dans la gorge.

— Non, papito. Si c'est avec toi, ça me gêne pas du tout.

— Allons chez moi.

— On y va.

On baise avec entrain. Je n'aurais pas pensé que ça serait comme ça avec elle. Dingue. J'ai beaucoup aimé. Peut-être parce que ce n'est pas une cynique dans le genre de cette mulâtresse enjôleuse qui veut avoir tous les hommes à ses pieds.

La tristesse ne s'est pas dissipée, cependant. Seul, sans travail, dans une piaule de merde, sans enfants, sans femme régulière. A bien regarder, il n'y a pas de quoi se réjouir.

On est allongés, noyés de sueur, moi sur elle. Je reprends des forces après un orgasme monstrueux. Je ne sais pas d'où j'ai sorti tout ce jus. Je la caresse et je l'embrasse avec une grande tendresse. Je lui chante tout bas

> ... *Mille années peuvent passer*
> *Et plus encore*
> *J'ignore si l'amour existe dans l'éternité*
> *Mais là-bas comme ici*
> *Dans ta bouche tu garderas*
> *Le goût de moi.*

— Non, arrête, Pedro Juan. N'abuse pas de moi.
— Quoi, tu n'as pas besoin d'un peu de gentillesse ?
— Ça fait des années qu'il me manque une caresse.
— Moi aussi.
— Je veux pas encore souffrir, Pedro Juan. Je tombe amoureuse et après c'est la merde.
— Oui, c'est sûr
Je roule sur le côté.
— Qu'est ce qu'on sue !
Elle se lève, se rhabille :
— Ouvre la porte. On est en train de bouillir, là-dedans. Et donne-moi tes draps et cette serviette, que je te les lave. Tu es en train de devenir un vrai petit cochon.

Isabel retourne sur la terrasse. Moi, j'enfile un short et je m'assois par terre, dans l'embrasure. Il y a de l'air frais. C'est maintenant que ça commence, mais je la crains, cette métisse. Elle est putain, et romantique, et je lui plais : la combinaison est trop parfaite. En plus, on ne veut pas se compliquer la vie, ni l'un ni l'autre. A quoi bon chercher encore des ennuis ? Avec ceux qu'on a, c'est bien suffisant.

Salut et perdition

A l'angle d'Infanta et de Jovellar, un journaliste de la télé, micro à la main, assaille les passants avec deux questions qu'il leur balance à brûle-pourpoint : « Qu'est-ce que c'est que le bonheur, avez-vous déjà été heureux dans votre vie ? » Tu parles d'une devinette ! Ce sont deux sujets à la fois, qui méritent chacun un moment de réflexion, mais il ne tolère pas l'hésitation, lui. Le cameraman braque son objectif dans la figure des pauvres types. Beaucoup restent sans voix, d'autres refusent de répondre, certains essaient de trouver quelque chose d'intelligent à répondre, de quoi flatter leur ego, mais ils n'arrivent qu'à balbutier deux ou trois incohérences.

Le plombier sort de chez lui, tourne au coin et tombe nez à nez sur la caméra, le micro et le reporter. Ils lui tombent dessus avec la fameuse question et sans hésiter, avec un mélange d'amertume et de résignation, il réplique : « Le bonheur ? Déconne pas, petit, ça existe pas, ce machin. » Il s'apprête à poursuivre sa route mais le journaleux insiste : « Vous avez déjà été heureux, dans votre vie ? » Le plombier s'arrête une seconde et, dans un accès de sincérité : « J'ai été heureux le jour où je me suis marié. C'est la seule et unique fois. Ensuite, ça n'a été que du malheur. » Et il repart d'un pas assuré, sans hâte, serein. C'est un gars costaud, massif, un Blanc avec beaucoup de barbe et de poils noirs. Il a une bonne cinquantaine, mais pas une mèche grise, et il est encore fort comme un taureau. Il est né à la campagne, dans une plantation de tabac. Son père était un émigré, sa mère cubaine. Voilà quarante ans qu'il n'a plus entendu parler d'eux, ni de ses onze frères et sœurs.

Il porte ses outils et des bouts de tuyau dans un sac en grosse toile. A trois pâtés de maisons de là, il termine un chantier qu'il a commencé hier. Un étage avec plein de piaules. Quinze, dix-sept, vingt, personne ne sait exactement. A chaque recensement, il y a des chambres qui apparaissent ou disparaissent sans qu'on puisse expliquer pourquoi. Même chose avec les gens. Dans ces combles, ils sont tantôt cent, tantôt cent cinquante, tantôt deux cents. Ça va, ça vient. Les fonctionnaires du service du logement font comme s'ils ne voyaient rien. Ils n'ont pas le choix.

Le plombier est en train d'installer deux réservoirs en acier dans une des pièces. Il a bien travaillé. Désormais, quand l'eau courante arrivera, c'est-à-dire de temps à autre, ils pourront les remplir. Il les a reliés à un évier qu'il a aussi posé, avec un robinet, près du réchaud à alcool. Ce n'est pas grand-chose mais ça représente un net progrès, par rapport aux autres. Les toilettes sont collectives, elles. Une pour les hommes, une pour les femmes. Evidemment, il y a toujours la queue devant. La plupart des gens se contentent de chier dans un bout de papier et de le jeter dans le caniveau, ou dans les poubelles au coin de la rue.

Il y a aussi deux lavabos dans un grand patio à ciel ouvert. C'est une vieille maison coloniale du début du dix-neuvième siècle, à moitié effondrée, envahie par les rats et les cafards. Mais elle sert encore, et servira tant qu'il restera une pierre sur l'autre.

Le plombier s'appelle Pancracio. Il s'en fiche. Non, ce n'est pas qu'il s'en fiche : simplement, il n'a pas conscience du ridicule d'un nom pareil. Pour lui, beau, laid, ce sont des notions qui n'existent pas. Il vit seul, dans un appartement qui donne directement sur une ruelle entre l'université et le cabaret Las Vegas. Il est bien, là. En fait, il n'a jamais vécu aussi à son aise. Car il a tout fait, déjà : de balayeur à vendeur de mangues et d'avocats, en passant par maçon dans des maisons de riches. Mais c'est le métier de plombier qui lui plaît le plus. Pourquoi, il ne sait pas et il ne se pose même pas la question : ça lui plaît, voilà tout.

Les réservoirs, la tuyauterie et l'évier lui ont demandé treize heures de travail, exactement. Il est midi. Le chantier est chez une Noire d'une quarantaine d'années, très belle. Elle a un mari, des enfants et des petits-enfants. Hier, ça a été la cohue permanente dans la piaule mais aujourd'hui elle s'est débrouillée pour rester seule avec lui. Le plombier ramasse ses outils, la regarde et lui dit :

— Voilà, señora. Vous avez de l'eau chez vous, maintenant. Contente ?

— Oui, Pancracio. Tu as été parfait. Alors on a dit deux cents ?

— Deux cents pesos, oui.

— C'est que... Tu comprends, Pancracio, j'ai un petit problème d'argent, présentement.

— Non. Des petits problèmes, vous pouvez pas en avoir parce que moi je démonte tout en dix minutes et je remballe.

— Attends, ne fais pas le méchant !

— Je ne fais rien. Je le suis, méchant. J'ai deux jours de boulot ici et si vous ne me payez pas je démonte, point. Et si vous me mettez un de vos négros frimeurs aux basques, je le bouffe vivant, moi.

— Calme, papito. On va causer un peu. On peut arriver à un arrangement, je suis sûre.

— Y a pas d'arrangement. L'arrangement, c'est deux cents pesos.

— Depuis combien de temps tu n'as pas eu de femme, Pancracio ?

— En quoi ça vous regarde ?

— Ça me regarde, et comment.

Il fait très chaud, dans cette pièce sans fenêtre. Il n'y a pas de ventilateur. L'humidité des murs et du plafond pèse comme une chape. Ça sent le salpêtre, la poussière, la sueur, l'urine, la saleté, les cafards, les légumes pourris. Ils sont en nage tous les deux, mais Santa va fermer la porte. Elle met la chaîne, allume l'ampoule solitaire et moribonde qui pend au milieu du plafond et se retourne vers le plombier. Elle ouvre son chemisier. Pas de soutien-gorge. Ses seins sont imposants, harmonieux, à peine affaissés, avec des tétons très noirs. Sa peau luit de transpiration. En souriant, elle s'approche de Pancracio et se met torse nu. Un petit ventre avec un très beau nombril où naissent des poils bouclés qui descendent au pubis, prometteurs. Elle écarte sa jupe pour lui montrer sa motte. Elle s'exhibe sans aucune honte, sûre de sa beauté parfaite de déesse africaine. Elle sait que sa seule apparence a de quoi exciter le plus froid des hommes. Elle se transforme en félin séducteur, ronronnant. Pancracio reste muet. Il n'a jamais été très porté sur le sexe, et encore moins maintenant. Trois ans ou plus qu'il n'a pas touché une femme. Mais la vue de cette splendide négresse tout près de lui le rend nerveux :

— Señora, je vous en prie.

— Appelle-moi Santa. Laisse tes politesses.

— Rhabillez-vous, Santa. Vos enfants peuvent arriver. Ou votre mari...

— Personne ne va venir, papi. T'inquiète donc pas. On a tout l'après-midi pour nous.

— Non, non. Donnez-moi mon dû et je m'en vais. Je ne...

— Oublie l'argent, mon doudou, on va se faire du plaisir. Tu verras que ça va te plaire et que tu vas en redemander.

Santa enlève sa jupe. Elle jette Pancracio sur le lit et se met à califourchon sur sa figure. En sentant son arôme âcre et puissant, l'homme met sa langue pour goûter et Santa gémit comme si elle était une délicieuse nymphette qui s'abandonne pour la première fois. Et la fiesta commence. C'est une experte, Santa. La meilleure. Elle a une façon très originale de bouger des hanches et du pelvis. En trois minutes, Pancracio décharge un torrent. Sa crème déborde du vagin. Santa est indignée :

— Mais qu'est-ce que c'est que ça ? Tu es une brute finie, toi ! Aïe, tu parles d'une rigolade !

En voyant cette femme folle de rage sous lui, Pancracio s'emporte, lui aussi. Il se met à la baffer. Et Santa adore que ses hommes la frappent en pleine figure, à la volée. Ça l'excite. Et c'est ainsi qu'elle parvient à l'orgasme. Elle jouit avec Pancracio toujours en elle, la pine plus dure que jamais. Et il continue à la claquer. Elle a mal, maintenant. Elle essaie de l'arrêter, mais il a perdu la tête. Il veut la pénétrer à fond, entrer encore plus loin tout en continuant à la cribler de coups. A lui en casser la mâchoire. Elle tente de lui bloquer les mains, seulement il est trop fort pour elle. Il va éjaculer une seconde fois. Il lui serre le cou dans la main gauche et la frappe de la droite. Il l'étrangle presque tandis qu'il lui répète, au paroxysme de sa furie et de sa jouissance :

— Je t'inonde, putain ! Je t'inonde ! Prends ça, putain !

Santa est terrorisée. A moitié asphyxiée, elle arrive à se dégager de ce fou quand Pancracio se laisse tomber sur le lit, vidé par son deuxième orgasme. Elle bondit sur ses pieds et le roue de coups dans le dos.

— Sacré fils de pute, tu as failli me tuer, là ! Tu es brindezingue ou quoi, bordel ?

Pancracio se relève et lui envoie un direct dans la figure. Un seul. Elle tombe par terre, évanouie. C'est seulement là qu'il retrouve ses esprits. Il essaie de la ranimer. Il va chercher une cruche d'eau et la verse sur son visage. Il la secoue. Finalement, elle reprend conscience. Elle ouvre les yeux et se met à hurler pour que les voisins l'entendent :

— Ah, il veut me tuer, cet homme-là ! Va-t'en, criminel ! Laisse-moi !

Le sang coule de son nez et de sa bouche. Pancracio renfile ses vêtements en hâte, ramasse ses outils. Santa n'arrête pas de crier une seule seconde. Quand il ouvre la porte, un souffle d'air frais le soulage un peu. Une petite vieille et quelques adolescents se tiennent dans le couloir, l'air effrayé. Ils le regardent, mais lui ne les voit même pas. Il s'en va à toute allure, poursuivi par les hurlements de Santa. Personne n'essaie de le retenir. Il quitte l'immeuble, remonte jusque chez lui à grands pas. Il n'éprouve aucune peur. Il ne sait pas ce que c'est. Un peu chiffonné, c'est tout.

Sa tanière est un labyrinthe de vieilles ferrailles, de tuyaux, de lavabos, de porte-savons, d'urinoirs. Un entrepôt de plomberie d'occasion qu'il a accumulée ici au cours des années, couverte de poussière, de rouille et de toiles d'araignées. Dans un coin, il y a son lit, impeccable, propre. Contre le mur, un petit autel avec une statue de la Caridad del Cobre. Au fond, une salle de bains réduite au strict minimum. C'est tout. Il jette son sac par terre et va au petit fourneau. Il se prépare un café. Il ne veut pas penser à ce qu'il vient de faire. Chaque fois, c'est la même chose. Toujours les mêmes images qui lui reviennent, dès qu'il se laisse aller : son père en train de le cogner avec un manche de pioche, au milieu d'un champ labouré. Il avait douze ans. Le soir même, ses blessures encore béantes, il avait fui la maison et ses onze frères. Pour ne plus jamais revenir. Ensuite, il a traîné partout, fait mille petits boulots avant de débarquer à La Havane. L'autre grand moment de sa vie, ça a été son mariage. Ce jour-là, il a été heureux, oui, mais dès le lendemain les disputes ont commencé avec sa femme. Une semaine après, ils s'étaient séparés. Depuis, plus rien ne l'intéresse. C'est pour cette raison qu'il n'est pas attiré par le sexe. Et en plus, ça s'est toujours passé comme tout à l'heure : quand il couche avec une femme, il perd la tête et il la bat sans pitié. Voilà pourquoi son épouse est partie. Personne ne pourrait supporter ça.

Mais il ne peut pas se contrôler. Il aime trop ça, les rouer de coups en les traitant de putains. C'est irrésistible. Heureusement pour lui qu'il ne réfléchit pas, ne parle pas, ne craint pas, n'espère pas. Il glisse dans la vie comme il peut, sans aucun désir, sans aucune attente.

Tout est simple : une pitance frugale préparée à la va-vite sur son fourneau, du café, du tabac et plein, plein de travail. Il se saoule de travail. Pas besoin d'alcool, ni de femmes, ni de jeu, ni d'amis. Pas de vice coûteux. Le café et les cigares lui prennent déjà assez d'argent. Sous un des carreaux de la pièce, recouvert par son fouillis poussiéreux, il a creusé un trou, l'a soigneusement cimenté. Il y a des milliers de pesos, là-dedans. C'est son unique passion. Il repousse les tuyaux rouillés, toute sa camelote, il soulève le carreau, il sort son trésor, le compte, le recompte, rajoute de nouveaux billets. Il ne prend jamais rien, même s'il n'a plus un rond en poche. Il aime les sentir entre ses doigts. Il n'a que trois plai-sirs : l'argent, le café et le tabac. Il ne sait même pas pourquoi il a monté ce petit autel à la Vierge, puisqu'il ne lui demande jamais rien et qu'il ignore la prière. Plu-sieurs fois, il a été tenté de l'enlever et de le jeter à la poubelle. Mais il n'ose pas.

Le café est prêt. Il se remplit un verre. Il prend un bon cigare, ouvre la porte et s'assoit sur le seuil pour fumer. Il regarde les passants, un camion de temps en temps, ou un vélo. Sans bouger. Il a recouvré tout son calme. Il ne pense à rien. Il regarde, et il fume. Il n'y a pas de beau, il n'y a pas de laid, il n'y a pas de honte, il n'y a rien. Sauf la colère, qui explose parfois et jaillit au-dehors comme une coulée de lave dévastatrice. Et qui disparaît. Elle peut provoquer la perte de n'importe qui, mais pas la sienne. Parce que rien ne le sauvera, et rien ne le perdra.

Casino Esperanza

Une jeep verte passait en trombe sur San Lázaro, avec deux drapeaux rouges et deux haut-parleurs. Ils faisaient de la propagande mais ils allaient si vite qu'on n'entendait rien, sinon des bouts de phrases tronquées : « ... nous écrivons l'histoire... », « ... l'entrée de l'université... », « ... répond toujours présent... »

Quand elle a disparu comme un bolide, la rue a retrouvé le calme et le silence de midi, sous un soleil implacable, un ciel sans un nuage.

En bas du Malecón, les gamins du quartier s'amusaient dans l'eau sale du littoral, un peu de mer mélangée au pétrole et au cambouis des bateaux, à la merde et à l'urine des égouts. La ville a beau déverser ici ses eaux usées, les gosses se baignent quand même, et certains adultes aussi. Ils passent des heures au soleil, à boire du rhum et du granité, indifférents à l'odeur pestilentielle. Ils s'amusent. Lorsque les touristes les prennent en photo, ils s'immobilisent, hypnotisés, ou bien ils font quelque clownerie devant l'objectif, en riant. Après chaque cliché, la scène se ranime et les petits courent quémander des pièces.

Je suis resté un moment à les regarder, mais il n'y avait rien pour retenir mon attention. Rien que des femmes maigres, hirsutes, gueulardes, couvertes de marmots. Je me suis attardé, pourtant, parce qu'il peut apparaître quelque chose d'appétissant, des fois. Un homme seul dans la jungle doit rester continuellement en chasse. Jour après jour. Il n'a pas de gros besoins : un peu de thune, de quoi bouffer, quelques rasades de rhum, deux ou trois cigares et une femme. Le manque de nana me plonge dans la névrose. D'un autre côté, si j'en ai une idiote et vulgaire en permanence avec moi, ça finit par m'irriter et me lasser. Parce qu'elles veulent toutes la même chose. Elles commencent par baiser allégrement, à picoler et à rigoler de tout ce qu'on leur dit. Très tendres, très sympas. Et puis après elles exigent tout ça et en plus qu'on s'échine matin et soir pour trouver à les nourrir, elles et les trois ou quatre gosses laissés par les trois ou quatre maris qui leur sont passés dessus avant de poursuivre leur chemin.

Or ça, c'est impossible. Avec moi, en tout cas. Qu'elles se débrouillent toutes seules pour croûter. Et qu'elles tordent le cou à leur progéniture. On est déjà trop nombreux, de toute façon. Mais non. Elles commencent à forniquer à douze ans. A quatorze, elles accouchent de leur premier chiard et à vingt-cinq elles ont quatre ou cinq gamins qui font des conneries et qui emmerdent tout le voisinage. Parfois, je me dis que je suis pauvre contre ma volonté. Le miséreux ne peut pas analyser autant ce qui l'entoure : autrement, il devient fou ou il se pend à une poutre. Et moi, stupide que je suis, je passe ma vie à observer le sombre paysage autour de moi et à réfléchir. Mauvaise habitude, ça. Qui peut être fatale, éventuellement.

A cet instant, ma petite tête s'illumine : tiens, je vais aller jouer aux dominos chez la vieille Esperanza, con ! La mise est à cinq pesos. Avec un peu de chance, je peux me gagner quelques ronds. Il ne faut pas penser à se retrouver perdant. On ne doit pas envisager les sales trucs, parce que ça vous porte le mauvais œil. Il me reste vingt pesos en poche.

La vieille habite dans mon immeuble, au second. C'est une santera. Dès que j'entre chez elle, j'ai une impression bizarre. Elle travaille avec beaucoup de morts. Moi ça ne me fait pas peur, vu que je n'attrape rien, ici. Mais sentir tous ces courants de disparus autour de soi, c'est quand même pesant.

Elle est très vieille, Esperanza, et visiblement elle a perdu ses dons puisque presque plus personne ne vient la consulter. Alors, comme il fallait bien trouver de l'argent quelque part, elle a ouvert deux tables de jeu il y a un an. Une de dominos, l'autre de dés. Elle encaisse deux pesos l'entrée et ensuite c'est aux joueurs de s'entendre. Des fois, il y a de la bière glacée. Le rhum et les cigarillos ne manquent jamais. Et bien entendu elle prend les paris, notamment à la loterie vénézuélienne dont on peut écouter les résultats facilement ici, sur Radio Margarita. Bref, elle a trouvé une bonne combine avec son tripot. Les blagueurs du quartier l'appellent déjà le « casino » Esperanza.

Les deux tables sont occupées et il y a huit types qui attendent leur tour. Je me mets dans la queue pour les dés, parce que aux dominos la partie dure trop longtemps. Esperanza est dans la cuisine. Je la rejoins, je lui paie mon entrée et un double rhum. On bavarde un moment. Elle veut absolument me faire la consultation et chaque fois qu'elle peut elle essaie de me flanquer la trouille :

— Il te faut rectifier tout ça, Pedro Juan. Je vois à ton côté un nègre très costaud, là, mais il est de dos. Et des fois un Indien, mais de dos lui aussi. Tu vas t'acheter un coq noir et tu me l'amènes pour que je le travaille, et ensuite tu te le mets chez toi. D'abord, je te consulte et après on va essayer ces remèdes.

Toujours le même baratin. Je ne lui réponds pas. Sa voyance, elle ne m'intéresse pas. J'ai ce qu'il me faut avec ma marraine en santería. Esperanza sait parfaitement qu'on ne peut pas mélanger ces choses-là, qu'il faut les respecter, mais pour soutirer quelques pesos elle serait prête à faire la consultation à Mahomet en personne. Et elle est capable de lui annoncer qu'elle va lui préparer un collier parce que c'est un fils de Changó !

En réalité, mon intention, c'est de monter mon propre bizness dans son « casino ». Voilà des jours que je tente de la convaincre mais elle s'esquive tout le temps. Je veux ouvrir une deuxième table de dés au niveau professionnel. Et moi je serai le donneur. Je m'entraîne beaucoup. Je suis de plus en plus rapide.

— Ecoute-moi bien, Esperanza. Je peux trouver une table avec un tapis vert et un jeu de dés chinois, en ivoire. Du matériel tout neuf, de pro. Quelque chose d'élégant, de quoi relever le niveau de ce tripot de bas étage.

— Arrête de me manquer de respect, Pedro. Tu es un type sérieux, pourtant. Alors, ce jeu, comment qu'il s'appelle ?

— Le baccara. Tu dois bien t'en souvenir, non ? Ça s'est joué dans tous les casinos de La Havane jusqu'en 59.

— Oui, mais j'avais oublié le nom. Et puis moi je ne fréquentais pas ces endroits-là.

— Non. Tu avais d'autres vices, toi.

— Tu n'es pas si âgé, Pedro Juan. Comment tu pourrais savoir ça ?

— Oh, tu fais la gaga, Esperanza !

— Du respect, j'ai dit. On parle affaires, là.

— Pardon, señora. Bon, je t'ai déjà raconté cent fois qu'un de mes oncles a été dealer à Montmartre. C'est lui qui a les dés et la table. Il me montre le métier et bientôt ce sera moi, le donneur. Mais je vais te dire encore une chose pour te faire saliver : mon oncle, il a cent jeux de cartes neufs dans une caisse. Sous bande scellée. Conclusion : après, j'ouvre une table de black-jack et une autre de poker.

— Oh, tu veux m'embrouiller, toi !

— Pas du tout. Ce qui va t'arriver, c'est que les billets vont te pleuvoir dessus.

— Redescends un peu sur terre, mon petit. Ici il y a trop de contrôle, donc on ne peut rien faire en grand. Tu as intérêt à te fourrer ça dans la calebasse si tu ne veux pas te la casser. Le baccara, par contre, ça me plaît parce que ça sera à toi de t'en charger personnellement.

— Demain j'apporte la table et on attaque.

— Et comment on s'arrange ?

— Faut voir ce que ça donne, ensuite je te dis ce que je te refile chaque jour.

— Bon, installe. Mais je vais te préciser quelque chose qui doit être bien clair : ici on ne peut pas avoir de disputes ni de bagarres, et personne ne peut entrer avec une arme. Ces nègres-là, ils aiment toujours s'harnarcher d'un couteau ou d'une pointe. Ici, ça doit continuer comme avant. La radio ou le magnéto avec la musique bien fort, et de la discrétion en entrant et en sortant. Pas de saouleries et pas de coquineries. La seule coquine c'est moi, et celui qui me parle mal ne remet plus jamais les pieds dans cette maison. Je ne veux pas de putasses, non plus, parce que dès qu'il y a femme, il y a complication et les hommes commencent à s'entre-tuer. Tout bien tranquille, bien poli, comme ça se passe maintenant.

— La leçon est terminée, señora, ou il y en a encore ?

— Non, c'est tout. Mais pas de faute, parce qu'à la première je te mets dehors avec ta table, tes dés et un coup de pied au cul. J'attends pas la deuxième erreur, moi.

— Entendu, señora. On commence demain.

— Et la table ?

— Je l'apporte ce soir. Pas d'inquiétude parce que je sais me conduire, moi. J'ai été deux ans derrière les barreaux et ça m'étonnerait que je m'y laisse reprendre.

— Je me doute que tu as du plomb dans la tête. Etre blanc, c'est déjà une profession.

— Ah, ah, ah. Remets-moi un double, qu'on trinque à ça !

— Oui, mais pour se cuiter, c'est pas ici, hein ?

— Qu'est-ce que tu es rigide, Esperanza ! Jamais tu ris, ma vieille ?

— J'ai bien assez ri dans ma vie.

— C'est vrai que tu viens du quartier Colón, au départ ?

— Si tu le sais, pourquoi que tu le demandes ?

— Quand ils ont fermé les bars, tu devais avoir tes quarante ans pesés, Esperanza.

— Oui, mais j'étais encore une jeunette. Quarante-deux, j'avais, mais tu m'aurais vue, tu tombais raide. J'avais un galant de vingt-six ans, à l'époque. Un Blanc mignon, on aurait dit un acteur de cinéma. Et moi je te l'habillais en blanc de pied en cap, avec de l'or partout, jusque sur les chicots.

— Ça se voit encore, que tu as été belle.

— Arrête tes fadaises. Y a rien du tout qui se voit. En septembre, je me fais soixante-dix-sept.

— Mais tu es robuste. On te donnerait soixante.

— « Donnerait », comme tu dis.

— Mon oncle, il a eu un bar par là-bas. Entre Consulado et Virtudes.

— Celui-là, il était tranquille. Il y est toujours.

— Et toi, dans lequel tu travaillais ?

— Dans tous, mon sucre. J'étais du métier depuis l'âge de quatorze ans. Et même j'ai bossé quatre années dans la maison de Marina.

— Elle était célèbre, celle-là.

— Oui. Du sérieux. Pas de faiseurs d'histoires, là-bas. Le client était en costume-cravate, et ils t'offraient des parfums, et ils t'envoyaient des fleurs le lendemain... Des hommes avec de la classe, avec du style. Et nous aussi on en avait, les filles. Aaah, ça a été les plus belles années de ma vie.

— Pourquoi tu en es partie ?

— Allez, allez ! Tu fais ton séducteur pour me faire trop parler. Mais mon grand secret, je me l'emporte dans la tombe !

Katia, la fille d'Esperanza, est arrivée dans la cuisine :

— Excusez l'interruption, camarade, car je vois que vous vous amusez bien. Mais il me faut nourrir mes enfants, moi.

— Quelle précieuse tu es aujourd'hui, con !

— Pas plus que d'habitude. Je suis une négresse, mais j'ai des manières. Pas comme ta porcasse qui se donne des airs de Blanche, mais qui est vulgaire comme pas possible.

Katia est en détention surveillée à la maison depuis un an. Ils l'ont attrapée en train de voler dans un shopping et ils lui ont collé deux années, mais comme elle a un fils de six ans, une fille toute petite et qu'elle était en cloque au moment du procès elle a échappé à la taule. Elle n'a pas le droit de sortir de chez elle. A n'importe quelle heure, un policier peut venir frapper pour voir si elle est là. Elle ne peut même pas rendre visite à la voisine. S'ils la coincent dehors, elle plonge.

— Ça te réussit, d'être enfermée comme ça à la maison.

— Ah, tu crois ?

— Si je crois ? Et comment !

Elle, qui a toujours été maigre, a pris au moins quinze kilos, mais sans un pouce de graisse. Ils sont tous allés dans les fesses, les tétés et les muscles. Une distribution parfaite. Elle a un corps dense, solide. Le père de ses enfants est un petit délinquant qui habite l'immeuble d'en face. Tellement délinquant qu'Esperanza ne l'accepte pas chez elle. Avant, ils baisaient dans les escaliers, la nuit. Là où ils pouvaient. Maintenant, je ne sais pas comment ils se débrouillent puisque le nègre ne peut pas entrer chez Katia et qu'elle ne peut pas sortir. Des fois, je l'amorce pour voir si elle va mordre. Avec moi, elle fait un peu la coquette, elle remue du cul sous mon nez, mais rien de plus. Ça lui plaît de chauffer les mâles, mais son mari la tient et elle connaît son tempérament : s'il la surprend en train de gambader, il lui met une danse dans le train dont elle se souviendra longtemps.

Accoudé à la table de la cuisine, je la mate. Peut-être que je vais réussir à la convaincre rien que du regard, sans avoir besoin de lui sauter dessus. A ce moment, Isabel surgit :

— Ah, te voilà, toi ?

— Je sais que la chèvre veut s'en aller brouter, papito, alors il faut l'avoir à l'œil.

Avec une moue dédaigneuse, Katia lui répond du tac au tac :

— Dans ce monde personne ne possède personne, Isabel. Au moment où tu t'y attends le moins, on te prend ton mari et tu te retrouves comme une gourde.

— Surtout si on ne peut pas sortir de la maison pour s'occuper de lui.

— Hé, qu'est-ce qui te prend ? C'est censé être drôle, ça ?

Je décide d'intervenir, parce que c'est en train de se gâter rapidement :

— Allons, allons. Laisse tomber ça, Isabel. Tu es venue chercher noise ou quoi ? Remonte là-haut et tiens-toi tranquille.

— Je bouge pas d'ici. T'es pas en train de boire du rhum, là ? Et moi, alors ? Je n'en mérite pas ?

— J'attends mon tour pour jouer aux dés.

— Aux dés ? Dans la cuisine, avec Katia ? Qu'est-ce que c'est que ce jeu bizarre, con ?

— Oh, du calme ! Arrête de me chercher.

— Bon, je reste pour te porter chance. Je pars pas d'ici si c'est avec toi. Je sais bien que tu aimes les petites négresses fessues, mais c'est pas si simple, chéri, c'est pas si simple.

— Et merde !

Je l'ai entraînée dans la pièce où étaient les tables et on s'est mis à regarder. Compliquées, les femmes. Tu les baises deux ou trois fois et ça y est, elles veulent jouer les épouses. Et si tu acceptes leurs conneries, si tu ne reprends pas les choses à temps, elles te mettent un doigt dans le cul, en plus.

Isabel s'appuie à une fenêtre, les yeux perdus dehors. Moi j'attrape le cornet et je commence à jouer avec trois autres types. Ça chauffe, dans le tripot : il y a déjà douze gus du quartier qui tournent en rond, attendant leur tour. A partir de demain, tu vas voir comment je vais tous les faire bicher au baccara !

J'ai eu à peine le temps de jouer trois coups qu'il y a

soudain des hurlements terribles. D'abord, on entend une voisine qui beugle :

— Malappris, branleur ! Je vais tout raconter à mon fils et il te fend la tête en deux, grand salaud !

Et aussitôt c'est à Esperanza et à Katia de s'y mettre. Cris, bruits de coups, plus les enfants de Katia qui mugissent de trouille. Esperanza apparaît à la porte de l'autre pièce, hystérique, avec un ceinturon à la main. Elle fouette Katia avec, jusqu'au milieu du couloir, et là elle s'arrête, elle se prend la gorge comme si elle étouffait. De noir, sa peau passe à un gris cendreux. Elle s'effondre. Son crâne résonne comme une grosse pierre sur le sol. Elle est allongée de tout son long, très raide. Katia lui tombe dessus en pleurant et en criant :

— Qu'est-ce que tu as, maman ? Ne meurs pas, maman ! Aaaïe, à l'aide, aidez-moi !

Je profite du scandale pour glisser le cornet et les dés dans ma poche, sans que personne ne me voie. Et pour cause : ils ont tous pris la fuite comme si le diable était après eux. Une seconde après, Isabel m'attrape par la main et on fonce là-haut, sous les combles, là où j'ai ma piaule et elle la sienne.

Après avoir monté en courant les huit étages, on est hors d'haleine, tous les deux.

— Je crois qu'elle a calanché, Esperanza, lui dis-je.

— Tu crois ? Moi, j'en suis sûre.

— Tu as vu ce qui s'est passé ?

— Le négro de Katia était sur la terrasse d'en face et il allait prendre un bain.

— Et toi, toujours aussi pute, en train de le mater...

— Toi, tu aimes reluquer les négresses bien fessues ? Eh bien moi, c'est les nègres bien membrés.

— Alors qu'est-ce que tu fais avec moi, dans ce cas ?

— Allez, chéri, ça va. Il ne m'a pas vue. J'étais tout dans le coin de la fenêtre.

— Voyeuse !

— Autant que toi, et tu te branles aussi, alors fais pas ta morale !

— Bon, continue.

— Katia s'est penchée par la fenêtre de l'autre pièce. Elle a commencé à l'exciter en lui tirant la langue et en lui montrant ses tétés.

— Et le nègre est devenu dingue.

— Sur-le-champ. Il avait un petit slip de rien du tout. Il l'enlève et il se met à se l'astiquer. Mais fallait voir comme ! Ce zoizeau qu'il a entre les pattes, mon ami ! Je sais pas comment Katia arrive à se prendre ça. Il l'attrapait à deux mains et il y avait encore de la pine qui dépassait.

— Et tous ces cris, c'était pourquoi ?

— Parce que la vieille Ofelia, celle du troisième, elle a vu le type en train de se branler et allez, le scandale commence. Mais lui il avait commencé à balancer son jus, c'est parti comme une fusée, les yeux lui en sortaient de la tête. Qu'est-ce qu'il est vilain quand il jouit, ce nègre ! Et là, Esperanza entend les chialeries de la vieille, elle va voir ce qui se passe, elle s'y met aussi et elle commence à l'étriller, la Katia.

— Elle supporte pas ce bougre, Esperanza.

— « Supportait » pas. Parce que maintenant elle s'en va au cimetière et lui il va s'installer avec Katia et avec ses gamins. Fini son taudis cochon, il va être comme un roi là-dedans. Il l'a au doigt et à l'œil, la Katia.

— Bon. Mon bizness est à l'eau.

— Quoi donc ?

— Un truc que j'avais mis au point avec Esperanza.

— T'es zinzin, papito. Relève surtout pas la tête, parce qu'ils te la coupent tout de suite.

— Enfin, au moins je me suis pris le cornet et les dés, dans tout ce merdier.

— Pas mal. C'est déjà quelque chose.

— Oui. Et avec ça je relève la tête, justement ! Tu vas voir. Il suffit de les tripoter un brin et ils vont rouler que pour moi, ces dés !

Moi, le plus infidèle

Ce qu'il y a de génial avec la prison, c'est qu'elle t'apprend à rester tranquille dans un espace réduit, en tête à tête avec toi-même, et à t'en contenter. Et en même temps elle t'oblige à déployer toute ton astuce de loup solitaire pour empêcher les autres affamés de te cannibaliser et d'envahir ton territoire. Tu apprends à te tenir coi, sans rien faire, sans rien attendre, à oublier les jours qui passent et tout ce qui continue là-bas, au-dehors. C'est exactement ce que font plein d'animaux. Ils entrent en léthargie. Ils hibernent.

De cette manière, inconsciemment, tu te forges une carapace protectrice, une cuirasse hermétique dont tu t'habitues à te servir au mieux. Et puis un matin on te convoque dans un bureau, on te pose quelques questions idiotes pour remplir un formulaire et on te dit : « Votre peine a été réduite à cinq ans et six mois. Préparez votre paquetage. Cet après-midi, vous êtes remis en liberté. »

Oh, ils ne le font pas par gentillesse, ni par grandeur d'âme. Non, ils sont obligés de trier dans ce qu'ils ont de moins pire derrière les barreaux et d'en relâcher un peu, parce que cette prison est déjà remplie au double de sa capacité. En plus, ils n'ont pas assez de nourriture, d'habits, de souliers et de travail pour tout ce monde.

Donc, ils me libèrent comme ils l'ont annoncé. Je me retrouve dehors. Je repars à la tanière où j'ai toujours vécu. Deux ans et demi d'absence. J'arrive sans bruit, je m'arrête à la porte et je regarde à l'intérieur, dans l'obscurité. Il y a eu pas mal de changement, depuis : Isabel s'est mise avec un autre homme et ils occupent maintenant les deux piaules, la mienne et la sienne. Elle n'a pas perdu de temps. En me voyant, ils prennent peur. On dirait que je suis sorti de prison avec l'air sombre, menaçant et calculateur qui fait partie de la carapace en question. Ils bredouillent des trucs incohérents. Je n'y comprends rien. Isabel a cessé de venir en visite au bout de trois mois. En clair, ça en fait vingt-sept que nous ne nous sommes pas vus ni entendus. Je ne me rappelais même plus tout à fait la tête qu'elle a. Et maintenant elle ne sait plus quoi raconter. Elle me demande pardon. Aucun intérêt. Nous n'avons été ensemble que peu de temps, un an au plus, je ne m'en souviens pas. Ils m'ont attrapé derrière un hôtel pendant que je montrais ma pine à une vieille touriste en quête d'émotions fortes et voilà, baisé. Je n'ai rien en commun avec Isabel mais elle adore jouer les épouses. Du temps où elle venait me voir en prison, elle lançait des phrases comme : « Quand nous faisions l'amour » ou : « Je t'attendrai toujours. » Moi, je lui riais au nez : « C'est quoi, ce nouveau genre ? On dirait une grande dame avec la bouche en cul-de-poule. Tu t'es mise à la colle avec un type bien éduqué qui te parle joliment et après tu répètes comme un perroquet de merde. » Et elle, toute rouge, elle détournait la tête et disait que non, non. Mais peu à peu elle a disparu. Jusqu'à aujourd'hui. Et là, elle se répand en explications.

— Ça va, Isa. Tu n'as rien à justifier. Je t'ai pas demandé de comptes, merde. Tu me dégages les lieux, c'est tout. Je vais faire un tour, je reviens dans une heure.

— Ne t'en va pas, Pedro Juan. On déménage tout de suite.

— Je sors, je t'ai dit. Comme ça tu auras le temps de bien nettoyer, et de m'enlever ce parfum de pédé de merde qu'il y a ici.

Le type a fait celui qui n'entend pas. J'aime bien montrer les dents, en bon fils d'Oggún que je suis. Le jour où on me verra gentillet, c'est que les asticots seront en train de me boulotter.

Je descends. Je m'assois sur le parapet du Malecón. Trop silencieux et trop solitaire pour rester sur la terrasse de l'immeuble, avec le chahut que les voisins vont faire en me découvrant là : « Ah, Pedro Juan, t'es revenu, enfin ! » Et hop, les bouteilles de rhum apparaissent, et les tam-tams, et la fiesta commence. Non. Je ne suis pas d'humeur à ça. Ou pour être plus précis : je viens de passer deux ans et demi sans toucher une goutte de rhum, ni taper sur la tumbadora, sans herbe ni café. Et sans tirer une femme. Donner dans le cul d'une tafiole ou se faire une pogne, ce n'est pas pareil. Enfin, je suis aigri, quoi. Le mieux, c'est de rester seul. Parce que si on me frôle, je risque de réagir fort. Et dans ma situation pas question de me retrouver dans la moindre embrouille.

Il fait presque nuit. C'est le dernier jour d'août. Une chaleur et une humidité accablantes. Et puis soudain le temps se met à changer. Le ciel se couvre de gros nuages lourds et noirs. Une bourrasque du nord inattendue, légèrement parfumée, rafraîchit l'atmosphère. Une étrange lumière argentée envahit la surface de la mer et les façades. Depuis que je suis né ici même, il y a quarante ans, je n'ai encore jamais vu ça : en haut, tout est sombre, brutal, comme du plomb ; en bas, c'est lumineux, délicat et irisé. Un bel hommage à Oggún. Et là, je suis pris d'un frisson. Il me réclame du rhum et du tabac. Je peux les lui offrir, enfin. Il faut que je me trouve quelque part un verre de gnôle et un bon cigare à partager avec lui dans ma chambre. J'espère qu'Isabel n'a pas touché le chaudron et les fers d'Oggún, là-haut, parce que autrement je la tue.

Brusquement, il se met à pleuvoir. Avec beaucoup de vent. Un déluge. En une seconde, je suis trempé. Ça me soulage, alors je reste assis à ma place, face à une mer d'huile. La lueur argentée disparaît peu à peu. L'averse forcit encore. Les yeux fermés, je ne sens plus que l'eau dégouliner sur moi. Et la liberté. C'est seulement là que je m'en rends compte : je suis libre, à nouveau, et je peux faire ce que je veux. Bouger, partir en courant. Dire une galanterie à une femme, la suivre, tomber amoureux, coucher avec elle ce soir même.

Libre, heureux. La joie m'envahit. Il continue a pleuvoir à verse. La pluie et l'obscurité prennent possession de tout.

Ça se calme d'un coup. La nuit est venue. Je retourne à l'immeuble, je monte les huit étages, jusqu'aux combles. Ma piaule est dégagée. Isabel me rend ma clé en tentant une nouvelle fois de renouer la conversation. Elle a peur de moi :

— Pourquoi tu t'es laissé mouiller comme ça ?

— Qu'est-ce que ça peut te fiche !

— Laisse-moi aller te chercher une serviette.

— Non. Dégage.

— Bon...

J'entre chez moi. C'est vide, à part le même vieux matelas éventré que j'avais laissé dans le galetas. Et puis, dans un coin, la caisse en bois où sont rangés les fers d'Oggún. Je vais devant, je tape trois fois sur le couvercle, je le salue et je lui demande pardon de ne pas partir en quête de rhum et de tabac. Je lui dis d'attendre jusqu'au lendemain. J'éteins l'ampoule, je me jette sur le lit et je ferme les yeux. Des coups à la porte. Encore Isabel, qui m'appelle. J'ouvre. Elle me tend un verre de gnôle et un cigare. Elle n'ose pas dépasser le seuil.

— C'est quoi ?

— Je n'ai pas oublié tes habitudes, moi.

J'essaie de refuser mais elle est déjà repartie. Comment elle a pu savoir, cette salope ? Je tâtonne dans l'obscurité pour rallumer la lumière. Je retourne à la caisse d'Oggún. Les fers sont couverts de poussière et de toiles d'araignées. Je les arrose d'une gorgée d'eau-de-vie et je les salue. Il faut rétablir la confiance. Isabel est de nouveau là, à la porte :

— Tu as des allumettes ?

— Non.

— Tiens, prends.

Elle me les jette. Cette fois, elle reste. Elle adore jouer la bonne femme du foyer, cette garce.

J'allume le cigare. Je souffle un peu de fumée sur les fers. Le reste est pour moi. Debout, Isabel m'observe :

— J'aime te voir comme ça. En train de boire du rhum et de fumer.

Je la regarde sans répondre.

— Ce garçon, là, il s'en est allé. C'était pas sérieux du tout.

— Ta vie ne m'intéresse pas. Pas la peine de raconter encore des histoires.

— Je t'ai gardé une assiette de quelque chose. Pour après.

— Tu as encore de la gnôle ?

Elle retourne chez elle, revient avec une demi-bou-teille et me sert.

— Tu as du miel d'abeille ?

— Pour les fers ?

— Oui. Il en réclame depuis que je suis entré ici.

— Non, j'en ai pas. Mais demain matin je vais t'en chercher à la première heure.

Je replonge dans le silence, savourant le plaisir d'être chez moi, avec le chaudron d'Oggún, à boire et à fumer, avec une belle femelle à côté de moi qui meurt d'envie que je lui donne un coup de rouleau cette nuit. Il se met à tonner. Je vais à la porte. Ma piaule et celle d'Isabel sont les seules de l'étage à donner sur la mer. Le reste n'est qu'un labyrinthe de planches pourries et de bouts de briques, où les gens suffoquent de chaleur dans la merde et la misère.

Il y a un orage électrique au loin sur l'océan. Des éclairs zèbrent le ciel par là-bas. Le déluge s'est trans-formé en une bruine épaisse. Pas de vent. Les gouttes tambourinent sur les plaques en fibrociment de mon toit, doucement, régulièrement. Une musique que rien ne peut perturber. J'ai l'impression que mon âme est en train de revenir dans mon corps après l'avoir abandonné pendant des années. Je la sens envahir le moindre recoin de chair, la moindre veine.

Isabel s'est assise sur le lit. Elle m'attend. Rien qu'en la regardant, j'ai une érection immédiate. Elle me plaît toujours, cette mulâtresse. Après tout, quelle fidélité je peux exiger, moi, le plus infidèle d'entre les vivants ?

Je ferme la porte. On se déshabille sans hâte. Enlacés, étendus l'un contre l'autre, on s'embrasse. Les battements de mon cœur s'accélèrent. Il me vient presque une larme mais je la refoule. Je ne peux pas pleurer devant cette garce. Je la pénètre très lentement, tout en la caressant. Elle est déjà mouillée, délicieuse. C'est comme entrer au paradis. Mais ça non plus, je ne le lui dis pas. Mieux vaut l'aimer à ma manière : en silence, sans qu'elle sache.

Avec vue sur les ruines

Berta a soixante-seize ans. Elle vit seule, au huitième et avant-dernier étage d'un immeuble de la calle San Lázaro, au centre de La Havane. Elle sort sur le balcon et plonge aussitôt dans la dépression. On dirait qu'un bombardement vient de se produire. Trop de ruines. La cité détruite murmure et bruit. Elle referme les persiennes et ne les ouvre plus.

Chaque jour, elle se réfugie un peu plus dans les souvenirs qu'elle garde dans son armoire et dans les tiroirs de sa commode : robes, gants, chapeaux à fleurs, carnets de bal, flacons vides de parfums français, déshabillés en dentelle hollandaise, talons hauts, coffrets remplis de colliers de perles, de bracelets, de boucles d'oreilles, de pendentifs. Tout a pris une odeur de cèdre et de naphtaline. Des trésors fanés, jaunis, fragiles, qui n'ont plus servi depuis trente ou quarante ans. Elle en avait soixante-trois quand son mari est mort. Lui, quatre-vingt-quatorze. C'était un médecin réputé dans toute La Havane. Elle ne l'a jamais aimé, n'a jamais éprouvé d'attirance physique envers lui. Lorsqu'ils s'étaient rencontrés, elle était une adorable adolescente et lui un veuf bien assis dans la vie, paternel, élégant, qui approchait déjà la cinquantaine. Il lui avait promis monts et merveilles, elle avait été éblouie par son brio et ils s'étaient mariés au bout de cinq jours.

Puis ce n'avait été qu'une succession de cadeaux, de fêtes, de voyages : Mexico, Puerto Rico, Miami, Caracas, New York... Mais tout avait changé, peu à peu. Le quartier n'était plus lui-même. Il avait été envahi par la plèbe venue des provinces, par des Noirs incultes, des gens mal habillés, mal tenus, mal élevés. Les immeubles avaient souffert du manque d'entretien et s'étaient transformés en taudis où des milliers de personnes grouillaient comme des cafards. Des êtres vulgaires, sales, sans emploi fixe, qui buvaient du rhum à toute heure, fumaient de la marie-jeanne, tapaient sur des tambours et se reproduisaient tels les lapins. Qui vivaient au jour le jour et se moquaient de tout. Qu'y a-t-il de si drôle ? Tout, pour eux. Aucun ne s'attriste, ou n'a des pensées suicidaires, ou ne prend peur en pensant que ces ruines peuvent finir par s'écrouler pour de bon et les enterrer vivants. Non. Au contraire. Au milieu de la débâcle et des décombres, ils rient, ils survivent, ils essaient de s'en tirer au mieux en aiguisant leurs sens et en développant leur odorat, à l'instar des animaux les plus faibles qui apprennent à focaliser leur énergie et à gagner en habileté parce qu'ils savent qu'ils ne seront jamais forts, prédateurs, victorieux. Puisqu'ils sont nés dans les ruines, déjà, il leur suffit de s'accrocher, d'éviter seulement qu'on les force à jeter l'éponge et à se reconnaître vaincus. Tout est possible, tout est admis, sinon la défaite.

Berta vit solitaire depuis des années. Elle n'a pas eu d'enfants. Elle a seulement connu l'amour respectueux d'un homme qu'elle a toujours considéré comme un père. Un monsieur plein de tact et d'attention avec lequel elle ne faisait l'amour que rarement, en quelques minutes, les yeux fermés. Une épreuve, presque, dont elle attendait la fin, soulagée quand il cessait enfin de peser sur elle. Et pourtant elle avait été une femme sensuelle et romantique qui aimait relire *La Dame aux camélias*, *Anna Karénine* et *Les Hauts du Hurlevent*.

Depuis longtemps ses yeux ne lui permettent plus de lire, ni de tricoter, ni de broder. Alors, le soir, il ne lui reste plus qu'à s'asseoir et à regarder les photos dans de vieux numéros de *La Familia*, une revue dont elle a conservé presque toute la collection. Elle contemple les pages de travaux d'aiguilles, d'ouvrages au crochet, de chaussettes en laine. Et puis il y a les clichés de sa noce, de ses voyages, qu'elle reprend lentement, un par un. Elle vit dans le silence et le souvenir. Et un grand dénuement. Sa pension de veuve ne suffit pas, et puis les rares aliments qu'elle peut acheter ne sont pas assez nourrissants. Souvent, elle se dit : « Ce sont des temps pour des gens jeunes et solides. Trop rudes pour nous, les vieux. Nous ne pouvons plus continuer ici, nous. » Mais elle se borne à ce constat. Elle n'a jamais été habituée à analyser, à élaborer. Elle n'en avait pas besoin.

Et ainsi Berta s'est enfermée peu à peu dans son appartement. Elle a peur de descendre dans la rue. Quand elle s'y force, elle s'épuise à remonter les escaliers, après. L'ascenseur est en panne depuis des lustres. Tout juste se traîne-t-elle à la banque une fois par mois pour percevoir sa retraite. Un garçon lui livre quelques provisions toutes les trois ou quatre semaines. C'est tout. Elle prie très souvent la Vierge de la Miséricorde. Elle s'est accoutumée au silence, à la faim. Elle reste là, de plus en plus maigre et pauvre, dans ces pièces toujours plus sales parce qu'elle n'a pas de dollars pour acheter du savon et du détergent, ni la force de faire le ménage. Et elle n'y prend plus garde, d'ailleurs. Propre ou pas, peu importe. Elle ne se brosse plus les cheveux parce que chaque fois elle en perdait des touffes entières et qu'elle redoute de se retrouver chauve. Ses dents sont encore bonnes, par contre. Il ne lui manque que trois molaires. Et elle n'est jamais malade. Au milieu de la décadence générale de la ville, elle est épargnée par les coupures d'électricité : pour une quelconque raison technique, ils n'arrivent pas à interrompre le courant, afin d'économiser l'énergie, dans son quartier. Et c'est une bénédiction car Berta ne supporte pas l'obscurité. Elle dort avec toutes les lumières allumées.

Plus bas, au septième, il y a de nouveaux voisins. Ceux d'avant sont partis à Miami. L'appartement est resté sous scellés quelques mois et puis une autre famille l'a occupé, finalement. Ils sont très nombreux. Ils se disputent, parlent fort, crient, s'injurient, s'appellent dans la cage d'escalier, mettent la musique bien fort, passent la nuit en beuveries et en chahut. Impossible de les ignorer. Et maintenant ils abattent les murs à coups de masse pour reconstruire des cloisons. Ils sont en train de le diviser en chambres plus petites parce déjà ils ne tiennent plus tous là-dedans : il a beau être très grand, cet appartement, ils sont de plus en plus à l'étroit. Chaque année, neuf ou dix enfants naissent chez eux.

Au début, Berta les a évités. Elle les craignait. Ils lui faisaient penser à une troupe de gitans qui mettent tout en révolution sur leur passage. Mais les mois passant, la grand-mère de la famille a établi le contact avec elle. Elle salue Berta, lui parle un peu, va lui acheter du pain. Un jour, elle lui fait sa lessive, un autre elle lui apporte une assiette de riz au lait. Ou bien une des filles nettoie chez elle, ou bien la vieille lui offre un savon. Berta regarde tout cela sans comprendre, jusqu'à en arriver à penser : « Ce sont de braves gens. » Peu à peu, elle oublie sa méfiance et sa crainte qui appartiennent au temps où elle vivait absolument seule. Parce qu'elle a toujours de la compagnie, maintenant. Tantôt l'une, tantôt l'autre vient lui faire un shampooing, ou les ongles, lui prépare un bain tiède, lui donne un peu d'eau de Cologne. Et ils se sont tempérés, même chez eux. Il n'y a plus tous ces cris, tout ce scandale, toute cette musique beuglante. Ils font en sorte de ne pas la déranger. Et Berta n'est plus aussi affamée et négligée. Plus encore, elle a repris l'habitude d'avoir quelqu'un avec qui parler. Et elle se risque à nouveau à ouvrir les persiennes de son balcon. Les ruines sont toujours là, d'accord, mais les jeunes ne les voient pas. Ils ne s'intéressent qu'aux gens : un bel homme qui passe dans la rue, une cavaleuse encore en tenue de soirée qui rentre chez elle à dix heures du matin, une belle voiture toute neuve, un couple de mariés qui se pavane dans une Chevrolet 1957 décapotable couverte de ballons multicolores, les vieux ivrognes au carrefour... Elle baigne dans la joie simple de ces jeunes. Et ses journées sont bien moins moroses.

Un matin, Omar arrive chez elle. Il fait partie de la tribu d'en bas : frère d'Untel, cousin d'Unetelle, et neveu de la vieille. D'où il sort, celui-là ? Il vivait déjà au septième ? Oui, mais il était parti dans une autre ville et il est de retour, maintenant. Il donne quelques explications confuses. Berta ne comprend pas trop. La vieille confirme : c'est un neveu, en effet. Il a vingt-trois ans. Joli garçon, couleur café, avec de magnifiques cheveux peignés en arrière. Mince mais large d'épaules. Et il sait parler. Un vrai séducteur.

— Tu étais belle, dans ton jeune temps. Ça se voit.

— Oh oui, j'étais ravissante. Il en reste quelque chose ?

— Bien sûr ! Tu as la peau fine et saine.

Elle lui sort des photos de son enfance, de sa jeunesse, de son mariage. Elle veut qu'il la voie toute belle. C'est un gentil jeune homme, qui tranche avec la vulgarité générale. Et il s'y entend pour la flatter :

— Si j'avais été là, à cette époque, je me serais marié avec toi. J'aime les femmes élégantes et distinguées, moi.

— Tu ne m'aurais pas remarquée. Tu aurais été un dandy.

— C'est quoi, ça ?

— Un snob, un coureur de jupons.

— Eh bien, on aurait eu une aventure inoubliable, en tout cas.

Berta ne sait que répondre. Elle est flattée, oui. Après toutes ces années de silence et de solitude, les compliments de ce prince charmant l'émeuvent.

— Enfin, tu pourrais être mon petit-fils...

— Je pourrais mais je ne le suis pas, Berta. Et donc pas besoin d'y penser. Il faut penser à de belles choses.

Omar ne travaille pas, n'étudie pas. Il ne fait rien. Ses seuls biens se résument à un short usé, à une vieille chemisette et à des sandales en caoutchouc rafistolées. C'est la misère personnifiée. Il rêve de partir aux Etats-Unis et de faire sa vie dans l'une de ces villes où il neige et où l'on peut bien s'habiller. Il aimerait être camionneur ou chauffeur de bus, se marier à une blonde aux yeux bleus de là-bas, se trimbaler dans son camion ultramoderne et avoir trois ou quatre gosses bien blancs. Il y a toujours le risque qu'ils ressemblent aux grands-parents, certes, et dans ce cas ils seront plus noirs que lui. Il est très raciste, Omar. C'est un métis. Il a le cheveu crépu, une grande bouche et la peau assez sombre, mais il n'est tout de même pas un vrai nègre. C'est un mélange, comme tous les autres chez lui. Depuis qu'il est tout petit, on l'a surnommé « le Maure » à cause de ses airs d'Arabe. Il a conscience de sa beauté, mais il aurait voulu être blanc, avoir de l'éducation et de l'argent, de beaux habits, une auto, une maison confortable. Pareil que tout le monde : il soupire après ce qu'il n'a pas. Et quand il est entré chez Berta, qu'il a vu tous ces meubles anciens, ces tapis, ces bibelots de bronze ou de porcelaine, ces rideaux, il a aussitôt pensé : « Ça, c'est pour moi. »

Omar est un un séducteur-né. C'est sa vocation, son unique savoir, son gagne-pain. Il aime se faire entretenir par des femmes. Ou des hommes, c'est égal. Il les recherche déjà mûrs, que ce soit d'un sexe ou de l'autre, parce qu'ils sont en même temps amants et mères ou pères. Comme ça, le fric n'est plus un souci.

Il passe des heures à bavarder avec Berta. A écouter ses souvenirs, à regarder avec elle ses vieilles photos. Pendant que la vieille du septième et ses filles s'occupent du ménage, de la lessive et des repas, Omar et Berta deviennent inséparables. Ils se tiennent compagnie, ils sont à l'aise ensemble.

Un soir, Omar frappe à la porte. Il a bu. Dans une main, il tient une assiette pleine. Dans l'autre, un grand verre de rhum.

— Tiens, Berta, c'est ma tante qui t'envoie ça.

— Ah, des spaghettis, quel bonheur !

— Attends, ne mange pas tout de suite. Bois un coup, d'abord.

— Oh non, mon garçon. Voilà des années que je n'ai pas pris une goutte d'alcool.

— Rien qu'un peu. Pour goûter.

— Moi, c'était toujours des cocktails... Enfin, voyons.

Elle trempe à peine les lèvres. Elle est nerveuse. Depuis un temps, elle n'a qu'un seul désir : être avec Omar. Dès qu'elle le voit, son cœur s'emballe. Et l'anxiété l'envahit quand les heures passent sans qu'il n'apparaisse.

Omar allume la radio. Il cherche une station avec de la musique douce puis s'approche par-derrière de Berta, assise dans un fauteuil. Il pose les deux mains sur ses épaules. Elle frissonne, en perd la respiration. Délicatement, avec une assurance experte, il la masse :

— Détends-toi, Berta, détends-toi. Mets-toi bien à l'aise.

Elle avait totalement oublié le contact d'un être humain. Elle ne se rappelle plus la dernière fois qu'on l'a touchée. Son mari avait arrêté déjà dix ou douze ans avant sa mort, plus peut-être. Et elle n'a jamais connu d'autre homme. Elle se force à bredouiller quelques mots :

— Je suis... très nerveuse, Omar. Pourquoi me fais-tu cela ?

— Parce que tu me plais.

— Je suis une vieille femme.

— Non, tu n'es pas vieille. Et tu me plais.

— Dieu te punira de dire des mensonges pareils.

— C'est pas des mensonges. Tu me plais.

Très lentement, il écarte sa robe, découvrant les épaules qu'il continue à masser et sur lesquelles il risque quelques baisers. Il lui retire le soutien-gorge, caresse ses seins, tombants et flétris, mais où s'érigent encore de gros tétons roses, très sensuels.

— Mmm ! C'est une folie, ces tétons-là.

364

— Aaah, s'il te plaît, Omar.. J'ai honte. Laisse-moi me rhabiller.

— Bois un coup.

D'autorité, il pose ses lèvres sur celles de Berta et fait couler un filet de rhum dans sa bouche. Il lui mord le bout des seins, les suce. Il l'excite méthodiquement, la savoure comme s'il s'agissait d'une jeune au corps souple et ferme, non d'une retraitée toute flasque et ridée.

Il descend un peu son short, qu'il porte sans slip, et lui montre son buisson noir, très fourni. Elle est de plus en plus tendue, mais elle ne peut s'empêcher de regarder, hypnotisée, le gros membre sombre. Une merveille. Son mari avait à peine la moitié de cet engin. Et il était pâle, mou, n'atteignait jamais une telle raideur.

Omar sait qu'il la tient à sa merci. Il la fait se lever de son siège, l'embrasse et en profite pour lui passer encore un peu de rhum. Tout en l'entraînant vers la chambre, il finit de lui enlever sa robe. Et là, il est stupéfait. Cette vieille a une vulve toute rose, aux lèvres grenat entourées de poils blancs. Le mont de Vénus est entièrement blanchi mais il reste abondant, généreux et, dessous, le vagin paraît inviolé, virginal. Ce qu'il s'imaginait être un sacrifice devient une mission pleine d'attrait. Emoustillé, il lèche ce sexe inattendu, le suce, le pénètre avec précaution. Elle est étroite, bien mouillée, avec une odeur très appétissante. Il se fait plaisir et en donne à Berta qui, en silence, jouit comme elle n'avait jamais imaginé que cela soit possible. Il a recours à toutes les ruses qu'il connaît pour se retenir jusqu'à éjaculer finalement une heure et demie plus tard. En guise de cadeau supplémentaire à cette étonnante vieille, il décharge sur ses seins, inonde ses tétons et les suce après.

Bizarrement, Berta survit à l'expérience. Elle se sent heureuse, comblée. Fatiguée, bien sûr. Et Omar aussi, pas mécontent du tout de sa prestation. La semaine suivante, ils recommencent cette petite fête tous les soirs. Berta découvre au fur et à mesure des choses dont elle ne soupçonnait même pas l'existence. Chaque fois, elle jouit encore plus. Une nuit, après avoir fait l'amour avec la délectation maintenant coutumière, elle lui dit :

— Pourquoi tu ne viendrais pas t'installer ici ?

— Ça serait bien. Mais non.

— Pourquoi pas ?

– Je suis un homme, Berta. Vivre aux crochets d'une femme, ça n'est pas pour moi.

— Mais...

— Non, non. Je te remercie mais je vais rester en bas, chez la tata, à dormir par terre.

— Comment ? Tu dors par terre ?

— Oui. J'étends une natte et je me mets dessus. T'inquiète pas, j'ai l'habitude.

Berta se tait un instant. Enfin, elle se décide :

— Ecoute, Omar. Il ne me reste plus beaucoup d'années à vivre. Ainsi le veut la nature, et...

— Parle pas de ça, oh !

— Nous pouvons aller devant notaire dès demain. Je fais un testament en ta faveur. Tout ce que j'ai. Cette maison, ces meubles, tout.

Omar garde le silence.

— Mais reste ici cette nuit, Omar. Reste tout le temps.

— D'accord, Berta. Tu es tout mon bonheur dans ce monde. Je viens vivre avec toi.

Le lendemain, il l'emmène chez un notaire. Les formalités accomplies, il la reconduit à l'appartement. Et disparaît deux jours. C'est qu'il a une autre femme, une belle métisse de quarante-huit ans qui l'entretient. Il a étoffé sa garde-robe, entre-temps, il a même des chaussures et la métisse lui a promis une chaîne en or.

Berta est dans tous ses états. Elle vient de passer une semaine avec le plaisir de sa présence quotidienne, à faire l'amour deux fois, certains soirs. A trois heures du matin, n'y tenant plus, elle va frapper à la porte de la tante d'Omar. La vieille lui donne un calmant, la rassure et reste auprès d'elle jusqu'à ce qu'elle s'endorme.

Le lendemain est encore pire. Pas de trace d'Omar. La nuit déjà tombée, l'électricité est coupée plusieurs heures durant. Quelque chose d'incroyable, dans ce quartier. Il y a eu une panne dans les relais. Terrorisée, Berta appelle la tante, qui monte en courant pour la trouver toute tremblante de peur dans le noir, sans lampe à pétrole ni torche. Une cousine d'Omar apporte un bout de chandelle qu'elle avait allumé sur l'autel des saints, mais cette faible flamme ne suffit pas à rassurer Berta.

— Je ne peux pas supporter l'obscurité, depuis toujours ! Et Omar, où est-il ? S'il était là, au moins...

— On est parti le chercher. Il arrive de suite.

— Où est-il ?

— Je l'ai envoyé me faire une course. Il va revenir. Ne vous inquiétez pas.

— Certainement qu'il en a une autre. Une jeune.

— Non, Berta ! Vous mettez pas des idées pareilles !

— Si, si. Il a une autre femme, c'est sûr. Et moi ici, toute seule...

— Non ! Il vous aime beaucoup beaucoup.

— Non, non. Ah, je vais m'habiller. Préviens le chauffeur, je veux aller danser. Où est-ce qu'il y a un bal, cette nuit ?

— De quoi ?

— Apporte-moi ma robe en taffetas. La rose fuchsia. Je ne vais certainement pas rester ici, dans le noir, pendant qu'il est avec une autre.

— Berta ? Qu'est-ce qui vous arrive, Berta ?

— Il ne m'arrive rien du tout ! Mettez de la musique ! Faites-moi couler un bain avec des sels. Et après je veux me parfumer au Chanel. Il faut que j'embaume quand Omar va arriver.

— Oui, oui...

— Mais active-toi, alors ! Et sors-moi cette robe que je te dis. S'il tarde trop, je pars toute seule en voiture, moi.

Elle se lève de son fauteuil. Prise de vertige, elle

s'écroule au sol. Evanouie, mais encore vivante. La respiration désordonnée.

Elle est morte à quatre heures du matin, sur un lit d'hôpital, sans avoir repris connaissance. Le médecin a demandé si elle avait subi une émotion particulièrement forte. La tante d'Omar était restée seule à côté du cadavre : elle avait préféré renvoyer les jeunes, qui parlent toujours trop. D'une voix chagrinée, elle a répondu tout bas :

— Mais comment, docteur ! Nous autres, on s'occupait tellement d'elle ! Moi, je l'aimais comme si c'était ma maman.

— Elle est morte d'une congestion cérébrale, c'est pour ça que je pose la question.

— Non, docteur. Elle vivait tout doux, tout tranquille. Avec nous autres, elle ne manquait de rien.

— Vous voulez qu'on lui fasse une autopsie ? Comme ça, on pourrait définir plus précisément la cause du décès.

— Oui, docteur. Je vous en remercie. Vous savez comme ils sont mauvaise langue, les gens. Ils seraient capables de penser que c'est nous qui l'avons empoisonnée.

My dear Drum Master

J'avais un piège à oiseaux sur le toit. Tout simplement deux cages avec un appeau mâle pour attirer les imprudentes. Sur les terrasses, tout autour, il y a beaucoup d'élevages de pigeons voyageurs.

Elever, ce n'est pas mon truc. Moi, c'est bien moins compliqué : chaque jour, je me coince un ou deux oiseaux que je cède vingt pesos à un type qui prétend les revendre pour les cérémonies de santería. Je ne sais pas si c'est vrai. Qu'il les fasse cuire et les refile en disant que c'est du poulet, ça m'est égal. Mon problème, c'est de survivre. Or il n'y a pas de travail, et encore moins quand on a une peine de prison derrière soi.

Je passe mes journées à m'occuper de ça. A surveiller les pièges et à obliger l'appeau à voler un peu. C'est un mâle costaud mais comme il est déjà épuisé et à moitié idiot, il ne veut plus faire d'efforts. Ou bien c'est qu'il ne comprend pas son manque de chance et qu'il en a marre : chercher une femelle qui lui plaît, la ramener à la cage pour lui faire la cour et là elle disparaît d'un coup, et il reste tout couillon... Les premières fois, il devenait inquiet, s'agitait avec l'énergie du désespoir. On aurait cru qu'il tournait bredin. Maintenant, c'est fini : il sombre dans la tristesse. Mais moi je ne lui laisse pas le temps de s'abandonner à la dépression nerveuse. Je l'oblige à reprendre le vol, à se trouver une pigeonne et à la conduire ici. Un appeau, on ne peut pas l'autoriser à prendre goût à sa conquête : après à peine deux heures, il est fou amoureux et il est capable de partir derrière la femelle en oubliant tout le reste. C'est comme ça, l'amour. Et voilà pourquoi il n'en faut pas.

Un matin que j'étais à secouer mon pigeon, Isabel est apparue sur la terrasse en compagnie de deux Européens blancs comme du papier mâché, blonds aux yeux bleus. Autant la femme était corpulente et rayonnait de santé, autant l'homme ressemblait à un cadavre. Il m'a fait mauvaise impression. Ils regardaient partout en souriant. Visiblement, ils n'en revenaient pas de se retrouver sur ce toit, face à la mer.

— Je te présente des amis, Pedro Juan. On s'est connus sur le Malecón.

— Quand ? Maintenant ?

— Oui. Il y a un petit moment.

La femme parlait quelques mots d'espagnol. L'homme rien du tout. Elle me dit :

— Bonjour.

— Bonjour. *How are you ?*

— *Do you speak english ?*

— *Very bad. Do you speak spanish ?*

— Un petit peu seulement.

— *A lot of english and a lot of spanish is so much.*

— Ah, ah, ah ! Elle est bonne, ce compte !

— *Yeah. Do you need room or anything ?*

— Non... Bien... Peut-être. Maybe.

— Ha ! ha ! *He is your husband, your partner ?*

— *He's my friend.* Ami, ami. Lui, c'est musicien, moi anthropologue.

On a continué à estropier les deux langues comme ça un moment. Le regard du type passait de la femme à moi, alternativement. Finalement, Isabel nous a interrompus :

— En bas, ils m'ont raconté qu'il voulait apprendre à jouer la tumbadora, lui. Je leur ai dit que tu étais professeur de musique.

— Hein ? Moi ?

— Oui, toi. Ils veulent payer les cours alors tu es prof de tumbadora, con !

— Je suis... ? Bon, oui, évidemment, je peux montrer deux ou trois trucs... Oui, oui, bien sûr !

— T'es un brin lent à la détente, papi.

— Bon pied sauve mauvais coup, y a pas à dire, con.

— De quoi vous parler ? se risque Angela. Si vous parlez vite moi je ne comprends pas. Doucement, s'il vous plaît.

— On disait que oui. Que c'est possible d'apprendre la tumbadora. Le tambour cubain *Cuban drum*.

— Ah, oui ! Lui veut beaucoup. Vous êtes un professeur ?

— Oui. J'en suis un. Et toi aussi, tu as envie d'apprendre ?

— Non. Moi pas folklore.

— Aaah... *And... What about you ?*

— Ton nom comment est-ce ?

— Moi c'est Pedro Juan, elle Isabel.

— Nous : Angela *and* Peter.

— Tiens, il est gogo à moi.

— Euh, pardon ?

— On a le même prénom. Lui et moi.

— Je ne comprends pas.

— *Pedro is similar to Peter. Are the same names.*

— Aaaah.

— Bon. Ça va. Peu importe. Donc, il veut apprendre la tumbadora et moi je lui enseigne. On se met d'accord sur les prix ensuite. Et toi, alors ? Seulement le tourisme ?

— Non, non. Moi, je resterai une année. Pour des études. Lui seulement quinze jours. Il ne lui reste pas beaucoup de temps.

— Des études ? Tu étudies quoi ?

Elle fouille dans son sac à dos, en ressort une revue cubaine vieille de deux ans, la feuillette pour nous montrer un article intitulé *L'amour en noir et blanc*. A propos du racisme dans les relations sentimentales à Cuba. Une enquête où ne sont interviewés que des couples formés par un Noir et une Blanche, ou vice versa. Ils se plaignent tous des réactions négatives de leurs familles respectives, et de leurs amis.

— Et alors, c'est quoi, ça, Angela ?

— Le racisme. Je travaillerai un an sur ce sujet. Ensuite, j'écrirai ma thèse. Tu sais ce que c'est, une thèse ?

— Oui. Tu vises quoi, le doctorat ?

— Ah ! *You know*, alors ! Oui, oui. Je ferai mon doctorat ici, à Cuba, mais l'examen sera en Europe.

Et elle se met aussitôt à nous harceler de questions, Isabel et moi. Isabel est une sang-mêlé. Moi, je suis totalement blanc, en apparence.

Pendant ce temps, Peter attrape la tumbadora qui était dans un coin et se met à taper dessus comme un damné. Sans aucun respect. On dirait qu'il lui administre une correction. C'est un vrai crime contre ce pauvre tambour, qui ne peut même pas se défendre. J'essaie de lui apprendre un peu comment l'aborder mais rien à faire : il m'écoute attentivement, ne me quitte pas des yeux, et après il recommence son ramdam. Angela nous explique que c'est un génie, question musique. Qu'il joue à la perfection du piano, du violon, du saxophone, de la guitare, du hautbois et des instruments folkloriques de son pays. Peut-être, mais ici il n'a pas l'air si génial.

Le deuxième jour, je me dis que c'est sans espoir. Je lui fais payer le cours, je lui montre un nouvel enchaînement et je dégage. Je le laisse martyriser les peaux. Ça m'épargne au moins la torture d'entendre ce massacre sans aucun rythme.

Ce type s'alimente exclusivement de légumes, d'infusions d'herbes. Il prend des notes dans un gros carnet et contemple la mer. Il ne fume pas, ne boit pas. Le café, pas question. Pendant tout ce temps, on n'a pas pu échanger deux mots. On se contente de se regarder et de se faire des sourires. Parfois, il sort son appareil et prend des photos.

Après quelques jours de cohabitation avec nous, je remarque qu'Angela est devenue silencieuse, maussade.

— Tu en as fini avec les questions, au bout du compte.

— Comment ? Parle plus lentement, s'il te plaît.

— Je veux dire : tu n'as plus de questions pour Isabel et pour moi ?

— Ah. Non. Pas plus, non.

— Et qu'est-ce que tu vas faire ?

— Je réfléchis.

— Tu es une fille très théorique.

— La théorie est indispensable.

— Oui, mais la pratique est plus jouissive.

— *I beg your pardon ?*

— Cherche-toi un Noir qui te plaise et va vivre avec.

Soudain, ce visage moitié renfrogné, moitié mélancolique s'illumine d'un grand sourire.

— Oh oui ! Ceci est possible ?

— Evidemment !

— Que dois-je faire ?

— Rien. Tu te cherches un nègre qui te plaise, tu te mets avec lui et après tu écris.

— Oui... De la recherche appliquée ! Oui, oui !

— Mais tu ne t'en vas pas sans m'avoir payé ton séjour.

— Oui. Je paie ma part et demain je me dirige vers autre part.

— Quoi, si vite ? T'as déjà un négro sous la main ? Hé, t'es une bonne baiseuse, toi !

— Je ne comprends pas. Moins vite, s'il te plaît.

— Je dis que tu as raison. Etudie, étudie bien les Noirs.

Le lendemain, Angela fait son sac, s'acquitte de sa note et s'en va. On n'avait jamais eu autant de thune d'un coup. Je libère l'appeau. Qu'il s'en aille, qu'il parte kiffer la vie avec une jolie pigeonne. Mais non. Il a perdu le goût de vivre. Il reste là, sur la terrasse, solitaire, déprimé. Et il finit par mourir, parce que j'ai oublié son existence et que je ne pense jamais à lui donner à manger et à boire. Rien. Il est devenu idiot, et telle est la fin des imbéciles.

Peter continue à cogner sur la tumbadora, à boire des infusions, à puiser son inspiration dans le spectacle de l'océan et à lire dans un tout petit livre. *John Cage*, c'est le titre. Nous, on trouve qu'il a mauvaise mine, mais impossible de le questionner sur sa santé : on ne communique que par des sourires. Ou bien je lui montre un rythme sur le tambour et lui, tout sérieux, il le reprend et le déforme dans un machin à la celte ou à la viking. C'est un barbare, ce mec. Pas moyen de le faire progresser. Il me regarde, quêtant mon approbation, et moi je souris et je lui dis :

— *Oh, good, good !*

Les filles de l'immeuble ont commencé à tourner autour de lui. Elles essaient toutes de l'embobiner, de le séduire. Et lui, sourires, regards sur la mer et rien du tout.

— Il serait pas un peu pédé ? me demande Isabel.

— Il n'en a pas l'air.

— Toi non plus, tu n'en as pas l'air et pourtant ça te plaît, quand on te met un doigt dans le cul.

— Attends que je te botte un peu le tien, pour que tu sentes.

— Mais c'est la vérité vraie !

— Allez, allez. Fais pas ta maligne.

Quand il s'en va, il m'achète la tumbadora pour l'emporter avec lui. Et ensuite, six mois durant, on a reçu des cartes postales de sa ville. Chaque fois, elles commençaient par : « *My dear Drum Master.* » Mon cher professeur de tambour. Puis quelques phrases dans sa langue.

Je les ai encore, ces cartes. Six, en tout. De mois en mois. Et puis un jour, par hasard, je rencontre Angela. Elle était à vélo, en nage. Et très à l'aise en espagnol, maintenant. On se donne l'accolade en pleine rue, tout contents. Je la trouve adoucie, moins flippée. Plus ouverte, rieuse, prenant bien la vie.

— Peter m'a envoyé des cartes, mais ça fait un moment que je n'ai plus de nouvelles.

— Ah, Pedro Juan, je peux te le dire, maintenant. Quand il est venu à Cuba, Peter était déjà très malade. Je pense qu'il est mort, depuis.

— De quoi ?

— Sida.

— Oh ! Mais pourquoi il voulait tant apprendre à jouer du tambour s'il lui restait si peu de temps ?

— Je ne sais pas. On était amis. Il m'a proposé de venir avec lui et je l'ai accompagné, c'est tout. Je ne veux pas en savoir plus.

— Moi non plus. Bon, parlons de trucs plus gais. Et ton nègre, alors ?

— Mon quoi ?

— Tu ne t'es pas mise à la colle avec un Noir ? Pour ta thèse...

— Pas avec un ! Avec des tas !

— Eh bien, tu t'es soignée ! C'est quelque chose, l'anthropologie !

— Oui ! C'est ça ! J'ai été avec trente-deux Noirs. J'ai une fiche et une photo pour chacun d'eux. Un bon exemple de recherche appliquée.

— Et maintenant, tu fais quoi ? Tu n'en ramènes pas un avec toi ? Tu n'es pas tombée amoureuse ?

— Mais non ! C'est seulement pour le travail. Eux, c'est beaucoup l'amour, beaucoup le sexe. Ils sont en feu, avec moi. Mais moi, non. Moi, c'est seulement une recherche.

— Ah, bon ! Je croyais que tu allais craquer, à Cuba. Je pensais que ça te plaisait, les nègres.

— Bien sûr qu'ils me plaisent ! Mais l'amour, certainement pas. Je n'ai pas le temps. C'est beaucoup de problèmes pour moi, avoir un fiancé à Cuba.

— Donc, tu es toujours toute seule.

— Oui, oui. Mais je vais revenir. J'en reverrai certains. On fera l'amour et puis stop.

— D'accord. Tout va bien, alors ?

— Oui, tout va bien.

— Bon, quand tu reviendras, monte nous voir là-haut.

— Bien sûr. Je te rendrai visite.

— Ciao, Angela. Bon voyage.

— Ciao, Pedro Juan. Bonne chance.

On s'est embrassés et puis chacun a poursuivi sa route. L'argent qu'ils nous avaient laissé était parti en fumée depuis longtemps. Et les étrangers qui ont envie d'apprendre à jouer de la tumbadora, ce n'est pas si courant. Bon bizness, mais les élèves sont rares. Résultat : maintenant, je suis en train de vendre une herbe bien forte, très agréable à l'odeur, de qualité, et ça me laisse quelques pesos pour vivre. Même si les cours de musique sont moins risqués et rapportent plus. Sans doute que c'était ma vocation, ça : *Drum Master*.

Le fouet et encore le fouet

L'appartement de Roberto est bien gardé par des grilles aux barreaux épais, des cadenas massifs. On se croirait dans une prison. Avant, personne n'aurait pensé à se protéger aussi grossièrement, mais depuis quelques années les gens qui ont des objets de valeur préfèrent vivre enfermés comme ça.

Roberto possède des centaines de bibelots en porcelaine européenne ou chinoise, en jade, en ivoire coloré, en bronze. Tout est ancien, authentique et d'excellente facture. C'est un connaisseur. Il a réuni sa collection peu à peu, profitant de toutes les occasions d'acheter à bon prix. Surtout aux vieilles dames ruinées. Celles-là, elles résistent aussi longtemps que possible, dans la plus grande dignité, puis elles ne peuvent plus supporter la faim et se mettent à vendre leurs biens. Au rabais. Un collier de perles, ou une broche en or, ou une lampe de chevet, ou une poupée en albâtre, ou une salle à manger en chêne, ou un tapis... Tout y passe, pour quelques pesos. Histoire de tenir encore quelques mois, d'avoir un peu à manger. Roberto les harcèle pendant des années. Il leur téléphone, leur rend visite, leur offre de petits cadeaux, une livre de lait en poudre, un savon, un sachet de thé noir, un pot de sauce tomate, agrémentés chaque fois d'anecdotes, de plaisanteries et de rires.

Il est d'âge indéterminé, Roberto. Au-dessus de soixante. C'est un impudique, un cynique, un pervers. Et une folle, avec ça. Une folle perdue. Certaines de ces vieilles ruinées sont des dévergondées, elles aussi. Plusieurs ont été « dames de compagnie », ainsi qu'elles aiment l'appeler, des plus élégants messieurs de La Havane. Parfois, Roberto les traite d'« hétaïres », ce qui les fait rire et ravive leurs souvenirs de la bonne époque. Il leur apporte des revues pornos, les leur prête quelques jours. Les dames se pâment et s'excitent devant ces photos en couleurs de beaux spécimens en train de forniquer.

Bref, il ne recule devant rien pour parvenir à son objectif, Roberto. De cette manière, il s'est gagné la confiance et l'amitié de dizaines de vieilles décaties solitaires, notamment à El Vedado. Dans la Vieille Ville, en effet, cette espèce a pratiquement disparu, s'éteignant peu à peu. Roberto est par nature habile, joyeux, amateur de potins, insinuant, beau parleur. Il est passionné par les tapis verts, les rideaux en velours rouge, les miroirs encadrés de dorures, les lumières tamisées, les parfums entêtants, la musique des zarzuelas — il est en extase avec *El Pichi* ou *Las Leandras* —, les paillettes, les dentelles, les claquettes, les amples robes de chambre qui froufroutent. Bien à l'abri dans une armoire naphtalinée, il garde ses robes de danseuses espagnoles, ses castagnettes, ses sous-vêtements ajourés même s'il ne les utilise plus depuis longtemps, depuis les fêtes tapageuses qu'il avait coutume de donner chez lui. Il imitait Lola Flores, en ce temps-là. Il connaît tout son répertoire par cœur. On s'amusait beaucoup, puis il s'apercevait ensuite qu'on lui avait volé des cendriers, des verres, des couverts en argent, des potiches, des figurines en bronze, et il poussait les hauts cris. Jusqu'au jour où il s'était dit après l'un de ces vols : « Tous les gens élégants et distingués de cette ville sont partis, maintenant. Il ne reste plus que la plèbe, la vermine, la merde, quoi ! Oui, il ne nous reste que la merde. Alors les fêtes, c'est terminé ! Terminé ! »

Juste à ce moment, une chanson de salsa alors très à la mode passait à la radio :

Nous, c'est ce qu'il y a de mieux
Ce qui se vend comme des petits pains
Ce qui plaît au peuple cubain
Bref, le fin du fin.

« Le fin du fin ? » s'était-il demandé. « Comment ça, le fin du fin ? »

Il avait éteint le poste et depuis il ne s'était plus consacré qu'à son métier de peintre et à sa collection d'antiquités. Il peignait des tableaux aux couleurs criardes, aux traits maladroits. Des Chinoises en kimono sur un pont arqué. Des couples bucoliques sous un coco-tier à la lumière de la lune. Des copies de la *Maja nue*, et beaucoup d'autres croûtes de ce genre. Et il vendait, en plus. A bas prix. En une seule journée, il pouvait accoucher jusqu'à six de ces élucubrations. Il produisait en série : trois toiles devant lui, du bleu pour l'eau sur la première, puis la deuxième, puis la troisième, ensuite le pont, le pont, le pont, ensuite la Chinoise, la Chinoise, la Chinoise, et après remplir le coin droit avec un saule pleureur, un saule pleureur, un saule pleureur, et ainsi de suite... Ou bien, pendant des semaines et des semaines, ce n'étaient que des reines africaines sur des palanquins asiatiques portés par de jeunes et svelte esclaves, noirs mais vêtus en pharaons égyptiens, le cortège traversant une jungle avec des anacondas qui pendaient des branches, des lions tapis derrière les buissons et au loin des éléphants, des girafes. Il avait une clientèle bien à lui : ses acheteurs étaient très satisfaits puisqu'ils n'avaient jamais vu un vrai tableau de leur vie. Et lui, il était tout content, il s'autoproclamait peintre à succès et il était persuadé que l'Association nationale des arts plastiques lui vouait une jalousie mortelle. « Ça fait des années que je demande à y entrer, mais ils m'envient tellement qu'ils ne veulent pas m'accepter. Ils savent que je les éclipse tous. » Il adorait répéter ces vantardises et il était toujours extrêmement satisfait de lui-même.

Et donc Roberto se consacre toujours plus à la peinture et à sa collection de pingre toqué. Pas de sexe, plus de fêtes ni de sorties. Il n'a jamais vécu en couple. Il aime beaucoup les Noirs. Plus qu'un goût, c'est une véritable passion chez lui. Mais il en a peur, maintenant. Depuis l'agression, il est terrorisé.

C'était un samedi soir, il y a deux ou trois ans. Trois nègres immenses et séducteurs se sont présentés à sa porte. Rien que de très normal, puisqu'il avait la réputa-tion de bien payer. Ce qui était bizarre, par contre, c'est qu'ils viennent à trois : en général, les machos n'appré-cient pas d'avoir des témoins quand ils vont faire des bêtises avec un pédé. Par chance, il s'est méfié et il n'a ouvert que la porte, pas la grille. Quand ils ont compris qu'il ne les laisserait pas entrer, ils ont baissé la culotte et lui ont montré leur équipement de guerre. A la vue de ces engins impressionnants, Roberto s'est affolé. On aurait cru un petit faon hypnotisé et paralysé devant une meute de loups aux abois. Il s'est rapproché, il a passé une main entre les barreaux. Il n'avait pas du tout l'in-tention de déverrouiller le cadenas, parce que ces trois-là avaient des têtes d'assassins prêts à tout. Très diffé-rents des gars du quartier qui venaient le voir de temps à autre avec un luxe de précautions parce qu'ils ne vou-laient pas qu'on sache qu'ils enfilaient la vieille tafiole pour cinquante pesos. Non. Des durs, ceux-là. Très grands, très solides, avec des chaînes en or sur le poi-trail, le crâne rasé.

« Ah, quelle folie ! Laisse-moi te la toucher », a dit Roberto à l'un d'eux. Et là, le type lui a saisi le bras. De l'autre main, il l'a attrapé par la nuque et s'est mis à lui cogner furieusement la tête contre les barreaux. « Allez, pédé de merde, sors tes clés ! Où elles sont, makoumé de mes deux ? »

Roberto n'a pas pipé mot. Il s'est évanoui et il s'est effondré par terre. Ce qui lui a sauvé la vie, car à la vue de tout ce sang le trio s'est enfui en courant. Lorsqu'il est revenu à lui plusieurs minutes après, une blessure à son front continuait à saigner en abondance. Ça lui dégoulinait sur le visage.

Il a été obligé d'aller à l'hôpital. Le policier du poste de garde l'a conduit au commissariat pour qu'il porte plainte. Ensuite, ils ont monté toute une histoire chez lui, avec relevé des empreintes digitales et reconstitution des faits. Roberto en a été encore plus effrayé. Il est resté en état de choc, atterré. Il n'aurait jamais pensé que ce genre de choses puisse lui arriver. Il s'est enfermé dans son appartement, redoutant que les délinquants ne reviennent se venger parce qu'il avait alerté les flics. Mort de peur, il passait ses journées à se balancer dans son fauteuil à bascule et à fumer des cigares. Il sombrait dans un mélange de nostalgie, de terreur, de dépression et d'anxiété permanente. Il ne voulait plus bouger de là. Près de lui, il y avait un coffret arabe dans lequel il conservait la photo d'une belle adolescente, avec une dédicace au dos : « Pour Roberto, avec l'amour de sa fiancée Caruca. La Havane, 12 septembre 1932. »

A l'époque, ils avaient seize ans, tous les deux. Roberto était très amoureux. Au bout de trois mois de fiançailles, il n'allait pas plus loin que de petits baisers timides. Elle, elle attendait plus. Qu'il lui tripote un sein, au moins. Elle a fini par décider de prendre l'initiative. Ils étaient au cinéma, en train de voir *Mata-Hari*, avec Greta Garbo. Elle a posé une main entre ses cuisses, sur le pantalon, et l'a fait glisser lentement, tâtant, cherchant. Rien. Roberto tremblait, avait des sueurs froides. Pleine d'espoir, elle a continué à palper. Il n'y avait rien sous ses doigts. Alors elle a résolu d'aller jusqu'au bout. C'était une fille décidée. Elle a dégrafé sa ceinture, déboutonné la braguette, et elle a mis la main dedans. Pas de poils. Et puis elle a découvert un pénis et des testicules timidement blottis dans leur cachette, microscopiques. Un nouveau-né n'aurait pas été moins doté. Après un instant de stupéfaction, elle a recouvré ses esprits : sans un mot, elle s'est levée et elle est partie.

Roberto a éclaté en sanglots incontrôlables. Il se sentait écrasé de chagrin et de honte.

Un type l'a vu seul, en pleurs. Il s'est approché furtivement et s'est assis à côté de lui. Très vite, il a sorti une queue de bonne proportion et il a commencé à se masturber. Quand Roberto a découvert ça, dans la pénombre, avec ses hoquets désespérés et la voix rauque de Garbo pour fond sonore, il a d'abord pris peur. Ses larmes se sont taries et il est resté à sa place, en faisant semblant d'être captivé par le film. L'inconnu lui a pris une main et l'a posée sur sa pine. Roberto a aimé le contact. Il l'a serrée avec force. Il n'avait jamais vu, et encore moins touché, un sexe aussi gros et long. L'expérience lui a beaucoup plu. Il venait de découvrir sa vocation.

Il n'a plus eu aucune nouvelle de Caruca, mais chaque fois qu'il se sent triste et seul il reprend sa photo. Pour lui, elle représente trois mois de pur amour, le seul qu'il ait éprouvé dans sa vie. Il ne peut ni ne veut l'oublier. Il s'accroche à ce cliché et à deux courtes lettres qu'elle lui avait adressées, en ce temps-là. Il n'a rien d'autre.

Les jours passaient et il était de plus en plus déprimé Il se contentait de fumer des cigares et de boire du café. Sans penser. Près d'une semaine plus tard, la voisine est venue frapper chez lui. Il n'a pas répondu.

— Roberto ! Tu es vivant ou mort, là-dedans ? Dis-le-moi, sans ça je préviens la police et ils vont forcer la porte !

Reprenant ses esprits, il s'est levé péniblement et il est allé ouvrir. En le voyant, la voisine a eu un sursaut :

— Par tous les saints, Roberto, comme tu es maigre ! Qu'est-ce qui t'arrive ?

— Rien, rien.

— Tu crains ces voyous ? Ah, ils ne remettront plus les pieds ici, c'est moi qui te le dis. Attends, je vais t'apporter une assiette de soupe.

— Non, non.

— Je viens juste de la faire pour toi. Je ne vais pas te laisser mourir de faim tout seul. Une minute, Roberto.

Elle est revenue avec sa soupe et avec Glenda, une de ses nièces qui venait d'arriver de province. Une fille maigre, mal nourrie, avec un visage à la fois doux et pervers, la peau tachée par un parasite qu'on appelle le *wity*, de longs cheveux sales et emmêlés, les mains abîmées, bref un aspect misérable dans sa robe tout élimée. Et cependant allègre, bavarde, liante. Elle est restée un bon moment, lui tenant compagnie pendant qu'il avalait sa soupe, parlant de la pluie et du beau temps, lui racontant son histoire :

— Je m'ennuyais tellement dans ce village perdu... Jusqu'à ce que je m'enfuie avec un cirque. Quatre ans, j'ai travaillé avec eux.

— Comme quoi ?

— J'ai commencé danseuse de rumba. On était trois filles. « Les Métisses de Feu. » On passait entre deux numéros, à la pause. Tantôt nous, tantôt les clowns.

— Quatre ans à danser la rumba.

— Non. Ça c'était au début. Ensuite, j'ai monté un numéro avec El Zorro. Un vieux fils de pute, celui-là. Bon, je travaillais avec lui. Avec le fouet. « Et maintenant, voici El Zorro et la Femme d'Argent. » C'est comme ça qu'on nous annonçait.

— Ah, super, ça. Tu était toute nue avec de la peinture argentée dessus ?

— Quelle imagination tu as, toi ! Non. J'étais avec un bikini tout petit petit, enveloppée dans une grande cape. Le tout en lamé argent. Au milieu de la piste, je faisais tomber ma cape comme pour le provoquer, El Zorro. Alors il me poursuivait en lançant des coups de fouet et je devais courir, courir. Et puis je lui tendais des attrapes en papier, ou des cigarettes, ou des bouts de carton, et il les bousillait avec sa lanière. Des fois, je me l'attrapais dans la figure, ne crois pas. Il n'est pas si habile que ça !

— Quel bon numéro, con ! Ça me plaît.

— Ça avait du piquant, oui. J'étais plus grassouillette, en ce temps-là. Le bonda et les tétés bien remplis, hé !

— Alors que maintenant tu n'as plus rien sur les os.

— Oui. Il me faudrait un petit vieux riche comme toi, qui s'occupe de moi.

— Ah, ma fille, tu es folle ou quoi ? Moi, c'est les hommes qui me plaisent, autant que toi. Tu ne vois pas qu'on est pareils tous les deux ?

— Non, on n'est pas pareils. Je peux te faire jouir n'importe comment. T'imagines même pas.

— Non, non. Les femmes me dégoûtent.

— Tu vas voir, tu vas voir... Attends-moi une seconde, je reviens.

Glenda est repartie un moment chez sa tante, avant de revenir avec un sac en plastique à la main. Elle en a sorti un fouet et un godemiché en caoutchouc.

— Regarde. C'est les trucs d'El Zorro, ça. Je le fouettais méchant et après il jouissait avec le gode.

— Qu'est-ce qui s'est passé ? Il est mort ?

— Non. Je lui ai volé le matériel et je me suis tirée. Il me fatiguait, ce bougre-là. Tous les soirs, après le spectacle, il me fallait le cogner et lui mettre cette petite pine dans le cul. Un vicieux, c'était. Et insatiable, avec ça.

— Ah, quelle folle tu es !

— Oui. Depuis toujours.

Elle est allée à la porte, l'a fermée à double tour. Elle s'est déshabillée et elle a pris une pose érotique, en se passant la langue sur les lèvres. Le genre catin de bas étage, mais qui lui allait bien. Après avoir dépouillé Roberto de ses vêtements, elle lui a décoché quelques coups de fouet, pas trop fort.

— Ah, mais personne ne m'a jamais fait ça ! Comme c'est bon !

Entre le fouet et le gode, Roberto pleurait de douleur et de plaisir. Le lendemain, Glenda est venue s'installer chez lui. Bientôt, elle a tout commandé. Le vieux était trop fatigué pour résister. Il était sous la coupe de la

Femme au Fouet. Ils ont vécu ensemble de cette manière. Glenda avait tous les amants qu'elle voulait, hommes ou femmes, et elle faisait jouir Roberto comme personne. Elle dirigeait sa vie de même qu'un chef d'orchestre conduit une symphonie. Ils s'entendaient à merveille. Et ils furent heureux.

Le triangle des pythonisses

Dans ma vie, il n'arrive jamais à tenir, ce satané triangle que forment l'amour, la santé et l'argent. L'amour est un mensonge, le fric un oiseau volage et la santé se détruit en une minute. J'en suis là, moi : de retour sur plein de chemins à la fois. Tu vis dans l'utopie et puis elle s'écroule, mais ce n'est pas sa faute. Finalement, le salut qu'elle proposait, c'était toujours pour l'avenir, pour la génération suivante, pour demain. Et toi non plus, tu n'es pas responsable. C'est un karma collectif, tout simplement. Enfin, quoi qu'il en soit ça se passe comme ça, et alors tu te dis : « Qu'est-ce que je fais, maintenant ? Je peux m'enfuir ou je peux rester, à survivre au milieu des ruines. A m'accrocher. A reconstruire. Ou bien encore je peux essayer quelque chose de nouveau, de différent. La fuite, c'est pour les perdants. » Et voilà, j'en fais toute une histoire mais en réalité c'est seulement le délire que l'herbe te met dans le cerveau. Tu as les poumons pleins de la fumée de ganja, tu t'envoies de la gnôle et tu continues à fumer jusqu'à ne plus être capable de penser à la déroute de l'utopie, ni à ton propre échec, ni à ce que tu pourrais bien faire pour renaître. Si, tu te dis que Dieu pourrait t'aider, éventuellement. Mais le chemin qui mène à lui n'est pas simple à trouver. Des fois, tu as le pressentiment que tu vas y arriver. Jusque là-bas, jusqu'à lui. Tu as cette intuition et tu te dis : « Ah, je peux retrouver ma foi ! » Et bon, c'est déjà quelque chose, ça. Un bout de terre qui apparaît en pleine mer, au beau milieu de la tempête, tandis que sur le radeau cerné par les méduses ils sont tous en train de se cannibaliser...

Alors voilà. Je fume deux ou trois joints par jour, et je prends du rhum, et du tabac, et un peu de sexe en groupe. Pas le grand truc, non : quand on vit dans les ruines, tout est furtif, discret. Isabel aussi, elle aime bien. On le fait à trois, à quatre. Ça dépend de qui passe par là. Mais bon, je ne vais pas rentrer dans ces histoires, c'est trop porno. Mais authentique cent pour cent. C'est comme ça, la vie : c'est l'interdit qui nous attire le plus, toujours.

Un soir, on est assis sur le Malecón, Isabel et moi, bien tranquilles dans la brise nocturne du mois d'août. On ne parle pas. On écoute les vaguelettes murmurer sur les rochers de la côte et on regarde au loin le ciel noir et la mer sombre qui va, qui vient. On est entièrement plongés là-dedans, dans l'immense obscurité du lointain et la rumeur candide de l'eau à nos pieds. De toute façon, moi je n'ai que du vide en moi et donc le gouffre de la nuit, le chuchotement des vagues, tout ça me traverse entièrement, sans rien laisser. Me traverse et poursuit son chemin. Mais au moins ça me rafraîchit un peu. J'aspire une grande bouffée d'air et je sens la fraîcheur de cet univers sans bornes m'envahir. Sauf que la paix ne vient pas, elle. C'est juste un en-cas rapide. Rien de plus.

Pas loin de nous, il y a une grosse dame noire, la soixantaine ou plus. Toute guillerette, souriante, perverse et sensuelle comme une nymphette. Vieille, gredine et putasse. On l'entend parler à une femme bien plus jeune installée à côté d'elle :

— Blanc, nègre, c'est du pareil au même pour moi. Quand je suis chaude, je m'envoie n'importe quoi.

A deux mètres de la vioque et de son amie, trois garçons blancs sont arrêtés. Des Blancs. Ils ne sont pas du quartier, c'est visible. Pas la dégaine à vivre dans les décombres, eux. La jeunette leur dit quelques mots tout bas, puis elle chuchote à l'oreille de la vieille diablesse, qui se rengorge :

— Dix-sept ans ? Parfait ! Allez, qu'ils viennent tous les trois me mettre le zizi par là. C'est tout mignon, ça a tout peur de mon coco de négresse, hé ? Ha, ha, ha ! Allez, ramène-les-moi par ici.

L'autre revient à la charge, mais les petits se disent que la mémé est folle, ou bien ils ont la trouille, je ne sais pas. Ils ont l'air de fils à papa aux poches bien garnies. En tout cas, ils s'en vont. Bien élevés, attention : ils disent même bonsoir, à bientôt, señora. Mais ils partent en courant. Et la grosse se tord de rire. Elle leur a flanqué la peur de leur vie. Si elle avait voulu les enjôler, ils ne lui auraient pas échappé. Moi, je n'ai jamais baisé une vieille énorme comme ça. Des maigres, oui. Mais les minces restent agiles, vigoureuses, impudiques, dévergondées, la chatte en feu. Plus elles sont vieilles, plus elles ont du toupet. Une vioque pas trop grasse sur un lit est plus bandante et plus cinglée que n'importe quelle jeunesse.

Je la regarde en me tripotant les couilles pour qu'elles prennent du volume. La vioque me mate sans détour :

— Mmmm... Là c'est du sérieux au moins, ce paquet-là. Qu'est-ce que tu veux, mon poulet ?

— Viens qu'on se la donne.

— Ah, cette tête de zinzin que tu as ! Et elle aussi, alors ? Mmmm... Ça devient tout bon, là !

L'autre ne veut pas nous suivre. C'est une voisine de la mémé et elle dit qu'elle l'aime comme sa propre mère. Elle n'a pas une tronche à aimer qui que ce soit, mais elle fait l'intéressante. Tant pis pour elle.

La vieille habite une grande piaule dans un immeuble collectif pas loin du Malecón. On la suit là-dedans. Elle a du rhum. Ça se passe super bien. La perverse totale. Une grande jouisseuse. On reste trois ou quatre heures et elle ne se rassasie jamais, elle réclame toujours plus. Mais ça suffit. Il fait une chaleur à crever, on est en nage tous les trois. La nuit, l'eau est coupée dans la salle de bains commune. On se bouge de là avec la grosse qui nous dit de revenir, qu'il le faut absolument, qu'on est deux zinzins complets... Bon. On retourne sur le Malecón, nous.

On s'assoit un moment dans la brise. Il y a encore beaucoup de monde dehors, à prendre le frais. On est claqués, Isabel et moi. On remonte dans la piaule, on se lave un peu et on s'endort comme des sonneurs.

Il fait à peine jour quand quelqu'un frappe à la porte. Isabel ronfle, crie dans son sommeil, rigole, se remet à ronfler de plus belle. Je la secoue.

— Oh, tu fais un cauchemar ?

— Grrr, non... Laisse-moi, con, laisse-moi dormir...

Je me lève. On frappe à nouveau.

— Qui c'est ?

— Susi.

— Qu'est-ce que tu veux à une heure pareille, Susanita ? Sur ta mère, fais pas chier, petite.

— Ouvre, dis ! Isabel est là ?

— A ronfler comme une porcasse, oui.

— Ouvre, allez !

D'accord. La putain fait son entrée, encore en tenue de travail : short ultramini qui lui laisse la moitié des fesses dehors, dans un tissu brillant comme de l'or, petit chemisier transparent moulé sur ses superbes seins, sans soutien-gorge, et des bottines blanches à talons hauts, très classe. Ah, c'est un spectacle, cette salope, avec ses longs cheveux noirs qui lui volent autour. Mais elle a une caisse enregistreuse à la place de la caboche, la garce : elle ne couche que si on allonge le fric. J'ai bien essayé de l'embobiner quelquefois dans nos petites orgies, mais rien à faire. C'est une traumatisée des touristes et des dollars. Si jamais elle atteint un jour l'orgasme avec un de ses clients, c'est qu'il lui aura fourré un billet de cent dans le vagin.

— Qu'est-ce que tu veux, beaux nichons ?

— Hé, un peu de respect, Pedro Juan !

— Respect de quoi ?

Elle va au lit et réveille Isabel en la secouant.

— Allez, Isabel, debout ! Le Yankee en plastique est revenu hier.

En entendant ça, Isabel se redresse d'un bond.

— Quand ça, tu dis ?

— Hier. Alors grouille, parce qu'il a demandé après toi.

Je tente de m'insinuer, vu qu'il y a du fric en perspective, là.

— C'est quoi, cette histoire de Yankee en plastoc ?

— Un mec qui vient à Cuba tous les quelques mois. Je t'explique après.

En dix minutes, Isabel est prête. Robe blanche en lycra, petit sac en cuir, parfumée à mort, breloques partout, coiffure de folle. Toute joyeuse, elle me donne un baiser en riant :

— M'attends pas, hé, papito. On s'est gagné le pain, là, mais j'en ai jusqu'à demain, minimum.

— Bon, ciao. Fais gaffe à toi...

La journée s'écoule, tranquille. Suffocante. Il fait chaque année plus chaud, ici. Je vends les quelques cigares qui me restaient, de quoi me payer une pizza et un soda. Excellent régime, ça. Je suis à soixante-dix kilos, vingt de moins que mon poids normal.

Et puis c'est la nuit. Sans un rond en poche, sans rhum, sans bouffe, sans un peu d'herbe pour kiffer un peu la vie. A nouveau sur le parapet du Malecón, seul comme un naze. Heureusement, la vieille grosse ne revient pas dans le coin avec ses perversions. Je me couche tôt mais je dors mal : des crises d'angoisse, la faim qui me tord le ventre, les cafards qui rôdent, un rat qui grignote dans un coin. Et puis il y a quelque chose de pas net dans la piaule d'Isabel. Il faudrait dissiper ça, faire un exorcisme avec des herbes et une poule blanche. C'est évident, mais Isabel est trop négligente et c'est pour ça qu'il y a ce micmac que je sens ici. Enfin, j'arrive à pioncer un peu au milieu des cauchemars, des prémonitions et de l'horrible odeur de merde qui vient des toilettes collectives parce que l'eau est coupée depuis deux jours. On en remonte des seaux pour la cuisine et se laver un peu mais le caca déborde des chiottes, avec tout le monde qu'il y a à l'étage. Combien, je n'en sais rien. Ça varie. Quoique, en ce moment, on n'est pas des masses. Une quarantaine dans les sept piaules, pas plus. Et ça suffit. Il y a bien assez de merde et de pisse.

Le jour finit par se lever. Je reste un moment au lit, crevé. Et je me rendors, pour de bon. C'est là qu'Isabel resurgit. Morte de fatigue et de sommeil.

— Aïe, papito, il m'a pas lâchée une seconde de toute la nuit, celui-là ! Je suis moulue et j'ai le coco qui brûle, qui brûle... Quel crétin c'est, quel abruti !

— Bon, explique. Il a une pine en plastique, ce type ?

— Non, non. Rien que le gland, en fait. C'est une prothèse. Mais n'empêche, il a jamais pu jouir. Ni avec Susi, ni avec moi.

— Quoi, vous deux en même temps ?

— Hé oui ! On a passé toute la nuit à se le travailler et il a pas lâché son jus, con ! Je l'ai refilé à Jacqueline. Il va lui falloir dix jours avant de lui sortir sa purée.

— C'est la prothèse qui l'empêche de jouir ?

— Hé oui ! Puisqu'il sent rien qu'avec le reste du manche. Et dans quelle rage qu'il se met ! Il faut voir ce qu'on doit supporter, comme conneries...

— Combien il t'a donné ?

— Cent dols. C'est toujours son tarif pour une nuit. Quoi, je t'ai jamais parlé de lui ?

— Non.

— Ah, c'est parce qu'il y avait un bout de temps qu'il était pas revenu. Une année, presque. Oh, ce numéro... Bon, il y a, voyons... Susi, Jacqueline, Mirtica, Lili, Sonia et moi. Six, en tout. Et donc on se prévient et on se relaie jusqu'à ce qu'il finisse par juter avec l'une de nous. Et après on reprend la chaîne, toutes, parce qu'il est infatigable, le bougre ! Des fois, il reste des trois semaines ici et c'est nuit après nuit, sans arrêt, sans arrêt.

Et quand il jouit, alors là il se détend, il est tout calme, il nous invite toutes à dîner et à danser.

— Et il t'a lâché cent dollars, vraiment ?

— Oui papi ! Tiens, les voilà. Et en plus je reprends mon tour dans trois ou quatre jours. Ce Yankee-là, on se le tient et on se le garde, nous six ! Pas question qu'une autre s'approche de lui. C'est à nous de le mener au ciel !

— Isabel, faut que je me bouffe un truc ou je tombe évanoui.

— Moi, j'ai la panse bien remplie. J'ai pris un petit déjeuner comme une dame. Jusqu'aux toasts beurrés et aux petits pains... Tiens, prends-toi ces cinq-là et va te requinquer.

— Quoi, tu l'as déjà changé, le billet ?

— Qu'est-ce que tu voulais ? Que je te le refile entier ? Pour que tu le claques dans la journée ? Non, papito, non. J'ai trop sué avec ce bout de plastoc dans le coco pour que tu ne respectes pas un peu ce fric-là en me le dispersant avec ton herbe et ton rhum. Pas question ! Débrouille-toi avec ça. Moi, je vais faire un somme. Et me réveille pas, hein ? Aïe, mes morts, quelle affreuseté, ces chiottes ! Qu'est-ce que ça peut puer ! On peut pas dormir, ici !

— L'eau est coupée depuis deux jours.

— Bon, et merde ! Je suis claquée, de toute façon. Sois gentil, laisse-moi me reposer, papi. Sois bon avec moi.

Je suis descendu me prendre une pizza et une boisson fraîche. Il était temps que j'aie quelque chose dans le bide. Enfin, comme on dit : le Bon Dieu, il te serre le cou, mais il ne t'étrangle pas.

Les cannibales

Le jour a commencé à poindre avec des rayons d'un rougeâtre orangé dans le gris sale des nuages lourds. A l'entrée de la baie, la mer est calme mais très froide. Et moi, je suis pratiquement gelé.

J'ai passé toute la nuit à pêcher, flottant à quatre cents mètres de la côte le cul coincé au milieu d'une chambre à air gonflée. Avec une vingtaine de gus autour de moi, équipés pareil. Mais les mois de septembre et d'octobre, pour la pêche, ce n'est pas l'idéal : voilà seize jours que je n'attrape rien. Je me fais de plus en plus penser à ce vieux de Cojímar, tout seul dans sa barque, qui n'avait pas eu une seule touche en près de trois mois. Sauf que lui, c'était un héros classique : complètement ravagé mais jamais défait. Alors que moi, l'héroïsme, c'est pas mon fort. Ni moi ni personne. A notre époque, on n'est plus si obstiné, on n'a plus un tel sens du devoir et des responsabilités. L'esprit du temps est mercantile. L'argent, il n'y a que ça. Et si c'est en dollars, encore mieux. L'étoffe dont on fait les héros est toujours plus rare.

C'est pour cette raison que les politiciens et les prêtres dépensent toute cette salive à prêcher la fidélité et la solidarité. Ils n'ont pas le choix, ou bien ils n'ont qu'à trouver un autre métier. Mais nous, les crève-la-faim, on continue à se serrer la ceinture et il ne se passe rien. Les politiques et les religieux, ils croient qu'on peut tout changer par la force de la volonté. Erreur. Parce que les humains continuent à être des bêtes : infidèles et égoïstes. Nous, on aime s'écarter de la meute et la regarder de loin, en se mettant à l'abri de ses crocs. Et puis quelqu'un arrive et se met à exhorter à la solidarité avec la meute.

La morale la plus sensée que j'aie entendue de ma vie, c'était de la bouche d'un vieil anar solitaire qui vivait près de chez moi quand j'étais gosse, à San Francisco de Paula. Il était veilleur de nuit dans la belle propriété d'un grand Américain à rouflaquettes qui avait une Cadillac noire. Des fois, j'allais là-bas pour la vue : de cette colline, on aperçoit toute La Havane. Je me faufilais, parce que le proprio était un grincheux qui n'aimait pas les intrus. Je m'asseyais avec Pedro Pablo et on bavardait. Pendant la journée, il aidait à l'entretien des jardins. Il me disait : « La vie doit être régie par deux principes. Le premier, c'est que tout être humain a le droit d'agir comme il en a envie. Et le second, c'est que personne n'est obligé de respecter le premier. »

Je n'ai jamais oublié ces paroles du vieux Pedro Pablo, mais je n'ai été que très rarement en mesure de les mettre en application. Le reste du temps, il m'a fallu courber l'échine. Mais de toute façon l'époque était différente, il y a quarante ans : chacun avait son emploi et en vivait. J'ai l'impression qu'alors les gens savaient quelle était leur place et s'y tenaient, sans avoir tant d'ambitions, sans trop se compliquer la vie. Aujourd'hui, au contraire, ça part dans tous les sens. Personne n'a l'air de connaître ses limites, ni ses devoirs, ni ce qu'il veut vraiment, ni la direction à prendre, ni l'endroit où il est. Tous, nous errons à la poursuite de l'argent, désespérés, nous sommes prêts à n'importe quoi pour gratter quelques pièces puis nous passons à une autre combine, et encore à une autre. En fin de compte, tout ce à quoi nous sommes arrivés, c'est à une grande confusion d'individus qui se disputent et se battent entre eux.

Ah, mais je réfléchis trop, là. En plus, j'ai le cul et les roustons trempés, le froid me perce les os et j'ai mal partout. Pêcher toute la nuit sur une bouée, ce n'est pas du gâteau. Et puis bon, qu'est-ce que ça peut me foutre, que les gens soient stupides ou non ? Moi, mon truc, c'est d'attraper des poissons balèzes. Et s'il ne s'en présente pas, je dégonfle la chambre à air, je la range avec le reste de mon attirail et je passe à autre chose en attendant décembre. Dès que les vents du nord vont reprendre, la pêche sera bonne. Surtout le pagre et le mérou. Pas des vaillants, ceux-là : faciles à prendre. Tout le contraire du marlin bleu, une créature intelligente, noble, courageuse, celle que le vieux Santiago pourchassait jadis ici même, au large de La Havane.

Le soleil est complètement sorti, maintenant. Jaune, embué, humide. Trop de nuages. Un temps à cyclone, ça. L'air est moite, collant, chaud, avec une forte brise du sud. C'est dégueulasse, épuisant, et ça me donne la migraine.

Je replie mon matériel et je repars vers le Malecón en nageant avec les palmes. Les clients ne m'accordent même pas un regard. Quand je reviens bien lesté, là ils sont tout sourires, ils m'entourent, ils font amis... Je marche jusqu'à l'immeuble, je monte chez moi et je dégonfle mon pneu. Isabel est déjà debout.

— Quoi, alors ça y est, Pedro Juan ? Tu vas plus pêcher ?

— Ça va faire trois semaines que je ne prends rien de rien. Il faut attendre le vent du nord. Avec ce temps qu'on a...

— Et de quoi on va vivre ?

— Va cavaler un peu sur le Malecón. Ce soir, tu t'y remets.

— Mais oui, c'est facile à dire, pour toi ! Tu as oublié que les flics m'ont déjà collé deux avertissements ? Ils me coincent encore une fois et je plonge, moi !

Je ne réponds pas. Pas envie de discuter bêtement. C'est une fonceuse, Isabel, et elle s'accroche, mais des fois elle fatigue à force de déblatérer des conneries. Je me jette un peu d'eau douce sur le crin. Voilà des jours qu'on n'a plus de savon. Si on continue comme ça, on va attraper la gale. J'avale un morceau de pain, un verre de flotte sucrée et je me couche pour dormir un moment. Comme une souche.

Il est deux heures de l'après-midi quand je me réveille. J'ouvre les yeux et je reste à contempler le plafond. Avec une grande question dans la tronche : et maintenant, je fais quoi ? Le voisin continue à taper sur sa ferraille et à fabriquer des seaux mais il ne veut pas que je l'aide. Je n'ai plus un rond en poche. Qu'Isabel putasse un peu et on pourra tenir plus ou moins jusqu'en décembre. Et si elle s'en va avec un Yankee, encore mieux. Comme ça, elle m'entretiendra de loin. Et si elle m'oublie, pareil. Au fond, je n'attends rien de quiconque. Ce qu'il y a, c'est que je vais devoir retourner à la putain de benne à ordures. On dirait que je suis né pour bosser la nuit, alors ! Débusquer une place de second sur un poids lourd longue distance, ça, voilà qui me plairait. Le bonheur. Et après, à force, je passe chauffeur et j'empoche le permis. Voilà un job pour de vrai : toujours sur la route, toujours en mouvement. Bon, en tout cas, ce soir il faut que j'aille trouver El Pollo. Il aura de la ganja, à tous les coups. Je lui recase quelques joints et avec ça je me fais un minimum de thune, de quoi tenir jusqu'à Dieu sait quand.

Isabel n'est plus là. Il n'y a pas de café dans la piaule. Je sors sur la terrasse pour arrêter de penser. Le ciel est toujours plombé, chargé de pluie. Ça me rappelle mon enfance, à la campagne. A San Francisco de Paula, nous avions deux vaches, des poulets, des chèvres. C'est mieux que de traîner dans toute cette saleté. Si je ne claque pas trop tôt, je repartirai vivre aux champs. Je me cherche une vieille et je me barre. Et s'il n'y en a aucune qui se présente, je m'en vais tout seul. Là-bas, la terre ne manque pas et pourtant nous voulons tous nous entasser à la ville, les uns sur les autres. Que Dieu me prête vie et dès que je me lasse vraiment de cette lutte à mort, je retourne à la cambrousse.

Me voilà donc, face à la mer des Caraïbes, sans la moindre idée de ce que je peux faire pour gagner quelques ronds, quand un type s'approche de moi. C'est un nouveau de l'étage. Encore un qui vient d'arriver de province, de la campagne, justement. Parce que là-bas, c'est la cata complète. Encore pire qu'à La Havane. Pas deux pesos en vue. Alors qu'ici je peux encore inventer un truc ce soir, même ce plan de joints. Il veut faire la conversation. Il a un parler chantonnant. Un type de l'Est cubain, certainement.

— Hé, mec, c'est que je t'avais pas encore jamais vu ! Tu habites par là ?

— Je vis ici depuis un paquet d'années, mon gars.

— Aaaah... Celui qui débarque c'est moi, certainement. Attends que je me présente : Baldomero.

Et il me tend une main rêche, calleuse. Un travailleur, ça. Maigre, avec des pattes sur les tempes, sale, les dents gâtées. Il rigole, cherche à faire le sympathique. Je lui serre la pince.

— Pedro Juan.

— Ah, mais alors on est voisins, mon ami ! Je suis avec Vivian, moi.

— Avec Vivian ? Depuis quand ?

— Hééé... Bon, c'est que... C'est qu'il y aura des mois, déjà... Mais ici, ici, à La Havane, je suis là que depuis guère de jours.

— Ah.

Vivian, c'est une garce blanche solidement bâtie, teinte en blonde, très portée sur les affaires, qui brasse pas mal de fric. Toujours propre, parfumée, bien vêtue, la chaîne d'or au cou. Quel rapport avec ce famélique, avec son allure de clodo ?

— Elle est là, Vivian ?

— Oui. Elle s'écoute un feuilleton à la radio. Moi, je suis sorti prendre un peu l'air.

— C'est que c'est une amie, elle. Allez, on va voir si elle a du café.

Vivian me sert une tasse et continue l'oreille collée à son poste. Je ressors sur la terrasse avec Baldomero.

— Et qu'est-ce que tu fais ici là, mon compère ?

Comment que tu te gagnes le manger ? La vie à La Havane, elle est dure comme clou. Chez moi c'est compliqué aussi, considère, mais pas pareil qu'ici.

— Non, c'est le contraire. Ici, il y a plus de mouvement. Mais enfin tu viens juste d'arriver, toi. Il te faut un peu de temps.

— Espérons, oui. C'est la première fois que je suis à La Havane. Et marche arrière, c'est pas possible vu que j'ai nulle part où aller.

— Ah bon ?

— Hé...

— Tu es costaud, Baldomero. Tu peux travailler dans n'importe quoi.

— Oui. Maigroulet, d'accord, mais ça c'est depuis toujours, petiot je l'étais déjà. Fort, oui. Là-bas, à la campagne, je faisais de tout.

— Bon, l'ami, alors remue-toi parce que si tu restes sur ce perchoir tu vas mourir de faim.

— Vivian, elle dit qu'elle connaît des zigs au marché des Quatre Chemins. Demain je vais les trouver. S'ils me laissent gratter avec eux...

— J'y ai bossé un temps, là-bas. A trente pesos la journée. Mais attention : c'est du lundi au vendredi, de six heures du mat' à six ou sept le soir. C'est pas du tout cuit.

— Oui, mais il y a toujours des à-côtés, non ?

— Bien sûr. Tu mènes tes petites affaires dans ton coin et ça t'arrondit les mois.

— Là, je marche, mec ! Tiens, je vais aller y voir de ce pas même. C'est pas trop loin ?

— Non. Tu remontes par Belascoaín. Dix ou douze rues et tu l'auras devant toi.

Les jours suivants, le type n'a pas arrêté de se démener. Toujours sale comme un peigne, toujours avec ses grosses pattes, toujours prêt à tailler une bavette. Il trimait dur, déchargeant des sacs au marché et glanant les restes de-ci, de-là. Mais toujours d'humeur égale, souriant. Un mois plus tard, on s'est croisés sur la terrasse et il m'a proposé de trinquer.

— Ça fait un brin de temps qu'on s'était pas vus, mec ! Attends un peu, que j'ai du rhum.

Il est allé dans sa piaule et m'a rapporté un verre plein.

— J'ai toute une bouteille là-dedans. Et quand elle est finie, il y en aura une autre.

— Hé bé, Baldomero ? Tu as si vite prospéré, con ?

— Pas tant, pas tant... Bon, je me fais quelques ronds, oui... J'ai une affaire qui me rapporte un brin.

— Ah, ah.

— Avec le foie de porc.

— Ah, ah.

— C'est pas quelque chose qui part bien sur le marché. Moi, je me le prends pas cher et je le vends dans mon coin.

— Ah, ah.

— Je me le garde par là, bien au frais. Qualité extra. Si tu connais quelqu'un qui en a l'intérêt, tu me l'envoies.

— C'est bon, le foie de porc.

— Et comment que ça nourrit, en plus ! Tiens, je vais t'en donner un morceau. Cadeau. Tu m'es sympathique, toi.

— Non, non, Baldomero. C'est ton gagne-pain, ce foie. Comment tu vas en donner alors que tu vis de ça ?

— Hé, mon compère, c'est pas une tranche de foie qui me rendra plus riche ni plus pauvre, quand même là !

Il est retourné chez Vivian et il est revenu avec un bon paquet de viande. Isabel l'a cuisiné à l'italienne, avec plein de piment. Succulent. Ça nous a fait deux solides repas. Après, je lui en ai acheté à deux reprises. Il vendait à bas prix.

Au cours des mois suivants, il a encore mis la gomme, Baldomero. Il s'est payé de nouveaux habits, mais il gardait son allure de clochard sale et affamé. Et Vivian s'est ternie, comme si la crasse de Baldomero avait fini par lui coller à la peau. Elle ne faisait plus d'affaires, elle ne sortait plus de chez elle. Elle qui avait toujours été joyeuse, bavarde, avec des petits maris et des petites fiestas jusqu'à l'aube, on la voyait maintenant taciturne, repliée sur elle-même. Et lui, il rapportait toujours plus de foie. Il avait sa clientèle régulière et il offrait toujours des morceaux à tel ou tel voisin pour soigner sa cote à l'étage.

Décembre est arrivé. J'attendais les premières brises du nord pour me remettre à l'eau. On survivait avec un peu de ganja que je cachais dans ma piaule et rien d'autre, parce que Isabel avait décidé de jouer la femme au foyer et me certifiait que les étrangers la dégoûtaient.

— Dégoûtée ou pas dégoûtée, on s'en fout ! Descends en baiser un parce que sans ça on va crever de faim, ici.

— Ah, fais pas le rat, mon beau. Le seul homme qui me plaît, c'est toi.

— Et toi, fais pas ta jeune mariée avec moi. Ça fait trois mois que tu joues les casées. Quand je t'ai connue, tu étais cavaleuse comme pas une.

— Oui, mais tout passe, tout lasse, hein ? Et puis laisse tomber ça, tous les jours tu me ressors la même salade. Prépare-nous un petit joint, va ! On a rien d'autre à faire, au total.

— Bon... Oui, ça vaut mieux... Mais pourquoi tu cherches pas à faire la lessive et le repassage pour quelqu'un, ou que tu te trouves pas un job à Miramar ?

— Je t'ai déjà dit de laisser tomber ça. Autrement on va finir en dispute, là.

— Ferme la porte.

On aime bien ça, fumer ensemble en s'envoyant quelques rasades de rhum. On plane et on tire des coups pendant des heures, sans arrêt. J'ai la queue qui devient comme du fer. Donc, j'ai sorti mon herbe et j'ai commencé à rouler un joint. Et là, on frappe chez moi. Fort.

— Ouvrez ! Police !

J'ai senti mes couilles me remonter dans le gosier. Vite, j'ai tout caché sous le matelas. C'est tout ce que j'ai eu, comme idée. Bon, j'étais dans la merde en plein. Deux kilos de ganja chez moi ! Mais ils ne m'ont pas laissé le temps de réfléchir. Ils ont recommencé à cogner. Isabel était toute tremblante mais elle est quand même allée ouvrir. Un policier a passé la tête dans l'embrasure.

— Vous avez un frigo, ici ?

— Non... Pourquoi ?

Derrière, un autre flic tenait Baldomero, menottes aux poignets, avec un sac en plastique à la main. Il l'a pris au collet et l'a poussé dans la pièce.

— Ce citoyen-là, il vous a déjà vendu quelque chose ?

— A nous ? Non.

— C'est sûr ?

— Sûr !

— Vous avez consommé du foie fourni par ce citoyen ?

— Non.

— Tant mieux pour vous.

Mes roustons sont revenus à leur place. Je me suis mis à la porte pour observer la scène. Les flics passaient de piaule en piaule en répétant les mêmes questions. Tout le monde a dit que non, que personne n'avait « consommé de foie fourni par ce citoyen ». Les deux policiers ont alors décidé de changer de tactique. Ils se sont plantés au milieu du couloir avec Baldomero et sa poche en plastique, devant tous les voisins qui les regardaient d'un air méfiant et craintif. Le premier, le seul à parler des deux, a commencé à haranguer l'assistance. L'autre n'avait pas desserré les dents, se contentant de prendre une tête du genre : « Faites gaffe, parce que j'ai une grosse matraque, moi. »

— Ecoutez attentivement, camarades. Ce soir, le citoyen ici présent a été appréhendé par une patrouille au moment où il sortait de la morgue avec ce sac de foies humains...

Des exclamations étouffées l'ont interrompu.

— Laissez-moi terminer, camarades. Ce citoyen-là est employé à la morgue depuis deux mois et nous le soupçonnons d'avoir déjà dérobé des foies sur des cadavres pour les vendre au marché noir en prétendant que c'était du foie du porc. Nous, nous avons besoin de témoins afin que...

Nouveau brouhaha. Une vieille a été la première à se lancer :

— Ah, le fils de pute ! Ah, il m'a souillée ! C'est vrai, missié police, c'est vrai ! Il nous en a vendu, du foie ! Ah, l'enfant de putain, ça n'a même pas de mère !

On s'est dévisagés, Isabel et moi. J'ai éclaté de rire, mais elle, elle avait pris un air écœuré.

— Hé, Isabel, c'est déjà bouffé, digéré et cagué ! Oublie ça. En plus, tu t'es régalée. Il était fameux, ce foie.

— Tu es une bête, Pedro Juan !

— Que les vieilles lui tombent dessus, à Baldomero. Moi, je vais pas accuser qui que ce soit. Ce que je vais faire, c'est gonfler ma chambre à air et préparer mon attirail. M'est avis que je me fous à la baille, ce soir.

— Ah, quand même ! Tiens, je vais allumer un cierge à la Vierge de la Caridad pour qu'elle te protège.

J'ai pris le pneu et je suis descendu le gonfler. Baldomero contemplait les policiers en train de prendre des notes et les mémés offusquées qui l'accablaient. Et il souriait, ce crétin ! De quoi, je n'en sais rien, mais il souriait. De peur, sans doute.

Les fers du mort

Un cancer le pourrissait du dedans et l'a tué en quelques mois. Il avait à peine trente-deux ans, tout le monde l'appelait Santico mais il n'avait rien d'un saint, non. Plutôt un sacré fils de pute. Dans une carriole à deux roues, il vendait des avocats, des mangues, des oignons, n'importe quoi. Et le peu qu'il gagnait chaque jour, il le dépensait en femmes, en rhum et en cigares.

Danaïs, son épouse, était une superbe métisse de vingt-deux ans. Une fille sublimement belle, qui l'aimait à la folie. Quand il est mort, elle a failli devenir folle. Ils vivaient à treize dans une seule piaule, Noirs, mulâtres, sang-mêlé... Après, ils ont été un peu plus tranquilles parce que de son vivant Santico avait l'habitude de rentrer pinté en pleine nuit et de commencer par flanquer une raclée à Danaïs avant de se l'enfiler. Il adorait ça, la voir pleurer. Mais il était brute avec tout le monde, en fait. Et presque toutes les nuits c'était la même chose : les coups, les cris, les larmes et puis les soupirs, les gémissements, le sexe. Tous les autres, frères, sœurs, cousins, neveux, faisaient semblant de dormir et les laissaient s'agiter dans l'obscurité. A treize dans une pièce de cinq mètres sur six, pourrie d'humidité, puant la sueur et la crasse, avec la cuisine et les chiottes dehors qu'il fallait partager avec une cinquantaine de voisins. Impossible de garder un secret ni d'avoir la moindre vie privée, là-dedans. Mais ils ne s'en souciaient pas. Pour eux, c'était normal.

C'était un saligaud depuis toujours, Santico. Il aimait

le sang, les bagarres au couteau. Il était téméraire, violent, toujours dans les rixes. Il observait le culte d'Oggún : dans un coin de la chambre, il y avait le chaudron avec les fers, les grigris, les verres de gnôle, les cigares, et des offrandes d'avocat, de manioc, de poivrons, de piments. Et les silex, les branches d'acajou, de sensitive, de laurier, de ficus et d'amarante. Et une chaîne, une machette, une enclume, un poignard.

Il est mort avant son temps. Il ne voulait pas s'en aller si jeune, en pleine force de sa virilité. Sa fin a été rapide mais affreusement douloureuse, dans les râles et les vomissements de sang pourri. Il est parti comme ça, dans la misère et la puanteur. Danaïs s'est retrouvée avec les fers du rite, les colliers verts et noirs. De retour du cimetière, elle a pleuré deux jours entiers, sans arrêt, jusqu'à ce que la mère de Santico réussisse à lui remonter un peu le moral. Elle avait neuf enfants, la vieille, enfin huit maintenant, et sept petits-enfants : elle connaissait la vie.

Quand Danaïs a été mieux, elle est partie au marché. Elle est revenue avec un coq, un pigeon et un chien vivants. Elle les a attachés dans le coin d'Oggún. Et depuis, chaque semaine, le lundi ou le vendredi, elle égorge un poulet et verse son sang sur le chaudron. Elle passe du miel dessus pour l'attendrir. Mais elle est toujours triste, triste... Elle ne parle avec personne. Dans la rue, les hommes lui lancent des compliments, ce qui l'offusque. Si quelqu'un s'approche d'elle avec les meilleures intentions du monde, elle lui répond par des injures.

Une nuit, Santico lui apparaît dans un rêve et lui dit à l'oreille :

— Viens avec moi, Danaïs. Je suis venu te chercher.

Et elle le voit lui tendre les bras en riant. Elle se réveille folle de peur, toute frissonnante. Elle ouvre les yeux : sur elle, dans la pièce obscure, il y a une lumière rouge, diffuse, tournoyante. Elle se signe et se met à prier en tremblant.

— Miséricorde, Seigneur ! Fais que son âme s'en aille au ciel. Seigneur, miséricorde !

Mais elle ne s'élève pas, son âme, et pour cause : personne ne le sait mais il a tué trois hommes dans des bagarres de rue, Santico. Et il en a blessé beaucoup, il a fait trop de mal autour de lui. Alors il paie, maintenant. Même si Danaïs n'en parle pas, les visites de Santico se font de plus en plus fréquentes. Il l'obsède en permanence. Elle met des fleurs pour lui, des verres d'eau, des cierges, elle prie pour le repos de son âme. Rien à faire : mort comme il est, Santico continue à l'emmerder. Il veut l'avoir avec lui.

La mère de Santico essaie de la faire repartir chez ses parents. Elle vient de la province orientale, Danaïs. Mais elle refuse, elle s'entête. Elle veut rester encore :

— Laissez-moi l'aider à s'élever, mémé. Laissez-moi l'aider. C'est que je l'aime tellement...

La vieille comprend et n'insiste pas. Le temps passant, Danaïs finit par ne plus avoir peur des apparitions. Elle attend qu'il revienne la visiter la nuit, pendant que tout le monde dort. Et il arrive, oui. Il tombe la chemise, le pantalon. Il a déjà la verge tendue, il la pénètre, elle soupire en jouissant encore et encore, et puis il se dissipe dans l'air. Elle, elle ne se réveille pas. Elle est épuisée. Le lendemain, elle se sent toute humide et elle comprend que ce n'était pas un rêve. Elle a eu plein d'orgasmes dans son sommeil. Ça lui plaît. Chaque fois, Santico parle peu, ou pas du tout.

Elle lui prépare un verre d'eau-de-vie et un cigare près du chaudron. Certaines nuits, il s'approche en souriant et s'assoit tout près, sur le sol, sans rien dire. Danaïs ouvre les yeux et la lumière est à nouveau là, rouge, diffuse, tournoyant au-dessus d'elle. Elle n'éprouve plus aucune crainte. Elle se lève, elle va prendre le verre de gnôle et le boit d'un trait, puis elle retombe sur le matelas étendu par terre où elle dort depuis le début. Et Santico est là, amusé, tout content, en train de savourer l'alcool. Il se couche sur elle et il la monte comme un étalon en rut prend une jument. Pendant une heure, ou deux. Il jouit trois fois mais sa queue reste dure comme un bâton. Quand ils ont fini, il réclame encore de l'eau-de-vie et son cigare. Ils ne parlent pas. Ils n'en ont pas besoin : ils se comprennent comme ça, en silence. Danaïs se relève, va prendre le cigare près du chaudron, l'allume. Elle s'assoit par terre, le dos contre le mur, et elle fume, dans un état entre le sommeil et la veille. Santico fume, donc, mais il n'a plus de gnôle alors qu'il aime boire sec après une bonne baise. Il se fâche, gifle Danaïs qui se met à pleurer. Il la frappe à nouveau, et ça l'excite. Et là, sur le sol humide et froid, tout près des fers d'Oggún, parmi les merdes de coq, de chien et de pigeon, il la chevauche encore. Elle, elle croit dormir, elle ne se rend pas compte de ce qui lui arrive. Elle sent seulement qu'il la laboure à fond avec sa grosse pine infatigable. Les autres l'entendent se tordre dans le noir, souffler, gémir. Ils allument la lumière et ils la découvrent toute nue, allongée par terre avec les jambes grandes ouvertes et relevées, le sexe béant, faisant l'amour avec le vide, recevant des claques invisibles, très belle. Ils prennent tous peur et c'est la mère de Santico qui intervient d'autorité. Elle va chercher un verre d'eau bénite avec du parfum des sept pouvoirs, elle revient près de Danaïs et l'asperge de ce liquide en priant :

— Miséricorde, Seigneur ! Miséricorde ! Donne-lui la paix, Vierge des Vertus. Et toi, puissant Obatalá, accorde-lui tranquillité. Miséricorde, Seigneur. Fais qu'il s'élève, Obatalá. N'inflige plus de souffrances à cet homme.

Elle frotte d'eau bénite la nuque et les tempes de Danaïs, puis ses bras, ses cuisses et la petite finit par revenir à elle. Sans comprendre ce qui lui est arrivé. En pleurs, elle tombe dans les bras de la vieille :

— Aïe, c'est qu'il revient toutes les nuits, mémé ! Toutes les nuits ! Et j'aime ça, ah, comme j'aime ça...

— C'est fini, allons, c'est fini.

La vieille la console, l'apaise. Elle sait, mais elle garde le silence. Quand chacun a retrouvé son calme, elle éteint la lumière. Tout le monde se rendort. La frayeur passée, ils ne s'étonnent pas : tous, ils se doutaient bien que Santico n'allait pas partir tranquillement, sans se révolter. Il faut lui offrir une messe spirituelle. Deux, trois, dix messes pour le repos de son âme. Autant que nécessaire jusqu'à ce qu'il s'élève enfin. C'est ce qu'ils se disent tous mais personne n'ouvre la bouche. Mieux vaut ne pas chercher d'histoires avec le mort. Seule la mère, une fois recouchée, ose se parler tout bas :

— Il se croit encore vivant, le pauvret. Il faut l'aider, l'aider à monter.

Le lendemain, elle se lève de bonne heure pour préparer la messe spirituelle. Elle va trouver une de ses commères qui est très bonne pour ça. A son retour, deux heures plus tard, elle trouve Danaïs allongée sur le sol près du chaudron d'Oggún.

— On va faire la messe lundi, Danaïs, parce que ma commère elle peut pas avant. Encore cinq jours, donc ? Mais toi, qu'est-ce qui te prend ? Pourquoi tu es jetée dans ce coin ?

— Je ne sais pas. Je ne veux pas sortir.

— Ecoute, arrête les bêtises, maintenant ! Tu me prends la caisse d'avocats et tu vas te mettre sur le trottoir et tu les vends. Ou bien tu as décidé que j'allais t'entretenir, ou quoi ?

— Non, mémé, non ! C'est juste que je suis triste. Triste et fatiguée. Je comprends pas ce que j'ai.

Par un effort de volonté, pourtant, elle se remet debout, elle attrape les avocats, quelques citrons, et descend les poser sur un étal en bois devant l'immeuble. C'est comme ça qu'elle gagne sa vie. Chaque jour, il lui faut vendre un peu. Elle est occupée à son petit commerce quand une voisine la hèle :

— Hé, Danaïs, mais comme tu as les jambes enflées ! Et pourquoi ça ?

Elle continue son travail sans se préoccuper de la

remarque. Quand on est jeune, on ne pense pas à la maladie. Mais le soir venu elle a très mal aux pieds, aux jambes et aux cuisses. Elle replie son étal et remonte à la maison.

— Demain je vais voir le docteur. On dirait que c'est une inflammation des vaisseaux.

Cette nuit-là, Santico ne vient pas la trouver. Elle l'aperçoit au loin, à travers les lianes de la forêt vierge. Il l'évite, lui tourne sans cesse le dos. Elle est debout au milieu d'une clairière, toute nue, au pied d'un flamboyant. Santico maraude autour, sans s'approcher. Il lui montre son beau membre bandé puis s'esquive derrière les arbres en riant. Après, elle marche toute la nuit, il fait froid et humide et puis un jour brumeux se lève. Elle est nue, les cheveux détachés, très belle mais épuisée d'avoir tant marché et la peau griffée par les épines des fourrés. Elle comprend qu'elle est seule dans cette montagne, seule et égarée.

Le lendemain, elle arrive à peine à se lever. L'inflammation s'est encore aggravée. Tout son épiderme est tendu, irrité. Ses égratignures la brûlent. C'est une splendide métisse, couleur cannelle sombre, mais elle est défigurée, elle a le visage mangé par les cernes. En quelques jours, sa santé s'est beaucoup dégradée. La mère de Santico s'inquiète. Elle n'est pas vieille pour rien : elle a vu de tout, en ce bas monde.

— Non, Danaïs, tu ne vas pas à l'hôpital. Tu viens avec moi.

Sur le même palier vit Rómulo, un oracle de soixante-cinq ans, très savant et très sérieux. Ce n'est pas un de ces charlatans comme les jeunes d'aujourd'hui, qui ne connaissent rien à rien, mais qui ont assez de perfidie pour berner les naïfs et leur prendre leur argent. Il est respecté, Rómulo. En les voyant arriver, il les salue et s'adresse directement à la belle-mère :

— Je savais que vous alliez venir me trouver. Mais vous avez trop attendu. Pourquoi tu ne me l'as pas amenée avant ? Tu sais, pourtant. Tu n'as pas vingt ans, toi.

— C'est que tes remèdes sont chers, Rómulo, et j'ai pensé que...

— Ce qui est bon est cher. Bon, voyons ce que je peux faire. Suivez-moi par ici.

Rómulo garde ses saints derrière un paravent. Ils s'assoient tous les trois par terre. Au milieu, le vieux installe le damier d'Ifá. Il commence à jeter les coquillages, sans parler. Lentement, plongé dans ses méditations. Deux fois, trois. Toujours en silence. Et puis :

— C'est trop tard. Conduis-la au médecin, à voir ce qu'il peut pour elle

— Sur ta mère, Rómulo ! supplie la vieille.

— Ne prenez pas peur, mais il va falloir beaucoup prier pour elle, beaucoup. Emmène-la chez le médecin. Moi, je ne peux plus rien.

Danaïs ne comprend rien à ce qui se passe. Elle est si jeune, elle connaît si peu la vie... Santico l'a vue, il est tombé amoureux d'elle et il l'a sortie du gourbi de planches et de bouse où elle vivait avec ses parents et ses huit frères et sœurs, en pleine campagne, tout en haut d'une colline entourée de plantations de café ruinées par les ronces et le manque de soin. Elle avait alors dix-huit ans, et à peine neuf quand elle avait quitté l'école pour participer à la cueillette du café avec le reste de la famille. Enfin, ceux des enfants qui étaient restés là parce que les garçons, eux, avaient abandonné ce coin perdu dans les hauteurs de Baracoa pour aller tenter leur chance ailleurs. C'était grâce à eux qu'ils n'étaient pas morts de faim. Littéralement : chaque année, la récolte allait en s'appauvrissant. Lorsque Santico l'avait connue, cela faisait très longtemps qu'elle n'avait plus de souliers, ni de culotte, ni de savon. Rien. Il était devenu fou de cette petite sauvageonne innocente, prête à s'énamourer du premier homme qui pourrait la sortir de là.

Quand il l'avait baisée à sa manière, c'est-à-dire furieusement, tel un torrent déchaîné, incapable de s'arrêter pendant quatre jours, elle en était restée bouche bée. Elle avait fait souvent l'amour avec trois ou quatre galants dans le passé, mais ça n'avait rien de comparable. Et elle s'était retrouvée captive à jamais dans les filets métalliques de ce beau Noir viril et puissant comme personne. On lui avait appris à admirer les mâles, à les vénérer. A se livrer entièrement, jusqu'à se transformer en esclave. Ça s'est toujours passé ainsi, dans ces montagnes, et ça ne changera pas.

Danaïs était partie avec lui. Il l'avait emmenée à La Havane et l'avait aussitôt enfermée dans cette chambre bondée : la petite provinciale du Guantánamo était bien trop belle pour qu'il la donne en spectacle dans ce quartier peuplé de loups. En plus, elle n'avait jamais vu le monde, elle était totalement naïve et n'importe qui était capable de l'emberlificoter et de la lui enlever. Et donc elle n'avait le droit de sortir dans la rue qu'en compagnie de Santico. Le reste du temps, bouclée entre quatre murs. Il lui avait passé des œillères et l'empêchait de bouger. Mais elle avait tout accepté sans rechigner. Elle était contente de son sort, même, trouvant son compte dans cet amour qui tenait plus de la servitude que d'autre chose. C'était plus ou moins ce qu'elle avait toujours vu autour d'elle, dans sa province.

Ressorties de chez Rómulo, elles partent droit à l'hôpital. La vieille est sceptique, cependant. Les médecins diagnostiquent une phlébite à un stade déjà avancé. Ils la gardent pour lui administrer des antibiotiques, qui ne sont pas les plus appropriés dans son cas, mais il n'y en a pas d'autres, de toute façon. Pendant la nuit, l'inflammation empire, remonte dans les bras, les mains, le torse entier. Le lendemain, ils la transfèrent en salle de soins intensifs. Sans dire très précisément de quelle maladie elle souffre. Pour esquiver les questions incessantes de la vieille, ils répondent que « c'est un cas complexe, que nous sommes en train d'étudier ».

On lui administre du sérum antibiotique dans les veines, directement. Quelques heures plus tard, elle sombre dans le coma. On la place sous oxygène. Santico lui apparaît, tout rieur. Il s'approche d'elle. Quand elle le voit, elle se met à rire, elle aussi, et elle commence à se déshabiller. L'infirmier à son chevet n'y comprend rien. Il essaie de l'empêcher de se mettre nue. Enfin, elle était là, sans connaissance, évanouie, alors comment elle peut accomplir ces gestes, et pourquoi ?

Ils sont dans la montagne, tous les deux. Sous un ficus immense, très ancien. Santico quitte ses habits, se passe un collier de perles noires et vertes autour du cou et en fait de même avec elle. Sa verge est un battant de cloche, long et dur. Il est joyeux mais aussi insatisfait, comme à son habitude. Incapable de trouver le repos, ni le jour ni la nuit. Près d'eux, derrière des buissons, l'orisha des chemins et des mauvaisetés, celui qui surveille tout de ses yeux d'escargot, les observe. C'est un ami d'Oggún, celui-là. Ils sont souvent ensemble, à n'en faire qu'à leur tête, à violer les femmes qu'ils rencontrent sur leur route, à fomenter des troubles partout où ils passent. Santico enterre un clou ensanglanté dans le sol. Il est téméraire, ivrogne, turbulent. Il perd son sang à flots. Il a fait beaucoup de mal autour de lui et maintenant il se méfie, il redoute la vengeance. Il fait toujours face, sans cesser de surveiller son dos. Il craint et il est craint. Il vit dans la fureur. Il n'a jamais été heureux. Magnifique chef de guerre, qui ne dépose jamais ses armes. Quand il touche Danaïs, elle sent sa main dense et froide, le toucher métallique d'un mort. Avec une odeur d'acier en fusion. Maître des métaux et de la forge, du fer et du brasier. Il la pénètre sans préliminaires, sans égards. Nerveuse, éperdue comme une jeune vierge, elle se donne à lui et jouit. A peine la pointe de sa verge l'a-t-elle touchée qu'elle connaît son premier orgasme, puis d'autres, beaucoup d'autres. Ils se tordent sur l'herbe boueuse, humide. Oggún exige les sucs de cette belle pucelle, de cette innocente qui se livre par amour. Elle est prise de convulsions. L'infirmier tente de la mainte-nir sur le lit mais cette fille-là a une force incroyable, surnaturelle. Elle se cabre, s'arc-boute, remue les hanches comme si elle était en train de copuler, soupire, mord, crie. Elle tombe par terre avec un bruit terrible, la mort l'empoigne et tout s'achève. Elle souffle et gémit, les traits méconnaissables, parcourue par la bise qui se lève d'un coup dans ces montagnes massives. La verge encore érigée, Santico la laisse au sol. Il la gifle puis s'en va parmi les flamboyants, les acajous et les lauriers. Un chien, un coq et un pigeon s'empressent derrière lui, menant grand tapage. Il l'abandonne, bafouée, en pleurs, seule dans sa douleur, perdue en haut de ce mont énorme tandis qu'un cyclone fond sur elle, l'enveloppe et l'entraîne dans le vent, la pluie, le tonnerre et les éclairs. Elle ne comprend pas ce qui lui arrive. Elle ne le saura jamais

La capitaine, suite et fin

Chicha a passé la nuit la peur au ventre, à écouter un gros rat se démener au milieu des ustensiles de cuisine. L'animal se comportait comme s'il était chez lui, avec un rare aplomb. Chaque soir, il remontait de la cave par une vieille canalisation pourrie, gravissant les huit étages jusqu'aux combles. Puis il passait sur la terrasse pour aller fouiller dans les monceaux d'ordures, ou bien il s'introduisait dans l'une des chambres.

Au total, une cinquantaine de personnes ou plus habitent les sept piaules qui, au long des trente dernières années, ont poussé sur ce toit. Cela assure bien assez de restes de nourriture et de recoins. Chicha pensait qu'il s'agissait d'un seul rat parce qu'un jour, au crépuscule, elle l'avait vu sortir du tuyau et sauter souplement au sol, à plus d'un mètre en contrebas. En réalité, il y en avait bien d'autres qui suivaient ce spécimen particulièrement athlétique et prenaient possession de l'étage à la nuit tombée. Les caves n'étaient qu'humidité, fange, planches moisies, ferrailles et tuyauteries rouillées. Rien de comestible, donc. Ceux qui ne montaient pas en haut de l'immeuble se risquaient à sortir sur le Malecón par les couloirs d'entrée et s'aventuraient sur les trottoirs crasseux. Ils y trouvaient toujours quelque pitance malgré les frayeurs que leur donnait le reste de la faune nocturne, à savoir les putes, les ivrognes, les flics et les mendiants.

Enfin le matin. Sur les nerfs, Chicha s'est levée pour aller constater les dégâts. Le rat avait repoussé le couvercle d'une marmite contenant un peu de patates aux haricots. Il avait presque tout mangé, sans se priver de chier sur la table qu'il avait parsemée de petites crottes. Même pour Chicha, sale et négligée par nature, c'en était trop. Elle a ouvert la porte, a posé la casserole sur la terrasse et a commencé à la remplir d'eau. Sur ces entrefaites, sa sœur Tita est arrivée, aussi exubérante que d'habitude, découvrant dans un grand sourire ses immenses dents postiches qui se déchaussaient et menaçaient à tout moment de sauter à la figure de ses interlocuteurs.

— Bien le bonjour !

— Quel bon jour ? Commence pas à m'escagasser dès l'aube !

— Hé, te voilà déjà ronchonne à cette heure ?

— Ronchonne rien du tout. Laisse-moi tranquille.

— C'est important, d'être bien élevée. Et de traiter les autres poliment. Quand bien même tu serais en train d'étouffer au fond d'un puits.

— Arrête un peu, Tita. Les cours de morale, tu peux te les garder.

— Tu as mal dormi ?

— Je n'ai pas fermé l'œil de la nuit ! Tu te rappelles ce rat qui était monté par les conduits et qui avait sauté sur la terrasse ?

— Oui.

— Alors il s'est faufilé chez moi, cette nuit. Et il a fouillé toutes les marmites pour trouver à manger. Ah, quelle horreur !

— Comment ça, quelle horreur ? Je ne vois rien d'horrible, moi. J'ai connu bien pire que ça, dans ma vie. Il te fallait allumer, te lever et aller l'aplatir à coups de bâton. Quelle empotée tu es, ma vieille !

— Ça va, ça va.

— Lorsque mon mari m'a abandonnée en me laissant seule avec quatre enfants à élever, je n'ai...

— Tita ! Ça suffit ! Tu nous emmerdes ! Tu es cinglée !

— Et toi, tu ne peux pas t'exprimer sans grossièretés et sans paroles désobligeantes. Mais tu ne m'atteins pas, tu sais. C'est toi qui n'es pas normale. Les gens comme toi, toujours apeurés, immatures...

Et elles ont continué à se disputer, selon leur coutume, et à s'énerver mutuellement.

Voilà six années que Chicha s'est retrouvée veuve. Elle a soixante-neuf ans, maintenant, elle vit dans la solitude. Tita, sa cadette, passe s'occuper d'elle deux ou trois fois par semaine. S'occuper, c'est un bien grand mot. En réalité, elle ne vient que pour prendre un café, fumer comme une cheminée et se quereller avec sa sœur. Elles ne se supportent pas.

— Dis donc, Tita ? Tu vas faire un peu de ménage ici, aujourd'hui ?

— Pas d'ordres, s'il te plaît ! Tu n'as pas à me commander. Je ne suis pas ta servante, il me semble.

— Ah, Tita, mais tu vas me rendre folle ! Quoi, ce n'est pas pour m'aider que tu es là ? Pourquoi tu viens, Tita ?

— Pour te tenir compagnie, puisque ta famille ne veut plus de toi. A commencer par ta fille et les petits-enfants. Il faut bien que quelqu'un se comporte comme le veut le Seigneur.

— Quel Seigneur, bon Dieu de merde ? Tu viens me faire chier et me tourmenter avec tes folies, oui !

— Tu vois ? C'est pour ça qu'ils ne te supportent pas. A cause de ta mauvaise éducation et parce que tu ne respectes rien. Mais moi, respecte-moi, au moins ! Sachant que je crois en Dieu, tu pourrais...

— De la merde ! Il existe pas, Dieu ! Sinon il n'y aurait pas tant de misère et de faim dans ce monde.

— Ça y est, elle recommence ! Te revoilà avec ton communisme et ta politique et tes insultes ! Et qu'est-ce qu'ils ont résolu, eux ? Vas-y, raconte ! Dieu n'a pas de solution à tout, d'accord, c'est vrai, mais le communisme encore moins. La preuve, regarde où nous en sommes.

— On ne peut pas parler avec toi, Tita. Parce que tu es une ignorante.

— Alors que toi, si cultivée, si instruite... Une capitaine, vous vous rendez compte ? !

— Bon, ça suffit. Va chercher du pain, au moins.

— Oui, tiens, je serai mieux en bas que sur ce perchoir dégoûtant, à côté de quelqu'un qui dit du mal du Seigneur et du monde entier...

— Ça suffit, je répète. Descends chercher du pain.

Tandis que Tita s'engage dans les escaliers, le souvenir revient à Chicha d'un rêve qu'elle a fait la veille au soir, alors qu'elle somnolait dans son fauteuil. Sa sœur était une mendiante qui demandait l'aumône dans la rue. Une souillon qui allait nu-pieds, avec une petite statue de la Vierge dans la main gauche, la droite sans cesse tendue pour quémander quelques pièces quand elle ne dormait pas sur un banc des jardins publics. Elle comprend qu'il s'agit d'une prémonition. Elle en a toujours eu. Celle de la mort des autres, par exemple : lorsque son père s'était pendu, ainsi, elle avait vu la scène en rêve dix ans avant, à plusieurs reprises. Le cou passé dans une grosse corde. De même avec son mari : en dépit de ses soixante-quatre ans, il était encore vaillant quand elle avait rêvé qu'il grimpait dans un avocatier, tout joyeux, insouciant comme toujours, perdait l'équilibre en cherchant à atteindre des fruits au bout d'une branche et tombait par terre la tête la première. Dans la réalité, la chute avait provoqué un traumatisme crânien fatal.

Chicha n'accordait pas d'importance à ces présages, cependant. « Ce n'est qu'un hasard », se disait-elle chaque fois. Elle était passée par trop de privations, trop de jours sans manger. Au temps où elle avait été cuisinière chez les riches, elle était allée au bout de l'humiliation. S'il permet de telles injustices, c'est que Dieu n'existe pas, non. A la victoire de la Révolution, elle avait trouvé une place dans la police. On lui avait donné un revolver, un uniforme, et elle s'était dit : « C'est ma chance ou jamais. Je vais me rattraper. » Et en effet : elle s'était vouée au maintien de l'ordre, à imposer l'autorité autour d'elle. D'une main de fer.

La retraite est venue il y a huit ans. Peu après, le mari est mort et là elle a été emportée par une peur panique. Peur de sortir de chez elle, de descendre les escaliers, de sortir dans la rue, de croiser les voisins. Peur de tout. Elle a fini par se convaincre qu'elle se ferait trucider si elle mettait un pied dehors. Elle ne se sent en sécurité qu'entre ses quatre murs. Elle manque d'argent, de nourriture. Elle est devenue squelettique, maladive, avec une bronchite chronique qui l'oblige à cracher sans cesse des flegmes nauséabonds dans tous les coins. Et puis elle s'est rendu compte qu'elle était seule, absolument seule. Ni sa famille, ni ses voisins n'arrivaient à la supporter. Personne ne voulait se donner la peine ne serait-ce que d'aller lui chercher le petit bout de pain de sa ration quotidienne réglementaire. Ils ne l'ont plus appelée Chicha, mais la Capitaine. Et ils l'ont évitée avec soin. Elle s'est retrouvée abandonnée dans cette misérable pièce de quatre mètres sur quatre, affamée, malade, au milieu de la saleté, avec deux fauteuils déglingués et un matelas éventré. Parce qu'elle ne s'est jamais servie de la Révolution pour usurper quoi que ce soit. L'honnêteté personnifiée. Elle était convaincue qu'il n'y avait pas d'autre voie que la morale révolutionnaire : incorruptibilité, autorité, ordre, discipline, retenue, austérité... Maintenant, avec tout ce qu'elle a souffert, il lui arrive de perdre l'espoir.

Elle a quelques étagères couvertes de livres de Mao, Lénine, Marx, Kim Il-Sông, de textes de discours, d'exemplaires de la revue *Spoutnik*, de vieux numéros de *Sélections*. Son regard se pose sur cette paperasse poussiéreuse. Avec un grand soupir, elle attrape un magazine datant de 1957 et l'ouvre au hasard. Elle tombe sur une interview de Frank Lloyd Wright : « Combien de temps allons-nous subsister si l'esprit de la poésie nous abandonne ? Jusqu'à quand une civilisation dépourvue d'âme peut-elle se maintenir ? Loin de nous sauver, la science nous a conduits au bord du précipice. C'est dans l'art et dans la religion, qui sont l'âme de la civilisation, que réside notre salut. »

Brutalement, elle referme le magazine et l'envoie au diable :

— Ces Américains, quels baratineurs de merde !

Elle s'installe un moment dans le fauteuil informe qui se trouve devant la porte de sa tanière. Un type ne cesse d'aller et venir, chargé de briques. Dix à la fois. Il monte les huit étages avec, les entrepose dans sa piaule et redescend en chercher d'autres. Il ne porte qu'un pantalon coupé aux mollets, sans souliers. Sa peau sombre et suante est entièrement couverte d'une poussière très fine de chaux et de ciment, entre le gris et le blanc. Chicha a l'impression de voir une statue douée de vie, une sculpture de plâtre, ou de mortier, ou de pierre non polie. C'est un jeune Noir, grand, musclé. Etrange apparition : une statue qui bouge. Il va prendre les briques dans quelque immeuble éboulé et les rapporte chez lui pour construire une cloison, ou une mezzanine, pour créer un nouvel espace clandestin. Tout le monde fait de même. Ils ajoutent des murs, en démolissent d'autres, ouvrent des passages, ajoutent des pièces improvisées avec des planches pourries, des bouts de plastique, des débris de construction, tout ce qui leur tombe sous la main. Il y a de plus en plus de gens à cet étage déjà bondé. Ils vivent comme des cafards, s'entassant parfois à douze ou treize dans une chambre minuscule, insalubre, sans lumière. Théoriquement, il est interdit de modifier les lieux mais ils s'en moquent. Ils occupent le moindre centimètre carré et font venir de nouveaux parents de province. Ou bien ils se reproduisent encore plus, s'entassant les uns sur les autres.

Chicha ne bronche pas. Il y a encore quelques années, elle serait allée observer de plus près son manège. Rétablir l'ordre. L'obliger à demander un permis de construire à la municipalité, en l'avertissant qu'elle convoquerait sur place ses collègues de la police et les inspecteurs du Service municipal de l'architecture et de l'urbanisme, et qu'ils abattraient cette cloison illégale s'il s'entêtait à la monter. Formulaires, règles, inspections, tout ça était indispensable. Avant. Plus maintenant. Désormais, elle laisse courir. Elle ignore. A l'étage, personne ne lui accorde un regard ni un mot. Et elle non plus. C'est aussi simple que ça.

Elle prend un numéro de *Spoutnik* daté de 1982 et se plonge dans une lecture réconfortante : un reportage sur la ligne de chemin de fer Baïkal-Amour, le « Chantier du Siècle ». Elle se perd dans les steppes gelées, parmi les jeunes héros qui déployaient le drapeau rouge sur leur lieu de travail.

A la boulangerie, Tita s'aperçoit qu'elle n'a même pas les cinq centavos que coûte le pain. Aussitôt, la dépression l'envahit, cette sensation d'être la plus malheureuse du monde. Quelques larmes jaillissent, alors l'employée lui fait cadeau de la miche :

— Tu n'as pas d'argent ? Prends-moi ce pain mais arrête de chialer ici, parce que tu vas me porter le mauvais œil.

Tita a déjà attrapé la miche, mais en entendant ces paroles elle se met à pleurer pour de bon. Avec sanglots et grands reniflements.

— Allez, va-t'en ! Va-t'en, je te dis !

Comme tout le monde dans le quartier, elle sait que Tita n'a pas toute sa tête et elle veut la voir déguerpir au plus vite. Ce qu'ils ignorent, par contre, c'est que si son mari l'a abandonnée avec ses quatre enfants alors qu'elle était encore jeune et jolie, c'est parce qu'elle se parfumait et se laquait les ongles mais ne se lavait jamais, ne faisait jamais le ménage et ne s'occupait pas des gosses. Une porcasse avec un visage de poupée. Qui dépensait tout l'argent en café et en cigarettes. En se retrouvant seule, elle a eu un accès de folie. Elle est restée trois ans sur son lit, dans une déprime absolue. Les psychiatres ont cru qu'il n'y avait qu'un moyen de la tirer de là : les électrochocs.

Et maintenant, trente années plus tard, elle se délecte à raconter son histoire à qui veut bien l'écouter en ouvrant des yeux immenses, en grimaçant un énorme sourire et en exhibant ses grandes dents postiches qu'elle contrôle de sa langue pour s'assurer qu'elles ne vont pas dégringoler de ses gencives :

— Ils m'ont fait trente-deux électrochocs, oui, mais je me sens bien, très bien, très très bien. Oh oui, qu'est-ce que je me sens bien ! Et s'il en faut encore, qu'ils me les donnent ! Quoique moi, je sois bien, très bien, très très bien !

Elle sort de la boulangerie en larmes, terriblement déprimée. Elle a déjà oublié et Chicha, et le pain. Elle avance à pas lents. Elle évacue sa morve sur le trottoir en soufflant d'une narine tout en se bouchant l'autre d'un doigt, alternativement. Elle ne pleure plus. Elle remonte par Ánimas jusqu'à Galiano et s'assoit dans le parc à l'angle de San Rafael, les yeux perdus dans le vide. Un instant, elle arrête son regard sur l'antique magasin du carrefour, le Ten Cent, et elle se souvient des dix heureuses années où elle y avait été vendeuse de cosmétiques et de produits de beauté. Elle était jeune et belle, en ce temps-là, élancée, brune, avec des seins splendides. Son charme, son sourire permanent, sa courtoisie étaient une source intarissable d'apaisement, de douceur candide. Et elle vendait bien, grâce à eux. Elle avait des fiancés, des dizaines de garçons qui lui faisaient la cour et la couvraient de fleurs, de chocolats, de parfums. Pourquoi était-elle tombée amoureuse de cet énergumène, entre tous ? Et puis elle était entrée dans la milice, le Ten Cent avait été fermé, les Américains étaient partis à toute allure et elle s'était mariée parce qu'elle était enceinte. Qu'est-ce qu'il avait pu la frapper, cet abruti ! Même quand elle avait un bébé dans le ventre, il la battait comme plâtre. D'ailleurs, elle n'arrivait pas à comprendre comment elle n'avait jamais avorté, avec un pareil traitement. Et maintenant, qu'est-ce qu'il y a, au Ten Cent ?

Dans le coin traînent d'autres folles et d'autres fous, des vagabonds sans toit, des mendiants, des femmes qui tentent de vendre n'importe quelle cochonnerie aux passants, deux ou trois exhibitionnistes qui montrent leur engin à moitié bandé aux cinglées et aux clochardes pour mieux s'exciter. Tout ce menu fretin est invisible, pour elle. Elle est en léthargie. Machinalement, elle tend la main pour quémander quelques pièces. Elle voudrait s'acheter du café et des cigarettes. Elle n'a besoin de rien d'autre. Et elle répète d'une voix à peine audible :

— Donnez-moi un peu d'argent, pour l'amour de Dieu. Pour des cigarettes et du café. Soyez prévenants. On doit être bien élevé, bien poli les uns envers les autres. Donnez-moi, mais avec courtoisie. Soyez aimables. Ne me traitez pas mal...

Personne ne la comprend, parce qu'elle parle tout bas. Mais elle articule soigneusement chaque mot, avec un sourire perpétuel, amène, ce sourire qu'on lui avait appris à faire dans les stages de formation du Ten Cent.

Chez elle, là-haut, Chicha a terminé le reportage sur le Baïkal-Amour. Elle se demande pourquoi Tita n'est toujours pas revenue avec son maudit bout de pain. Elle se dit qu'il est temps de l'envoyer bouler :

— Il faut que je me décide à la jeter d'ici pour de bon. Qu'elle ne remette plus les pieds ici. Autrement, je vais me retrouver aussi dérangée qu'elle. Elle me rend folle mais elle, toujours aussi contente d'elle, comme si de rien n'était. A fumer et à boire du café. Ah non, que je ne la voie plus ! Et puis je rends cette chambre et je m'en vais à l'asile des vieux.

Elle reste un moment à réfléchir, debout au milieu de la pièce. Voilà déjà des mois qu'elle en a envie, mais elle n'a jamais osé : « Oui, je vais tout envoyer bouler ! En fin de compte, je n'ai plus besoin d'elle. Et puis, je n'ai plus la force de la contrôler. » Elle va à une petite commode, ouvre un tiroir. Au fond, sous un amas de vêtements sales, il y a un pistolet américain, un Colt, qu'un haut responsable lui avait offert au tout début de la Révolution. Une arme qui n'était déjà plus réglementaire, héritée de l'arsenal du régime antérieur, mais en parfait état. Et elle l'a toujours nettoyée, graissée. Dans une boîte, elle a conservé une trentaine de balles. Elle les sort, les place dans un broc et verse de l'eau dessus, pour qu'elles rouillent et finissent par devenir inutilisables. Elle cache le broc sous son lit tout en se disant qu'il lui faudrait un marteau afin de briser le pistolet en morceaux. Mais où trouver un marteau, maintenant? Elle va remettre l'arme à sa place, entasse à nouveau les habits dessus, referme le tiroir et se rassoit dans son fauteuil bancal, en face de la porte.

Dehors, l'homme continue ses allées et venues. Une statue animée, sculptée dans la pierre et le mortier, indestructible, qui ne cesse d'apporter des briques et encore des briques.

Toujours un fils de pute pas loin

Le vieux Cholo a fini de ramasser les livres qu'il avait étalés sur le sol, dans l'entrée. Des milliers de bouquins d'occasion, qu'il a remis dans leurs caisses avant de ranger le tout dans sa chambre pouilleuse. Puis il a attrapé une boîte de conserve vide, sale et rouillée, il a refermé la porte et il est parti se chercher à bouffer. Vingt-six pâtés de maisons entre Carlos III, à l'angle de Belascoaín, et O'Reilly à la hauteur de l'Avenida de Cuba, qu'il a parcourus rapidement, en moins d'une demi-heure. Descendre par Reina jusqu'à Monserrate, tourner à droite sur O'Reilly et continuer. Il était presque sept heures du soir quand il est arrivé. L'employée, mal embouchée comme à son habitude, lui a crié la même chose que tous les jours :

— Toujours en retard, Cholo ! Toujours le dernier, con ! Tiens, attrape, c'est tout ce qui reste.

Elle a jeté un peu de riz aux pois chiches dans sa boîte et elle a tracé une croix en face de son nom sur la liste des trois cent quarante-deux bénéficiaires de cette cantine gratuite de la Sécurité sociale.

— Comment, c'est tout ? Allez, va, trouve-moi un peu plus par là !

— Il reste rien, je te dis ! Tu as déconné, aujourd'hui. Arrive plus tôt !

Il est ressorti, s'est assis sur un perron. Après avoir sorti une cuillère de la poche de son pantalon, il a avalé cette saleté insipide. Il avait encore faim. Il a pensé aux troquets pas chers qui venaient d'apparaître sur Belascoaín mais il faisait déjà nuit, ils n'allaient plus avoir que du rhum et du tabac, au mieux. Plongeant la main dans sa poche gauche, il a tâté la liasse de billets. Epaisse. En une journée, il s'était fait au moins cinq cents pesos avec ses vieux livres. Et il en avait des milliers d'autres cachés dans les boîtes en carton, chez lui. Plein. Combien, il ne savait pas exactement.

Une femme s'approche, qui vend des joints de marie-jeanne. Elle lui en propose. Non. Il n'est pas du genre à dépenser son argent en bêtises. Il ne fume pas, ne boit pas d'alcool ni de café, et se contente de deux repas par jour, sans excès. Son seul vice, c'est le beau sexe. Il a soixante-seize ans mais on lui en donnerait à peine soixante. Il est robuste, musclé. Un Blanc trapu, à moitié blond, les yeux clairs. Sa mère lui disait qu'il tenait de son père, un Basque fort comme un taureau qui avait passé quelques mois avec elle puis s'était évanoui en fumée dès qu'il avait vu qu'elle était enceinte. Cholo ne l'a jamais connu. Quant à sa mère, elle est morte quand il avait quatre ans. Il ne se souvient plus de son visage.

Il a grandi dans la rue, Cholo. Orphelin, sans frères, sans amis. Seul. A dormir dans les coins, sous un porche. A survivre avec le premier boulot qui se présente. Il a tout fait : docker, cureur de fosses, balayeur, boxeur, vendeur de journaux, cireur de chaussures, manœuvre. Tout. Il n'y a pas un métier pénible et répugnant qu'il ne connaisse pas. Il a trimé à la décharge, aux abattoirs, au marché, à l'usine. Sans arrêt depuis que sa mère est morte. Il n'a jamais eu sa maison à lui, ni une épouse stable. Il aime bien rester un moment avec une seule femme mais chaque fois elle commence à demander de l'argent, toujours plus. A faire des crises de jalousie. A vouloir tout commander. A réclamer des enfants. A lui demander d'acheter du savon pour qu'elle puisse laver ses robes et prendre une douche tous les jours. Non. Plus d'un mois avec la même, c'est impossible !

Et c'est un chaud lapin, Cholo. Deux ou trois fois par

semaine, il se met à bander comme un étalon pur-sang. C'est là que ça sert, la thune.

Arrêtée à quelques pas de lui, la femme aux joints attend un client. Mais personne ne passe. Il l'observe mieux. Maigre, la trentaine, des cheveux sombres vaguement teintés en blond, pas trop entretenue, les pieds crasseux et calleux. Elle le regarde, sourit. Elle a des dents aussi amochées et noires que les siennes.

— Achète-m'en un, le vieux. Un petit peso de rien du tout.

— Non, ça non. Mais viens un peu par ici. Assieds-toi là.

— Pourquoi que je m'assoirais à côté de toi ? T'es fou ou quoi ?

Cholo se lève et s'approche d'elle.

— Tu veux te gagner vingt pesos ?

Elle est sur la défensive :

— En faisant quoi ?

— En me laissant te sucer la chatte. Rien de plus.

— Non, mec, vraiment non. Tu as vu comme t'es sale, dégoûtant ? Et si tu me colles une maladie ?

— Je te donne trente. Et encore dix si ça me vient de pouvoir te la mettre.

— Non, non. Trop pourri, tu es. Oublie-moi.

— Tu te fais quarante pesos comme ça, en deux minutes, oh !

— Même pour cent je te laisse pas me toucher, et encore moins m'enfiler. Non mais t'es pas bien dans ta têêête ?

— Allez, jeunette. Rien qu'un petit moment.

— Non ! Fiche-moi la paix !

Et elle s'éloigne. Amusé, Cholo la regarde et lui crie :

— Je te les donne, les cent.

Elle s'arrête, revient en arrière, avec un grand sourire maintenant, tout aimable :

— C'est vrai ? Alors là c'est autre chose.

— Non, c'est pas ce que je dis. Mais regarde : quarante aujourd'hui, et quarante demain, et encore après-demain, et tu vas...

— Ah, arrête de faire chier ! Un vieil obsédé, c'est tout ce que tu es ! Laisse-moi tranquille ou j'appelle un policier.

Cholo se retrouve bien excité, la pine gonflée sous le pantalon. Plein de fierté, aussi, parce qu'il se sait unique en son genre : personne ne peut bander comme ça, à son âge. Un taureau, voilà ce qu'il est ! Alors, dans l'obscurité, au milieu du trottoir, il se met à jouer des jambes. En garde, tête baissée, il décoche une série d'uppercuts énergiques à la figure de son adversaire imaginaire : « Court et fort. C'est un boulet de canon, ta droite. Sers-t'en ! » lui répétait son entraîneur au gymnase América. En trois années, il a eu quatre-vingt-dix-sept victoires, vingt-trois défaites. Cholo Banderas. On l'appelait comme ça, sur le ring. Le manager avait ajouté « Banderas » parce qu'il trouvait que ça sonnait mieux : « C'est un nom qu'on retient, qui a plus de swing. » Jusqu'à ce que ce salaud de nègre le mette KO. Evanoui sur le tapis, et avec une fracture au crâne, en plus. Fini, la boxe. Et après, il a été deux ans en taule pour une peccadille : un flic ramenard et grande gueule qui l'avait provoqué. Il lui a démoli le portrait, évidemment. Deux années, pas plus. En prison, il s'est senti bien. Silencieux, dans son coin. Tous les autres jacassaient, faisaient les gros bras. Pas lui. Il n'a pas ouvert la bouche une seule fois, ne s'est lié à personne. Seul, comme toujours. Jusqu'à l'heure de revenir à la rue.

C'était il y a très longtemps, tout ça. Il ne s'en souvient plus. En fait, il ne se souvient jamais de rien. « On vit au jour le jour. Hier, c'est passé et demain est pas encore arrivé », comme il dit souvent. En plus, la boxe ou les fosses septiques, pour lui, c'est égal. Etre en prison ou dehors, pareil. Et pour l'instant il est là, sur cette avenue mal éclairée, la queue à moitié bandée. Il envoie sa boîte de conserve par terre, fort, pour que ça fasse du

bruit. Il se sent reposé, alerte, dur. Il se masse les pecto-
raux, les biceps, les triceps :

— Quel homme tu fais, Cholo ! Ce soir il te faut une
femelle !

Et il s'en va en sautillant et en boxant à vide. Direction le port. C'est un quartier qu'il a toujours aimé.
Avant, c'était plus facile. Calle Muralla, en arrivant
Avenida del Puerto, il y avait trois putains, chacune dans
une petite chambre avec une porte peinte en rouge et son
nom en lettres dorées : Berta, Olga, Lola. Ça, c'est le
meilleur souvenir qu'il ait, si on peut dire. Trois putes à
cinq pesos la passe, qui lui parlaient, lui souriaient. Avec
le temps, ils étaient devenus amis. Quand il arrivait, elles
lui faisaient même une citronnade, ou elles le lavaient et
le rasaient. Dans ces cas-là, il laissait toujours quelque
chose en plus. Tout se paie, en ce bas monde. Mais voici
longtemps qu'elles ne sont plus là. Elles auraient
soixante-dix ans passés, maintenant. Elles sont mortes
jeunes.

Lui, c'est tout le contraire : il se sent comme si sa vie
commençait. La carapace qu'il s'est faite quand il était
presque encore un bébé est plus résistante que jamais. Il
n'a toujours compté que sur lui, et sur lui seul. Il a
conscience d'être invulnérable, telle une bête sauvage
dans la jungle. Un solitaire qui reste loin de la bande. Il
a eu beaucoup de femmes, beaucoup d'enfants, mais ils
ne viennent plus le trouver pour lui dire : « Tu es mon
père. Ma mère, c'est Unetelle. Tu te rappelles ? »

Il les a toujours écartés de son chemin. Il ne se souvient ni d'elles, ni encore moins des gosses. Jamais une
femme n'a accouché avec Cholo à ses côtés. Dès
qu'elles lui apprenaient qu'elles étaient enceintes, il disparaissait. Qui pouvait lui garantir que ce marmot était
de lui ? Parce qu'elles sont toutes pareilles : pour
quelques billets elles couchent avec n'importe qui et
ensuite elles se cherchent un niais qui élèvera la mar-
maille. Avec lui, pas question. C'est fini. Ça fait des
années que personne ne vient l'embêter avec ces his-

toires de paternité. Et c'est maintenant que la vie est la meilleure. Il se moque des autres, qui soutiennent que Cuba n'a jamais été aussi mal. « Pour moi, il n'y a pas mieux », se dit-il souvent. Quand la pénurie a commencé, en 1990, il avait un petit kiosque de cireur de chaussures en face de chez lui. A la place, il a eu l'idée d'acheter des trucs d'occasion et de les revendre ici. De tout. Depuis des tuyaux et des bouts de câbles électriques jusqu'aux cintres et aux vieux souliers en passant par des revues, des livres, des lunettes, des jouets usagés. Il n'y avait rien, absolument rien, à cette époque. Les gens avaient de l'argent mais ils ne trouvaient pas même des cigarettes à acheter.

Il en est arrivé à gagner plus de fric comme ça qu'en cirant des godasses. En plus, le cirage aussi était devenu introuvable, donc il était forcé d'arrêter. Il revendait ses bricoles aussi bon marché qu'il les avait eues. En plein centre, dans un endroit très passant. Tout le monde s'arrêtait pour regarder, pour demander le prix. Certains finissaient par se décider. Et puis il a remarqué que les vieux magazines et les livres partaient beaucoup mieux que le reste. Alors il s'est spécialisé là-dedans. Il a demandé à quelqu'un de lui écrire sur un bout de carton : « Achète livre et revus anciéne. Se déplasse ché vou. » Il parcourait à pied toute la ville avec quatre énormes sacs en toile et revenait chargé comme un mulet. Puisqu'il ne savait pas lire, il achetait tout le lot chaque fois. Sans distinction. Bientôt, il y a eu des milliers de bouquins devant son entrée, étalés par terre. Et des centaines de clients tous les jours. Il n'avait jamais fait autant d'argent. Il a caché ses recettes dans une boîte, avec des piles de vieux livres dessus. Personne n'aurait imaginé qu'une telle fortune se cachait là.

Il ne parle pas à ses clients, ne daigne même pas leur sourire. Il n'a pas confiance. Quand ils veulent lui serrer la main, il tend un doigt. Il peut passer des jours sans dire autre chose que « oui » ou « non » quand on lui pose une question. Mais il comprend parfaitement ce qui se passe dans le pays. Ce n'est pas à un vieux singe comme lui qu'on va apprendre à faire des grimaces : « Le problème, c'est que les gens prennent peur en moins de deux. Les Américains serrent la vis, il y a un peu de famine et voilà, tout le monde chie dans sa culotte. Et tu les vois maigrichons, déprimés, à parler tout seuls dans la rue, à moitié zinzins. Je sais pas pourquoi ils sont aussi couillons. Parce que Cuba, hé, ça a toujours été la même chanson : trois ou quatre ans d'abondance, et ensuite vingt de misère. Depuis que j'ai les yeux ouverts, ça n'a pas changé. C'est pour ça qu'on ne peut pas vivre dans la trouille. Il faut avoir du cran et foncer. » Enfin, c'est ce qu'il pense, pas ce qu'il dit. Vu qu'il ne parle pas, Cholo. D'abord parce qu'il n'a personne à qui causer. Ensuite, il ne sait pas. Et ça ne lui plaît pas. Celui qui tient sa langue la garde.

Arrivé à Muralla, il s'assoit sous l'arche qui donne sur l'Avenida del Puerto. Dans la pénombre. Tranquille. Un peu plus loin, à six mètres de lui, appuyés à une colonne, un nègre et une négresse sont en train de baiser debout, frénétiques. Il les entend souffler et ahaner. Ça l'excite encore plus. Il n'y a presque personne dans la rue. Il sort sa queue et se masturbe un peu à l'insu de ce couple. Juste un peu. Ça fait longtemps qu'il ne gaspille plus son sperme. Vu que bon, il ne fabrique plus ces litres de crème d'avant, de quoi remplir un verre à ras bord et de s'attirer l'admiration des femmes. Il en a beaucoup moins, désormais. Il ne faut pas le gâcher.

Tout joyeux, il range son engin et se met à la recherche d'une victime. « Cette nuit, je fourre un trou pour vingt pesos maxi ou bien je ne m'appelle plus Cholo », se dit-il. Et à nouveau, il fend l'air de coups de poing, en sautillant, et il descend comme ça l'avenue vers le Malecón. Des cavaleuses partout, des taxis, des bars, trois immeubles anciens qui tombent peu à peu en ruine, les décombres barrant le trottoir En face du bar des Marins, la merde déborde · les égouts qui se jettent dans la baie ont dû se boucher. Cholo ne s'étonne de rien. Il a toujours vécu dans la pourriture. Tout ce qu'il veut, c'est un trou pour vingt pesos. Devant l'établissement, un groupe de petites putes attendent le client. Très jeunes, jolies, provocantes, parfumées. Ça fait longtemps qu'il n'est pas venu dans ce coin mais son expérience l'amène à penser que toutes les putains sont pareilles. Il hèle une mignonne. La métisse n'arrive pas à croire qu'un vieux si dégoûtant lui adresse la parole. Elle ne bouge pas et lui crie de sa place :

— Qu'est-ce que tu veux, l'aïeul ?

— Aïeul le con de ta mère ! Viens par ici !

— Hé, mais qu'est-ce qui lui prend, à ce vieux tromblon ? Le con de la tienne, mal élevé ! Me cherche pas parce que je te larde au couteau, moi !

Imperturbable, il en appelle une autre. Celle-là est plus pacifique. Elle s'approche à deux mètres de lui :

— Dis-moi ce que tu veux, grand-père ! Une pièce ? On est fauchées, nous autres. Demande plutôt à un Yankee.

— Non, c'est moi qui en ai à te donner. Viens, viens plus près.

— Nooon ! Vas-y, dis.

— Je t'allonge vingt pesos pour te sucer le coco. Viens, allez !

— Vingt quoi ? Du fric cubain ?

— Evidemment. Vingt pesos de Cuba.

— Ah, il est maboule ! Tu t'es échappé de l'asile ?

La fille retourne vers le groupe de huit ou dix cavaleuses en se moquant de Cholo. Elle leur crie :

— Hé, il dit qu'il me donne vingt pesos pour me sucer le coco ! Ha, ha, ha, il est sénile complet, ha, ha, ha ! Oh, réveille-toi ! Pour passer un moment avec nous, c'est cinquante dollars ! Des billets verts ! Et avec l'odeur de merde que tu dégages, à moins de cent, va mourir ! Allez, circule, t'as jamais vu un dollar de ta vie. Bouge de là et oublie-nous !

Les autres se tordent de rire et renchérissent :

— Allez, vieux fou puant, dégage d'ici !

Cholo poursuit son chemin. Les folles, ce sont elles, pas lui. Il fait un rapide calcul dans sa tête. Le dollar est à vingt-trois pesos, donc cinquante font... mille cent cinquante ! Bordel ! C'est impossible. Comment une petite merdeuse pareille va se gagner en une seule passe ce que je me fais en toute une journée ? Alors elles sont millionnaires au bout de... Non, parce qu'elles ne savent pas économiser. Elles claquent tout en parfums et en cochonneries de maquillage. C'est ça, le drame des gens. Ils ne mettent pas la thune de côté.

Il continue, passe devant des bars-terrasses. Ils boivent de la bière en canettes, ils écoutent de la musique, ils rient. Cholo ne leur adresse même pas un regard. En fait, ça le met en rage, de voir tous ces types gaspiller aussi bêtement. Il va s'asseoir sur le parapet un peu plus loin. Seul. Il observe les rares passants dans ce coin. Un mulâtre arrive en pédalant sur un tricycle. Il freine à sa hauteur. A l'arrière, il y a une Blanche assise, une putasse teinte en blonde. Le type hisse sa bécane sur le trottoir, la serre contre le mur. Ils s'assoient côte à côte sur le muret, lui face à la mer, elle tournée vers la ville. Le mec est pété. Il ouvre sa braguette, sort son animal. Elle le prend dans la main gauche et lui fait une branlette sans le regarder ni lui dire un seul mot. Quelques piétons passent devant eux mais ils ne peuvent pas voir son bras en mouvement. Tout ça à quelques mètres de Cholo, dont la pression monte comme dans une cafetière italienne. En moins de cinq minutes, le type jouit en soufflant. Elle retire la main tout de suite pour ne pas être aspergée. L'homme tire quelques billets de sa poche et les lui donne. Il lui glisse quelques phrases à voix basse puis il se remet en selle et il repart en chantant, tout content. Elle est restée à sa place, elle. Cholo l'observe ouvertement. Un corps appétissant, même si négligé et sale. Il s'approche et lui balance sans préambule :

— Ecoute, je te donne vingt pesos pour te sucer le coco.

— Non, le vieux, non. Tiens-toi tranquille.

— Bon, dis, toi, alors.

— Que je dise quoi ?

— Combien tu veux ?

— Pour me faire sucer la moule ?

— Oui.

— Ah... Eh bien...

— Allez, trente. C'est bon.

— D'accord.

En face, il y a quelques buissons le long d'un parc de jeux qui est maintenant fermé. C'est désert, obscur. Ils se mettent à l'abri. Cholo est aussi excité qu'un adolescent. Elle retire son short, sa culotte, les étend par terre et s'assoit dessus, les jambes écartées :

— En avant, au boulot. Mais rien qu'une minute, hein ? Tu crois pas que tu vas sucer pendant une heure !

Le vieux hume, palpe, fait aller sa langue râpeuse, poisseuse et experte. Elle ne s'attendait pas à ce qu'il soit aussi habile. C'est un veau qui tire sur les mamelles. Et il connaît plein de trucs, et il convoque tout son répertoire jusqu'à la rendre folle. Quand il lui mordille le clitoris, elle n'y tient plus : elle s'abandonne à un orgasme sans fin. Aaaah, elle n'est plus là ! Enfin, elle se ressaisit et s'adresse une mise en garde : « Tu vas pas perdre la tête avec ce vieux puant, oh, Marisela ! Du sang-froid, merde, du sang-froid ! »

— Ça va, ça va. Arrête, maintenant.

Mais il continue à sucer. Et il se branle en même temps. Marisela se rend compte qu'il a une pine imposante, bien épaisse, dure comme un bâton.

— C'est quoi, ça ? Allez, ça suffit.

Pourtant, la vue de cette belle queue la fait à nouveau flancher. Inconsciemment, elle ouvre encore plus les cuisses. Le vieux se met sur elle et la pénètre.

— Aïe, tout doux, con, parce que tu l'as très grosse. Fais attention !

Elle jouit, elle n'arrête plus, un orgasme après l'autre. Quand il ne peut plus se retenir, Cholo lâche sa purée. Dès que c'est fini, il se relève et se met à sautiller sur place, comme un boxeur, en envoyant des punchs devant lui. Il est en pleine forme, heureux, pas du tout fatigué. Prêt à disputer neuf rounds de plus, maintenant. Elle n'en revient pas :

— Dis voir, toi, quel âge tu as ?

— Soixante-seize.

— Non ! Pas possible.

— Quoi ?

— Tu tiens une forme... On dirait un petit gars de vingt ans.

— Ah oui ! Je suis comme ça, oui. Tiens, attrape ton argent. Moi, je continue ma route.

— Hé, attends, fais pas ton fils de pute ! Comment ça, trente pesos ? Ça, c'était pour sucer, rien d'autre !

— Et je t'ai demandé d'écarter les jambes pour un bon coup de pine, moi ? Non, pas vrai ? Alors, c'est ton problème. Allez, je file.

— Attends voir un moment ! Fais pas ton malin parce que je te donne du bâton sur la tronche et je t'étends raide ici même !

— Oui ? Tu crois ? Tu es une vaillante, toi !

— Non, je suis une méchante. A quel point, tu voudrais pas savoir ! Donne-moi trente de plus pour la suite.

— Pas question.

— Donne ou je t'arrache la figure !

Aussitôt dit, aussitôt fait. Elle avait un surin dans la poche de son short. Elle le sort en un éclair et le lui lance au visage. De quoi lui ouvrir la joue. D'un saut en arrière, il esquive à temps.

— Hé hé, regardez-moi cette petite panthère ! Bon, allez, calme-toi. Voilà trente de plus.

Il sort sa liasse de billets devant elle et se met à compter. Marisela le regarde, stupéfaite :

— Oh, papito, t'es plein aux as !

— Ah, maintenant c'est « papito » ! Tiens, prends avant que je me ravise. C'est le coup le plus cher que j'aie tiré de ma vie.

— Comment tu t'appelles ?

— Cholo.

— Cholo comment ?

— Cholo. Allez, viens avec moi.

— Où ça ?

— Ah, tu en as, des questions. Viens, ça va te plaire.

Ils coupent pour rejoindre Reina, prennent par Carlos III et finissent par arriver dans la piaule remplie de livres, de poussière et d'humidité. Cholo allume une faible ampoule. Il couche par terre, sur une paillasse et quelques cartons puants. En voyant ça, Marisela en reste bouche bée. Elle sort un paquet de cigarettes d'entre ses seins, en allume une. Elle garde ses distances, observant Cholo en train de se déshabiller. Quand il est complètement nu, il est de nouveau avec une érection.

— Allez, Marisela, enlève tes fringues.

— Je peux pas croire que tu habites un endroit pareil.

— Pourquoi non ?

— Avec ce paquet de billets que tu as et vivre comme ça, pire qu'un chien... Et tu penses que je vais me coucher là-dedans, au milieu des rats, des cafards, de toute cette merde ?

— Te couche pas, alors. Je vais te baiser debout. Ça m'est égal, à moi.

— Non, non, laisse tomber... Je m'en vais.

— Dis donc, petite, tu vis dans un palais, peut-être ? Tu es une princesse ? D'où tu viens ?

— Tu veux savoir d'où je viens ? Je vais te le dire, moi. Je viens de douze ans en taule. Ils m'en avaient collé vingt parce que j'ai foutu une casserole en fonte sur la tronche de mon mari, et après je l'ai découpé en morceaux et je l'ai dispersé par-ci, par-là.

— La vache !

— Ah oui, la vache ? Simplement pour que tu voies que si tu es un dur, moi je suis encore plus dure que toi. Avec moi, tu vas pas improviser parce que je te saucissonne recta. Mais écoute ça : en prison, je vivais bien mieux que toi. Tu es comme un porc, moi je suis pas une porcasse. Pourquoi tu as mis le cadenas, tout à l'heure ?

434

Ouvre-le et fais pas le sauvage parce que c'est terminé. Je me casse. Terminée, ta fiesta.

— C'est pas pour toi, le cadenas. Je le mets toujours pour qu'on ne vienne pas pendant que je dors.

— Je m'en fous. Ouvre.

— Ecoute, regarde dans quel état je suis. Viens, on baise encore un coup. Je te paie et tu t'en vas.

— Non, je pars. Et me cherche pas, hé ? Ça fait trois jours que je suis sortie de prison. Tu sais comment je me sens ? Même ma mère, je la croirais pas.

— Ça, c'est le mieux que tu puisses faire dans ta vie. Il y a toujours un fils de pute pas loin.

— Je le sais que trop bien. Lâche-moi avec tes airs supérieurs.

— Bon, je vais te proposer quelque chose. Ça va te botter, si ça se trouve. Tu sais lire ?

— Bien sûr.

— Alors aide-moi avec ces livres. Je les vends là, dans l'entrée. Et des fois il y en a qui m'en demandent un de précis, moi je réponds que je l'ai pas et je loupe l'affaire.

— Quoi, tu sais pas lire ?

— Comme si j'en avais besoin.

— Ah ! Toi tu tombes par terre, tu te mets à brouter et tu continues à brouter toute ta vie.

— Faut voir qui dit ça ! La bête, c'est toi plus que moi. Au moins, j'ai jamais dépecé personne, moi.

— Parce que t'as pas eu besoin.

— Peut-être.

— Bon, on en arrête avec ça, Cholo. Combien tu paies ?

— Ça me laisse pas des mille et des cents. Voilà, je peux te donner dix pesos par jour.

— Ah ! Déconne pas, vieux. Je fais deux branlettes et je me récolte quarante ou cinquante en moins de temps. Tu vois pas que je suis blanche ? Les nègres, ils se damnent pour avoir une Blanche comme moi près d'eux.

— Et où tu vis ?

— Qu'est-ce que ça peut te foutre, à toi ? Ouvre ce cadenas, que j'aille me chercher des pines. J'ai déjà trop causé.

— Et moi aussi, j'ai trop causé.

Cholo déverrouille la porte. Marisela s'en va dans l'air frais de la nuit. Il sort sur le perron, s'assoit. Il y a une bonne brise qui rafraîchit. Il n'a pas sommeil. Il doit être minuit. Soudain, il bondit comme un ressort, reprend son jeu de jambes, envoie des uppercuts, court et fort, et des jabs à l'estomac.

— A ma droite, l'étoile du gymnase América, Cholo Banderas ! Daaang ! Sa droite est un boulet de canon ! Quatre-vingt-seize victoires, quatre-vingt-seize !

La ville dort dans l'obscurité. Personne ne regarde Cholo Banderas. Il se lasse de boxer avec son invisible adversaire. Il rit de bon cœur :

— Quelle belle nuit, con, quelle belle nuit ! Quelle heure il peut être ? Il va pas tarder à faire jour, donc je sors les livres et la bagarre commence ! Allez, mec ! Faut pas baisser la garde. C'est pour ça qu'ils m'ont étalé KO, cette fois-là. Parce que j'avais baissé la garde.

La Havane
avril–octobre 1997

Table

Cet ouvrage a été imprimé en France par

à Saint-Amand-Montrond (Cher)
pour le compte des Éditions 10/18
en juin 2009

Dépôt légal : janvier 2003.
N° d'édition : 3435. — N° d'impression : 091884/1.
Nouveau tirage : juin 2009.